Культ личности

КУЛЬТОВАЯ РОССИЙСКАЯ ЛИТЕРАТУРА

СИМВОЛ
ЭЛЕМЕНТА

Ax
АКСЕНИЙ
[268]

ПОРЯДКОВЫЙ
НОМЕР

ОТНОСИТЕЛЬНАЯ
АТОМНАЯ
МАССА

НАЗВАНИЕ ЭЛЕМЕН

ВАСИЛИЙ АКСЁНОВ

РЕДКИЕЗЕМЛИ

МОСКВА
«ЭКСМО»
2007

УДК 82-3
ББК 84(2Рос-Рус)6-4
   А 42

Редактор Инесса Клементьевна Назарова

Идея и дизайн переплета Анны Тагути

Аксенов В.
А 42   Редкие земли / Василий Аксенов. — М.: Эксмо,
     2007. — 448 с.

ISBN 978-5-699-20816-6

Новый роман всемирно известного автора.

Связи и талант главных героев превращают их из молодых лидеров ЦК ВЛКСМ в олигархов.

Владение империей добычи редкоземельных металлов, неограниченная власть денег, насилие со стороны силовых структур: **редкий металл выдержит такое. Смогут ли редкие люди?**

За полуфантастическими, но тесно связанными с реальностью событиями любви и жизни наблюдает из Биаррица писатель-летописец Базз Оксёлотл...

                    УДК 82-3
                    ББК 84(2Рос-Рус)6-4

I. Тамарисковый парк

Основным растением Биаррица является тамариск. Им засажены бульвары над океаном, существуют и целые парки тамарисков. Удивительные деревья! Представьте себе корявые и темные стволы с кронами нежнейшей светло-зеленой хвои. Многие из этих стволов, если не большинство, выглядят так, будто они уже давным-давно отжили свой век, будто изъедены изнутри то ли паразитами, то ли какими-то чрезвычайно тяжелыми многолетними переживаниями. Искривленные и раскоряченные, иной раз разверстые, словно выпотрошенные рыбы, они открывают во всю свою небольшую, ну, максимум метра три-четыре, высоту продольные кавернозные дупла. Создается впечатление, что они и стоят-то исключительно на одной свой коре, через нее получая питательные соки и исключительную, учитывая частые штормы, устойчивость. Поднимите, однако, руку и погладьте тамарисковую хвою, этот своего рода деликатнейший укроп; вряд ли где-нибудь еще вы найдете столь удивительную нежность и свежую романтику. Получается что-то вроде нашего исторического комсомола.

При чем тут комсомол, удивится читатель, и нам тут останется только развести руками. Как так при чем? Ведь именно на корявых стволах уродливой идеологии произрастала в течение стольких десятилетий наша молодежь. Тамариск с его дуплистыми и будто бы дышащими на ладан, черными нагнетающими непроходимый лабиринт стволами и его нежно-зеленой противостоящей вихрям хвоей тво-

5

рит метафору, привлекающую поэтов. Отец символизма Бодлер не обошел это древо в своих «Цветах зла», и спустя десятилетия Брюсов предложил перевод тамарисковых строф российскому читателю:

И тамарисковых дыхание лесов,
Что входит в грудь мою, плывя к воде с откосов,
Мешается в душе с напевами матросов...

Прошло едва ли не сто лет, и петербуржанин Найман присовокупил к этому и свой вклад в тамарисковую бодлериану:

Почему же, дитя, тебя Франция манит,
Тесный край наш, что жатвой страдания занят,
И, доверясь матросам на время пути,
Тамарискам любимым ты шепчешь прости?

Таков и наш давно уже почивший в бозе комсомол: вместе с отвержением он творил и притяжение. Вспомним хотя бы исторический период послесталинской «оттепели». Нежданно-негаданно гигантская структура «помощников партии», палаческая комса, в которой, собственно говоря, и черпала Революция кадры для своей чрезвычайки, принялась расширять границы не вполне формального творчества, открывать «молодежные кафе», патронировать выставки авангарда и покровительствовать джазу. Вот так на уродских стволах нарастал укроп, а то и трава-пастернак.

В конце мая 2004 года я приехал из Москвы в Биарриц, для того чтобы затеять новую повесть. В ноябре 2003-го в этом курортном городе, стоящем на прибрежных скалах над вечно гудящим Атлантическим океаном (будем иной раз называть его просто Водоемом, или, еще лучше, Резервуаром), мне удалось в режиме форс-мажор завершить трехлетний труд, своего рода фантазию на исторические темы. Теперь это место, естественно, казалось мне залогом нового хорошего труда.

По завершении долголетней работы всякий сочинитель испытывает основательную растерянность и опустошенность, или лучше в обратном порядке, о. и р., в некотором смысле состояние проколотой шины или — чтобы не слишком уж драматизировать ситуацию — баскетбольного мяча, теряющего звонкость при отскоке. Иной раз ему даже кажется, что полугипнотический кайф сочинительства уж никогда к нему более не вернется. Проходят недели, месяцы творческой вялости, и вдруг в какой-то трудно уловимый момент он ощущает, что начался период своеобразного поддува. Многолетний опыт подсказывает ему, что пора обзавестись каким-нибудь альбомчиком, лучше всего с хорошей плотной бумагой, с картонной обложкой, крытой какой-нибудь мягкой тканью, и начать вписывать туда, то есть в альбомчик, всяческий вздор, который впоследствии подтянет его к компьютеру.

С таким альбомчиком я как раз и приехал в тамарисковый город, в свой домик, расположенный на склоне цветущего холма в шестистах метрах от Водоема, если по прямой, то есть на крыльях. Я мало кого здесь знал, по-французски почти не говорил, иными словами, я попадал здесь в идеальную для сочинительства среду почти полного уединения, если не считать стайки длиннохвостых баскских сорок, прилетавших в сад, чтобы украсть какой-нибудь отсвечивающий на солнце предмет, вроде очков или портсигара.

Открыв альбомчик и включив компьютер, все еще резвый, как всякий трехлетний жеребец, я начал раскачиваться в кресле, поджидая появление первой фразы. Не успела она сложиться, как зазвонил мобильный телефон. Это был Лярокк, пожалуй, единственный из так называемых «биарро», то есть из общества местной элиты, кого я тут знал. Я познакомился с ним прошлым летом на пляже. Вдруг среди сотен отдыхающих заметил двухметрового загорелого старика с большим вялым зобом, с морщинами, не пощадившими даже подмышек. Пригнувшись и вытянув вперед некогда мощные длани, старче играл в мяч с шестилетним внуком. По его удивительным кистевым пасам я понял, что вижу профессионального баскетболиста. «Ваши передачи, сэр, напоминают мне Джона Рассела или, скажем, «Доктора» Ирвинга», — сказал я ему по-английски. Он усмехнулся: «А вы, я вижу, знаток». Так мы познакомились, а потом стали иной раз встречаться на довольно заплеванной муниципальной баскетбольной площадке по соседству с Коллеж Андре Мальро. Учащиеся этого заведения обычно филонили с марихуаной по соседству в тамарисковой аллее, на фоне стены с безобразными граффити. Мальчик, например, набирал полный рот сладкого дыму, а потом сливался с девочкой в затяжном поцелуе. Когда поцелуй распадался, дым уже выпускала девочка. Вот такое тут росло многообещающее поколение. Заторчав в жизнерадостном веселье, ребята выходили на площадку и предлагали двум дедам сразиться в «баскЕт», то есть с ударением на последнем слоге. Мы их, признаться, разносили в пух и прах: я бросал издали, а Лярокк работал под щитом на подборе. Впрочем, они этого своего позора, кажется, не замечали, уж не говоря о том, что вся их игра сводилась к пробежкам и двойному ведению.

Пару раз мы посидели с Лярокком в кафе, и я

понял, что имею дело со стопроцентным плейбоем. Баскетбол был спортом его студенческой юности в Штатах, из-за чертовой игры он не стал MFA, ограничился степенью бакалавра. Впрочем, на кой они сдались, эти американские дипломы: во Франции это всего лишь повод для беспардонных шуток. Поиграв пару сезонов в NBA — ну за так называемых «Кавалеров» — и заработав кучу денег — ну что-то вроде «лимона», а по нынешнему курсу десять «лимонов», — он уехал на Гавайи, а оттуда в океанскую Францию, то есть на Таити. Вот оттуда он и привез в родной Биарриц несколько досок для сёрфа. Это были настоящие доски, тяжеленные, склеенные из нескольких пород гавайского дерева, не чета нынешней «высокой технологии». Собственно говоря, именно он, Лярокк, и стал здесь основателем французского сёрфинга, с которым он и провел всю свою жизнь, полную солнца, ветра и волн. Слышали вы что-нибудь о «школе Лярокка»? Как так, Базиль, обретаетесь здесь уже не первый год и не слышали ничего о «школе Лярокка»? Да вы спросите даже сейчас какого-нибудь мальца из Скандинавии или с Британских островов, и он вам скажет, что мечтает об этой школе. Ну да, Лярокк зарабатывает неплохо на этом деле, но вообще-то деньги ему не нужны: ведь он наследует какой-то навозный-с-химикалиями бизнес в Лорэйне.

Ну вот, собственно, и все, что связывало меня с этим стариканом: кое-какая болтовня, кое-какие полеты туго накачанного мяча, кое-какой звонкий неторопливый по старости лет дриблинг. Он никогда мне до этого не звонил, и я не был даже уверен, что давал ему когда-нибудь номер моего мобильного.

«Послушай, олд чап, — сказал он (интересно,

что этот «олд чап», или в русском эквиваленте «старик», сопровождает тебя всю жизнь с юных лет и вот вдруг опять появляется в обиходе, когда «чап» уже «олд», кроме шуток), — почему бы тебе не разделить завтрак с небольшой компанией моих старых друзей в Кафе де ля Гран Пляж? Чтобы завлечь тебя, могу сказать, что в Водоеме перед нашими глазами будут гарцевать восемь выпускников «школы Лярокка». Поверь, эта штука посильнее любого баскетбола».

Итак, в это первое же утро благих творческих намерений я закрыл свой лэптоп, положил на него альбомчик, а сверху накрыл это хозяйство клеенкой, чтобы ненароком угрызения совести не накапали. Чтобы успокоить эту самую совесть, я убеждал себя, что этот столь неожиданный звонок имеет какое-то отношение к моему совершенно еще невнятному замыслу. Должен признаться, что уже в процессе «поддува» начинаешь как-то иначе взирать на происходящие вокруг даже незначительные события.

День был штормовой и холодный. По небу, наползая друг на друга и завихряясь, шли бесконечные полчища варварских туч. Скатываясь в своем «Рено Кангу» по Виктору Гюго к центру города, я видел в конце этой улицы титанические волны, атакующие наши утесы. Центр шикарного Биаррица вообще-то напоминает фрагмент Елисейских Полей или какую-нибудь рю Риволи, с той только разницей, что его поперечные улицы открываются на редко спокойный, но нередко бушующий Океан. Повернув с Гюго на Клемансо, что переходит в Эдварда Седьмого, я доехал до величественного Отеля дю Палэ, свернул налево и дальше покатил в обратном направлении уже вдоль Большого Пляжа к

массивному, но не лишенному какого-то фашист-
ского изящества в стиле арт-деко, зданию казино.
Там я оставил свой мини-фургон в подземном паркинге и поднялся на поверхность. Сильный ветер
чуть не сбил меня с ног. Пляж был пуст. Знаменитые скалы Биаррица дымились водной пылью под
ударами волн. Они, то есть волны, перехлестывали
через эти мини-острова, то есть скалы, и падали
вниз мгновенными водопадами. Приспособившись
к порывам ветра, я обогнул казино и, придерживая
шляпу, двинулся к Кафе де ля Гран Пляж, которое
обычно выставляет свои столики прямо на плитах
променада. Признаться, я мало рассчитывал в такую непогоду встретить за этими столиками компанию Лярокка, однако через несколько шагов я увидел
группу медам и месье, стильное общество в шарфах
и кардиганах, числом не менее дюжины, непринужденно расположившееся в плетеных креслах. Загорелый старче Лярокк возвышался в их сердцевине.

Позднее я ближе познакомился с этими «биарро», поэтому сейчас, задним числом, могу представить читателю нескольких активных участников
предстоящего диалога, как всегда довольно бестол-
кового в подобных мизансценах. Здесь был банкир
Контекс, две сестры-красавицы из обширного клана Лакост, тренер местного регби Фузилье, семейство Ранжель де Гард в составе деда, родителей, сына и невестки с огромным сенбернаром Гругрутюа.
Верхом на могучем звере сидел тот самый внук Лярокка, с которым он играл в мяч на пляже. В принципе, мальчик мог бы преспокойно быть его пра-
внуком, подумалось мне.

Мой приход прошел почти не замеченным, поскольку все общество в этот момент наблюдало Во-

доем. Из рук в руки передавался артиллерийский бинокль господина Контекса.

Там, среди идущего стена за стеной наката, чернели торсы сидящих на своих досках сёрферов. Этих ребят, что часами торчат в воде, подкарауливая свою волну, чтобы встать на доске в полный рост, скатиться вниз, а потом лечь на плавательный снаряд и грести обратно к месту встречи, можно по праву назвать «тружениками моря». Встречаясь с этими молодцами в городе, ну, скажем, в аптеке, где они запасаются пластырями, я видел в их глазах специфическую отрешенность и думал, что им, пожалуй, марихуана не требуется.

«Прошу внимания, — сказал Лярокк, — сейчас они все встанут!» К пляжу, закрывая горизонт и дымясь, двигалось то, что в масляной живописи позапрошлого столетия называлось «девятый вал». В принципе, во время таких штормов по здешним правилам запрещается входить в море, однако купальный сезон еще не начался, спасательная служба пока не появилась на пляжах, этим, очевидно, и пользовались лярокковские смельчаки. И вот, едва волна достигла своего апогея, все восемь фигур одномоментно воздвиглись на ее гребне. И в этот как раз момент, хотите верьте, хотите нет, в тучах возник глубокий проем, и солнечный луч осветил триумфальное шествие: восемь атлетических фигур, идущих к берегу вместе с волною, — зрелище, достойное ошеломляющего восхищения! Вся наша компания застыла с открытыми ртами. Сколько длился этот апофеоз, минуту или две, трудно было понять: каждая секунда жила тут сама по себе, не сливаясь с волной секунд. Молнией прошли и застыли строчки Поэта: «Дни проходят и годы, и тысячи, тысячи лет. / В белой рьяности волн, прячась в белую пряность акаций, / Только ты-то их, море, и сводишь, и сводишь на нет!»

Семеро из восьми были в черных гидрокостюмах, один выделялся оранжевым цветом обнаженного тела с чреслами, облепленными длинными, по колено, гавайскими шортами. Все они двигались так, будто в море возможен отрепетированный балет: стремительный спуск, крутой поворот, проход поперек волны, еще поворот и завершение спуска. Все они одновременно легли животами на доски, когда волна пошла на убыль, и стали поворачивать обратно туда, где возникал сёрф, и только один, тот оранжевый, позволил себе дополнительный трюк. Пустив в ход все без исключения мышцы тела, он толчком оторвался от своей доски и на мгновение завис в воздухе. В течение этого мгновения доска, ушедшая от толчка в воду, выскочила на верхушку следующей волны, и он опустился на нее обеими ногами, после чего помчался, маневрируя, все ближе и ближе, чтобы выскочить на пляж с доской под мышкой.

Он направлялся прямо к столикам кафе. «Этот Ник, — пробурчал якобы рассерженный Лярокк, — он вечно старается выделиться из команды, однако, господа, прошу принять во внимание, что ему всего лишь тринадцать лет».

«Тринадцать лет! — ахнули сестры из клана Лакост. — Но он выглядит, ах, позвольте, но он выглядит, этот юноша, по меньшей мере на восемнадцать!»

Выскочивший из моря приближался. Он был похож на эллинского героя или даже на юного Адама, как того представляли себе некоторые живописцы. Ярко-оранжевый цвет кожи под ветром становился темно-оранжевым, и на этом фоне все сильнее разгорались победоносные глаза и зубы. Признаюсь, я не мог оторвать от него взгляда, как будто старался запомнить его облик для дальнейших описаний. Поражало отсутствие вроде бы необходимых деталей: мускулы его не были украшены даже и малейшими татуировками, равно как и лицо его головы не содержало ни единого «пирсинга» в том смысле, что ни единого колечка не замечалось ни в ухе, ни в носу, даже ни на одной из его бровей. О принадлежности к классу антиглобалистов свидетельствовали только высоко выбритые виски, оставляющие на макушке плотный пирог темно-русых волос.

«Прости меня, Лярокк! — воскликнул он, подходя. — Меня вдруг пронзило острейшее, просто непреодолимое желание присоединиться к вашей компании. Надеюсь, не прогоните?»

К нему уже подбегали сенбернар и правнук великого плейбоя. Первый встал на задние лапы и лизнул сёрфера в ухо. Второй взял его за руку, словно старшего брата.

Пес продолжал дружески напрыгивать на Ника, а тот со смехом интересовался, нет ли у того родственника в Крыму, на склонах Ай-Петри. Дело в том, что там, в коммерческом питомнике, проживает копия Гругрутюа, гигант по имени Тиша. Разница только в том, что вместо ласки языком та злобная бестия откусила бы незнакомцу ухо. Кто-то, кажется, именно я, подвинул герою кресло, и тот без церемоний в нем уселся, водрузив маленького мальчика себе на правое колено.

«Послушай, Лярокк, какой у тебя изумительный правнук! — сказал Ник. — Может быть, скажут, что я во всем ищу тождества, но что делать, если он твоя вылитая копия!» Похоже было на то, что он слегка подхалимствует, чтобы загладить свой индивидуалистический проступок.

«Это мой сын Дидье», — внес поправку глава знаменитой школы.

Ник без всякого смущения пришел в еще больший восторг. «Дидье, тебе повезло заполучить такого отца, как неповторимый Лярокк! А кто твоя мама, мой маленький Дидье?»

Надо отдать должное Дидье: вместо того чтобы ткнуть пальцем в одну из сестер Лакост, он послал ей через стол воздушный поцелуй. Девушка зарделась.

Следует сказать, что начало диалога, к моему вящему удовольствию, проходило на английском, а удивительный тинейджер, нисколько не смущающийся светским обществом, говорил на первосортной британской версии, с ее неизменными придыханиями.

«Так представьте же нам нашего героя», — попросил господин Контекс на самой третьесортной версии этого языка, то есть на коммерческом инглиш. Тут я придвинулся к столу, чтобы не пропустить ни единого звука.

«Это Ник Оризон, — сказал Лярокк. — Он англичанин».

«Бедный мальчик! — захлопотали тут красавицы Лакост. — Сидит обнаженный на таком ветру!» Тут же ему были предложены шали и перуанское пончо. Он героически, но в то же время с исключительной вежливостью отвергал эти проявления тепловой заботы. Во время этой возни каждый мог убедиться, что перед нами был несовершеннолетний индивидуум: щеки его явно еще не были знакомы с бритвой.

«Как же так получается, Ник? — спросила младшая из сестер, Дельфина. — Все тут кутаются, а вам хоть бы хны. Красуетесь в одних шортах».

«Так ведь я прилетел сюда прямо из Бразилии, — ответствовал мальчик. — Но вообще-то, леди и джентльмены, я не очень-то реагирую на резкие скачки температуры. Да-да, не удивляйтесь, дело в том, что я происхожу от нескольких поколений людей, привыкших к экстремальным ситуациям».

«То есть?» — подняла свои идеальные брови мадам Ранжель де Гард и придвинула к Нику корзинку с круассанами. Чуть забегая вперед, можем сказать, что он подчистил эту корзинку не более чем за семь минут. Уплетая этих отборных представителей французской пекарни, он рассказывал о своих поколениях.

«Мой отец, господа, не раз бывал на обоих полюсах нашей планеты. Много раз дрейфовал. Мать моя тоже не была домоседкой. Будучи шкипером восьмиметровой яхты, с годовалым ребенком на руках пересекла осеннюю Атлантику. Да, со мной, мэм. Что касается деда, то он провел две трети своей жизни на подъемах и склонах восьмитысячников. Нет, сэр, речь идет не о бирже, а о ледяных гигантах Гималаев. Ну а бабка, стараясь превзойти супруга, избрала парашютный спорт и стала обладательницей дюжины мировых рекордов. Что касается прабабки...»

Излагая эту невероятную семейную хронологию, Ник обводил глазами компанию, а в один момент, как мне показалось, сделал мгновенную остановку на моей персоне. Между тем брови мадам Ранжель де Гард соединились в фигуре, напоминающей буревестника. «Этот юный англичанин нас определенно разыгрывает», — произнесла она по-французски. Юнец тут же возразил ей с обезоруживающей улыбкой на языке Вольтера: «Прошу прощения, мадам, но я никогда не позволяю себе разыгрывать взрослых. Да и со сверстниками я стараюсь держаться в рамках абсолютной корректности».

Все присутствующие были просто-напросто очарованы Ником Оризоном. Не прошло и получаса, как он получил приглашения остановиться в семье Ранжель де Гард, в приморском доме господина Контекса, в городском пентхаузе Фузилье, не говоря уже о многочисленных и самых разнообразных приглашениях от сестер Лакост. Стоит ли говорить о том, что все эти приглашения были благосклонно приняты удивительным мальчиком.

«А где ваш багаж?» — поинтересовалась Франсуаз, мама прелестного Дидье Лярокка.

«Все здесь. — Юнец показал на доску. — Там содержится все, что мне нужно для путешествий».

Доска, на которой удивительный подросток, чтобы не сказать, мутантный ребенок, только что совершил головокружительный проход вдоль волны с выходом на ее гребень и последующим триумфальным спуском, лежала перед обществом знатных «биарро», словно одушевленное существо. Бискайское небо к этому моменту уже достаточно-порядочно распогодилось. Тучи приобрели лиловатый оттенок. Нередкие уже солнечные блики то и дело брались поиграть вдоль всей ее (досковой) длины. Казалось, что доска вот-вот улыбнется своей носовой частью или вильнет задком на манер дельфиньего хвоста. Впрочем, друзья, не нужно поддаваться самообману: конечно же, это был не дельфин, а просто доска для сёрфинга, правда подвергнувшаяся некоторому преображению под ловкими пальцами современного пытливого подростка. Общество слегка ахнуло, когда эти пальцы прогулялись по правому борту плавательного снаряда и как бы ненароком вытащили из открывшейся щели легчайший свитерок и мягкие туфли. Не знаю, как остальные, но я давно уже заметил, что длинные яркие шорты полностью высохли, как будто после океана успели побывать в сушильном автомате. Не исключено, что их ткань была пронизана какой-то специальной нагревающейся от тела нитью. Так или иначе, но теперь, в синем свитере, пестрых сухих шортах и туфлях, он был полностью экипирован и годен на обложку какого-нибудь из бесчисленных французских модных журналов. Увы, кажется, он отлично осознавал свою неотразимость. С этими своими ослепительными улыбками английский пацан (эта новая версия «маленького лорда Фаунтлероя») вряд ли годился (лась) в герои запутанного романа о советском комсомоле.

Через некоторое время я стал подумывать, как бы сбежать. Компания, собравшаяся вокруг старика Лярокка, подходила разве что для массовки. Даже в тамарисковый парк она как-то мало вписывалась, а что уж говорить о туманностях «поддува». Сейчас из моря вылезут остальные «труженики» «Школы Лярокка», и все отправятся к нему в поместье на «Дежене». Страна вступает в затяжной уикенд, связанный с одним из многочисленных французских праздников. Застолье будет долгим и веселым, а потом все разберутся по интересам: кто отправится на гольф, кто к лошадям, кто к коллекционным автомобилям; ну, а я-то куда отправлюсь, если останусь?

Не так давно один ресторатор сказал мне, что я

уже как-то примелькался в этом небольшом городе. Многие, замечая меня на утренней пробежке по твердому песку во время отлива, думают, что я американец, другие, видя, как я набираю в книжном магазине периодику на непонятном языке, предполагают, что я русский; кто из них прав, месье? И те, и другие, ответствовал я. Однако в Москве и в Нью-Йорке многие принимают меня за француза. Не знаю уж почему: то ли седина с плешью несут в себе что-то французское, то ли манера забрасывать один конец шарфа за спину вызывает подозрение.

Все это надо поскорее записать в альбомчик: кто знает, а вдруг пригодится? Сделав вид, что приспичило, я покинул компанию и вошел во внутреннее помещение ресторана. Обернувшись к огромному окну, я заметил, что общество хохочет и аплодирует. На променаде в этот момент закрутился новый балет. На этот раз в нем принимали участие пес Гругрутюа, ребенок Дидье со своей юной мамой и еще более юной теткой, ну и, разумеется, несравненный суперподросток Ник Оризон. Он умудрялся прыгать в полном синхроне с прыжками пса, а приземляясь, прокручивал вокруг себя счастливое дитя и не менее счастливых мадемуазель Лакост. Никто, конечно, не заметил моего исчезновения; так, во всяком случае, я подумал в тот момент. Впрочем, ошибся: одна персона все-таки удостоила меня вниманием. Едва я закончил свои дела в туалете и вышел из ресторана через дальнюю дверь, как тут же натолкнулся на Лярокка. Тот стоял, опершись на могучую четырехгранную колонну казино, и казался памятником французскому баскетболу.

«Сплиттинг?» — спросил он.

«Да, знаешь ли, куча дел на столе, — промямлил я. — Очень благодарен тебе за приглашение. От-

менный получился завтрак, общество просто класс-
ное».

«Но тебе оно, кажется, не очень-то подошло?» —
Он взирал на меня с усмешливым любопытством.

«В каком смысле?» — удивился я.

Он пожал плечами. «Ну в смысле персонажей».

«Винсент!» — вскричал я.

«Базиль?» — Он изобразил своими морщинами
то, что можно было бы назвать французской теат-
ральной лукавостью.

«С чего ты взял, что я оцениваю людей как персонажей?» — спросил я.

«Да ведь всякий писатель так делает, — с миной
полнейшей наивности сказал он. — Ваш брат только тем и занят, что рыщет среди нашего брата в по-
исках персонажей. У меня когда-то был друг из пи-
шущих, Эрнст Бэкон такой, мы с ним шлялись по
Гонолулу в большой компании спортивного народа,
а он потом взял и написал скандальную книженцию
«Пить или не пить». Всех превратил в персонажей».

«Никогда не поверю, что великий Эрнст Бэкон
зарисовывал друзей в персонажи, — с непроизволь-
ной грубоватостью сказал я. — Что ему, воображения, что ли, не хватало?»

«Я сегодня наблюдал за тобой, — хохотнул Лярокк, — и нашел в твоих взглядах что-то общее с
Бэконом, которого ты считаешь великим. Ты на
публику смотришь таким писательским оценочным
взглядом».

«Да с чего же ты взял, что я писатель, дорогой
Винсент Лярокк?!» — едва ли не с возмущением
воскликнул я.

Он тогда вытащил из кармана сложенный вдвое
вдоль «Лё Монд Уикенд». Там в середине фигури-
ровала большая, на всю страницу, фотография ва-

шего покорного слуги. Никогда не видел прежде такого отвратительного своего портрета в слизисто-болотных тонах. Где это меня нащупали таким мокрым, ведь обычно хожу сухой. Тренчкоут весь обвис, как будто действительно только что из траншеи выполз. Взгляд ублюдочный, направлен с угрозой снизу вверх на какое-то незнакомое здание XVIII века, а ведь читатель знает меня как вроде бы просвещенную и благожелательную персону. Нельзя также не отметить нелепость позы: правая рука почему-то опущена в район колена, как будто фигура намерена подцепить с земли кирпич и запустить его в вольтеровские окна. Заголовок гласит, или, так скажем, базлает: «Базз Окселотл, провокатор космополитической литературы». К заголовку, в общем-то, не придерешься: в литературном контексте слово «провокатор» является едва ли не комплиментарным. Далее следуют две страницы текста, вопросы и ответы. Откуда все это взялось, кто насобачил? А вот и подпись: «Записал Жанполь Клаузе». Я вспомнил, как этот кляузник сидел у меня в вирджинском доме, попивая какое-то мерло, подцепляя какой-то груэр, перескакивая с английского на русский, похохатывая на французском и все норовя передвинуться с литературных тем на личные. Ну, скажем, что это вы, Окселотл, в Америке-то разъезжаете на «Ягуаре», словно преуспевающий писатель, а у нас во Франции на своем «Рено Кангу» маскируетесь под водопроводчика? Это было чуть ли не полгода назад, я уже и думать забыл про это интервью, и вдруг, здрасте-пожалте, выскакивает в «Монде» в сопровождении полностью клеветнической фотографии.

«В общем, поздравляю, Базз», — сказал Лярокк.

«Да с чем ты меня поздравляешь, Винсент?»

«Как же с чем? Такая большая публикация!»

«Такая большая дрянь, Вэнс! Неужели этот хмырь похож на меня?»

«Вообще-то похож. Ну не очень, но сходство есть».

Я собрался было отчалить, но он меня попридержал с какой-то странной настойчивостью. Сунул мне в карман этот чертов журнал и посоветовал внимательно прочитать текст интервью. Возьми словарь и проштудируй. Со словарем ты все поймешь и увидишь, что Клаузе тут преподнес о тебе довольно интересную и вовсе не отрицательную информацию. Она принесет тебе пользу. Публика все-таки будет знать, что тут по пляжам прогуливается некий интригующий провокативный писатель, а не кто-нибудь другой. Высказав эту странноватую мысль, Лярокк прищурился. С высоты его чуть ли не семифутового роста светлые глазки, окруженные путаницей морщин, взирали на меня, словно два внимательных стража. Я поинтересовался, кого другого мог бы такой пенсионер, как я, напомнить публике, не будь этой статьи. Он улыбнулся. Базз, не злись, но до этой статьи я принимал тебя за пенсионера разведки. Тут уже мне ничего не оставалось, как расхохотаться и на баскетбольный манер хлопнуть его по дряхлым, но мощным ягодицам. На этом мы расстались.

Вечером этот неугомонный старпер снова мне позвонил. Я сидел в этот момент за компьютером и блуждал по каким-то туманным, обвешанным каплями дождя аллеям тамарискового парка. «Жаль, что тебя не было с нами, олд чап! — весело проскрипел он. — Ник Оризон снова всех покорил. Ты слышишь, как он играет на пиано?» В трубке слышался гул десятков голосов, прерываемый взрывами смеха. Сквозь все эти звуки доносилась превосходная джазовая игра на фортепиано. «Ты хочешь сказать, что это не Оскар Питерсон у вас там играет?» — спросил я. «Да это тринадцатилетний мальчишка играет, настоящее чудо! Вот уж не думал, что такой ренессансный тип растет в «Школе Лярокка»!» Все это подвыпивший старче лепил по-английски, хоть и с французскими ударениями; «мИракл», например, он произносил, как «мирАкль».

Звуки пиано и шум голосов стихли: Лярокк, очевидно, ушел с трубкой в другое помещение, скорее всего в туалет. Вот заструилось. «Послушай, Базз, неужели даже такое чудо ты не хочешь записать в свои персонажи? Ведь это же воплощенный Гарри Поттер!»

С минуту я что-то мычал под его трескотню, потом вдруг разоткровенничался. «Знаешь, Вэнс, тридцать три года назад в Советском Союзе я написал детскую приключенческую повесть. Главным героем там был вот такой примерно мальчик, как Ник Оризон. Он хорошо учился в школе и не терялся в трудных обстоятельствах, но вообще-то он был, так сказать, супермальчиком вроде твоего Ника, плавал, как рыба, и умел говорить на дельфиньем языке, владел техникой боя японских ниндзя, но главное, он страстно жаждал разрушить замыслы международной мафии и принести свободу беспечным жителям архипелага Большие Эмпиреи.

Признаться, я написал этот пустячок лишь для того, чтобы подзаработать деньжат (мои главные вещи не имели тогда никаких шансов увидеть свет), но вдруг повестуха завоевала неслыханный успех и стала тем, что сейчас называют «культовой книгой». До сих пор встречаю людей среднего возраста, которые мне говорят: «Я рос (росла) с ТОЙ вашей книгой». Для Советского Союза тогда это было что-то вроде «Гарри Поттера» сейчас для всего мира. Увы, мы жили в почти тоталитарной стране, и я даже в самых буйных мечтах не мог рассчитывать на тиражи и ройялтис мисс Роулинг. В конце концов я заработал жалкую сумму, что-то вроде пяти тысяч деревянных рублей, и попал, как всегда, под подозрение идеологических органов. Окселотл, дескать, насаждает вредный для подрастающего поколения «панироизм».

Все-таки издательство заказало мне продолжение повести, и я, будучи тогда в великолепном настроении, быстро накатал еще более успешную книгу, в которой моему герою уже исполнилось тринадцать лет, то есть он достиг возраста Ника Оризона и влюбился в одноклассницу. И снова — большой успех, улыбки, хлопки по плечу, браво, браво, Окселотл, ты уловил общее настроение; и снова нахмуренные идеологические брови. Третью книгу издательство уже не заказало, хоть и было у них намерение завершить это дело в виде трилогии. По прошествии лет я об этих шалостях забыл, и только сегодня, когда я увидел твоего Оризона, что-то усмешливое шевельнулось в памяти».

«Ну вот и напиши теперь третью книгу, — весьма серьезным тоном посоветовал Лярокк. — Заверши трилогию. Пусть местом действия будет Биарриц. Здесь нет никаких идеологических органов».

«Это невозможно, Вэнс, — хмыкнул я. — Ведь моему герою сейчас сорок три года».

«Ага, значит, у тебя все-таки был какой-то реальный прототип? — с удивительной для баскского октодженериана толковостью предположил Лярокк. — Значит, ты все-таки ищешь и находишь персонажей среди публики?»

Я ничего не ответил.

Он тоже молчал.

Кто начнет говорить, думал я.

Я начну, решил Лярокк и завершил диалог: «Послушай, сейчас в небе царит превосходная полная луна. Освещение великолепное. Почему бы нам не поволынить в баскет?»

Через двенадцать минут мы встретились на площадке возле Коллежа Андре Мальро. Ночь была действительно захвачена полнолунием. Качались ветви высоченных платанов и низкорослых тамарисков. Было светло так, как это иной раз случается при завершении романов. С каким-то особым смыслом выделялась на стене абракадабра граффити. Звонкий стук отменно накачанного мяча. Я бросал по кольцу из центрового круга и тут же получал пушечные пасы Лярокка. Что может быть полезнее для стариков, чем ночная хореография баскетбола?

Через час я вернулся домой и добрался наконец до своего «Мака». Надел теплую куртку, шарф и уселся с прибором на коленях на выходящей к бесконечному водному зеркалу террасе. Ни ночи без строчки, талдычил я себе, ни ночи без какой-нибудь, пусть хоть самой завалященькой строчки. И написал: «Таков и наш комсомол; выросший на корявых стволах идеологии, он все-таки умудрился взрастить на своей плешке шапочку благих начинаний». И заснул под умиротворяющий гул Резервуара.

Как ни странно, этот чудаковатый местный богач, не имеющий никакого отношения к нашим российским писаниям, что-то расшевелил в моем «творческом процессе». Особенно я ощущал это во время медленного джоггинга по утрам. Вот, скажем, я спускаюсь трусцой по серпантину высокого Берега Басков. Вдруг попадаю в зону интенсивного весеннего аромата. Что это цветет — жасмин, жимолость? Какие-то мгновенные тени пролетают мимо, чуть ли не касаясь плеча или макушки. Кто это тут шустрит? Жаворонок? Жирондель? Вот клево, думаю я: жасмин-жимолость-жаворонок-жирондель — какое нежное жжение! Все это всасывается в роман, но тут же следует разочарование: никаких жиронделей в природе нет, а есть ирондель, ласточка. Так или иначе я вспоминаю спор с Лярокком о выборе персонажей: один-то, кажется, уже выбран, и не последний по значимости; это — Биарриц.

Спускаюсь до набережной. За парапетом распростерт отливный пляж шириной не менее двухсот метров. В прилив он исчезает, волны бьют прямо в парапет, но в отлив воцаряется апофеоз джоггинга. Я снимаю кроссовки и сую их в рюкзак. Под ногами мокрый твердый песок. Бегу на юг, в ту сторону, где к береговой линии подступают отроги Пиренеев. Отчетливо выделяются вдали поселки Серебряного Берега, Бидар, Гитари, Сен-Жан-де-Люс, Андай и самый отдаленный, уже испанский, город Онтараби. Привычный рельеф гор — среди них один четырехглавый шедевр — привычно напоминает контуры Восточного Крыма. Вдруг вспоминаю: ведь это именно в Крыму, в Коктебеле, встретился мне персонаж той «культовой книги», подросток, похожий на... похожий на... Я смотрю на компанию юнцов, пересекающую пляж с сёрф-досками под мышкой. Может быть, там, среди них, шествует тот ученик Лярокка... как его? Да, Ник Оризон. Подбегаю ближе, но они уже в воде, уходят через одну белопенную стенку за другой, к той основной, с которой можно стоя устремиться к берегу. Их тут будет все больше и больше с каждой неделей, пока в разгар сезона тысячи «тружеников моря» со всей Европы не наводнят пляжи как французской, так и испанской Басконии.

Итак, я бегу на юг с Пляжа Басков, потом, как все джоггеры, пересекаю закрытую в связи с возможным камнепадом зону, потом продолжаю бежать через Пляж Марбелла к Пляжу Миледи и далее к Пляжу Илбарриц и только здесь поворачиваю назад. Вся эта дистанция идет по твердому песку или по мелководью, возрастное тело мое вдыхает бриз, слышится ровный рокот Океана, и в этом рокоте я начинаю прабарматывать какие-то стишки. Поймав себя на этом не очень-то пристойном для старого сочинителя прозы деле, я понимаю, что понастоящему вступаю в «романную фазу». Любопытно, что вне этой фазы мне никогда не приходит в голову сочинить какое-нибудь стихотворение. Жажда расставить слова в ритмическом порядке, да еще и скрепить этот порядок рифмами, возникает только в прозаическом процессе. В каком-то смысле это напоминает подзарядку творческих аккумуляторов, а то обстоятельство, что это часто происходит во время бега, только подкрепляет метафору. Где-то я читал, что бег трусцой способствует выработке в организме неких деятельных веществ, именуемых «кинины». Ну что ж, кинины, давайте искать рифму на слово «тамариск».

И вновь — аллеи тамариска,
Бискайский мир, мильон примет!
Хожу, таскаю том Бориса
И как предмет секу предмет.

Гремящий мир гульбы и риска
Все жаждет склоны простирнуть,
Где над уродством тамариска
Цветет зеленый пастернак

Иль там укроп. Деталь кубизма,
Пересеченье плоскостей,
А волны прут, самоубийцы,
Акрилом пачкая пастель.

Вглядитесь в дупла тамариска,
В уродства ссохшейся коры,
Увидите черты арийца
И черные рога коров.

II. Непохожий на Ахилла

Вечерами я часто гулял по городу, стараясь не особенно удаляться от берега. Сидя тут в одиночестве неделю за неделей, можно было бы заскучать, если бы не нарастание «романной фазы» да присутствие неизмеримого в своем могуществе соседа, что постоянно гремит в шестистах метрах от твоего сада, словно бесконечный товарный состав. В ожидании заката я заходил в прибрежные бары и выпивал то кружку бельгийского пива «Лефф», то стакан баскского терпкого вина. Солнце, накалив горизонт, садилось прямо в море. Закат распускал гигантский павлиний хвост. При поворотах хвоста над ним возникали чистейшие звезды. Настроение улучшалось. Оно (настроение) подмигивало этим чистейшим звездам юности.

«Мигель, — обращался я к бармену, — налей-ка мне еще одну кружку «Левого». Он тут же с улыбкой подавал то, что просят, как будто знал, что такое «ЛЕФ, Левый Фронт в Искусстве». Я начинал снова бубнить что-то ритмическое.

Он стар, но молодо пьянеет.
Вокруг восторг и похабель,
А на отрогах Пиренеев
Вновь вырастает Коктебель.

Попробуй скрыться от изъяна
Туда, где книга, как стена.
Увидишь: Лунина Татьяна
В романе том плечом титана
От грешных дел защищена.

В кармане пиджака звучит бравурная гамма мобильного. Это, конечно, она, Танька Лунина.

«Ну что, чем ты там занимаешься?» — спрашивает она.

Этот женский голос с хрипотцой; даже без звука «р» в нем слышится легкое грассирование.

«Как обычно, — отвечаю я. — А что у тебя?»

Грубоватый смешок: «Сгущается лажа. Клемент гррозит рразогнать пррудюссерскую грруппу. Жоррж и Кэт ррычат, что ты там, в сценаррии своем, ррас-скатился не на десять лимонов, а на все двадцать. Агрриппина вдрребезги погррязла в кастинге, бррудит по Тверрской, выискивает пррституток на ррули кррымской арристокрратии».

От этого неистовства звука «р» у меня начинает кружиться голова. «Татьяна, побойся бога, как это можно «погрязнуть вдребезги»?» Она замолкает и молчит, чтобы я что-нибудь еще сказал, но я молчу, как бы настаивая на ответе.

«Ну что это за дурацкие прридиррки?» — тихо произносит она, и от этой еле слышной хрипотцы у меня перехватывает дыхание.

«А чего они тебя-то во все эти дела посвящают?» — строго спрашиваю я.

«А почему же меня-то не посвящать? — очень остро возмущается она. — Ты считаешь, что перрсонаж не может быть в куррсе перредрряг?!»

Снова молчание. Она хочет приехать сюда, понимаю я. Жаждет встречи с автором. Боится выдохнуться.

«Ну а как там вокруг-то все развивается? — спрашиваю я. — Как там твои мужики-то? Собственнические-то инстинкты не очень сильно проявляются?»

Она хохочет. Вот что мне всегда в ней нравится — эти вспышки хохота с бабской лукавизной, если есть такое слово в русском языке.

«Да так, как-то более-менее все по-человечески. Ну, пррравда, иной рраз то Луч, то Суп хватаются за бутылку как за арргумент в споре, но это не так, как в книге, ты же знаешь, в кино это всегда вррода бы понаррошке. Ну что ты опять заглох? Послушай, Окселотл, ты не возрражаешь, если я к тебе прриеду? Ну что в этом странного? В конце концов ты сам мне исхлопотал шенгенскую визу».

Я все еще молчал, не решаясь высказаться на эту щекотливую тему. Пригласить ее сюда означало бы утвердить во всех правах, а стало быть, отодвинуть тамарисковые бредни.

Словно догадываясь о моих сомнениях, она вполне в реалистическом тоне сообщила новость:

«Да, я совсем забыла. Эти гады в конце концов подписали со мной договорр. Клемент даже изррек весьма пафосную фразу: согласитесь, мол, господа, ведь мы все равно не найдем лучшую Таню Лунину. Прредставляешь?»

«Да-да, представляю и поздравляю тебя от всей души, — сказал я. — Однако дай мне неделю, мне нужно вкатиться в роман».

«В какой-то новый, что ли?» — резко спросила она и, получив в ответ нечленораздельное мычание, отключилась.

Несколько раз я вызывал ее вернуться к разговору, но всякий раз слышал великолепный, без всякой хрипотцы и грассированья, голос: «Абонент находится вне зоны досягаемости».

Какое-то странное ощущение возникло у меня после этого пьяноватого разговора с Луниной. Как будто я ей вполне под стать по возрасту, ну, если ей слегка за тридцать, то мне — слегка за сорок. Помнится, выдул еще одну штуку «Левого фронта», бодро так соскочил с табуретки и вышел из бара как раз таким шагом, как будто мне слегка за сорок и я вот сейчас только что так неплохо, двусмысленно поговорил с классным кадром, которой слегка за тридцать. Я переходил через вечернюю улицу и отражался так неплохо в витрине, иллюзия не прерывалась, то есть не была и иллюзией, пока я окончательно к этой витрине не приблизился и не увидел свое морщинистое, с набухшими подглазьями лицо.

Я тогда подумал, что, может быть, иллюзия эта возникла из глубин «кинопроекта»; вот именно это и является причиной соединения каких-нибудь «редкоземельных металлов» с бесчисленными формами белка. Здесь ты иной раз можешь оказаться в центре вроде бы эфемерных, но в то же время, может быть, и реальных событий. Не рекомендую чрезмерно зацикливаться на созерцании штормового океана.

Вот однажды в густых уже сумерках я стоял на набережной маленькой площади, которая называется Порт-Вьё, то есть Старый Порт. Высоченные волны стена за стеной неистово рвались к берегу, как будто тут их ждала какая-то вожделенная добыча. Внимание мое привлечено было, однако, не столько этими возникающими при приближении к берегу штормовыми цепями с летящей над ними водяной пылью, сколько небольшой скалой в отдалении, на глубине. Над этой скалой с определенными интервалами возникало огромное, но отдельное бело-мохнатое чудовище, свирепая самка пространства. Казалось, ничем уже не удержать гипертрофированной хищницы, однако, просуществовав несколько секунд, она исчезала, чтобы снова возникнуть через пару минут. Я не мог оторвать взгляда от этого клочка стихии, мне казалось, что за моей спиной уже нет ни уютной площади, ни карусели, ни нескольких кафе, нет ничего, только бунтующая вода. Я подумал вдруг, что этого мне уже никогда не изжить, что так всегда эта тварь, во сне или наяву, будет нестись на наш брег, исчезать и вновь появляться. Пришлось сделать усилие, чтобы повернуться в сторону стоящей среди волн Девы-на-скале, городскому монументу в честь погибших моряков. Спаси нас, Пречистая Дева, от бешеных созданий!

В конце концов я пришел к заключению, что сдвиги действительности начинают происходить передо мной как раз в те моменты жизни, когда я погружаюсь в свою пресловутую «романную фазу». Грани «магического кристалла» то затуманиваются, то открывают отчетливые панорамы, то крупным планом втягивают сочинителя в некую виртуальную среду, смесь памяти и воображения.

Однажды я зашел поужинать в кафе «Абри а Кот», то есть «Береговой приют». Проблема горячей пищи постоянно маячила передо мной в моей одинокой жизни. Еще с юных лет я усвоил бытовую мудрость: хотя бы раз в день надо есть что-нибудь горячее. Чаще всего эта проблема решалась при помощи замороженных порций пищи в картонных коробках: кус-кус по-мароккански, паэлья с куриным мясом, китайские роллы со смесью крабов и креветок — в этом духе. Кулинарными способностями я никогда не отличался, поэтому из всего кухонного оборудования наибольшей симпатией у меня пользовалась микроволновая плита. Изредка, впрочем, неизвестно по какой причине начинал сам что-нибудь готовить попроще. Нагревал сковородку, шлепал на нее свежее филе палтуса, через десять минут ужин был готов. Однажды, взъярившись, я решил доказать самому себе, что и во мне может проявиться кулинар: почему бы и нет, если я способен затеять кухню романа? В результате возник рецепт, который я сейчас предлагаю читателю под названием «Изыски Окселотла». Что касается ингредиентов, то их можно за пять минут набрать в любом супермаркете мира в «шаговой дистанции», ну если только судьба вас не закинула в Пхеньян.

Итак, разогреваете большую сковородку, кладете на нее без всякой предварительной разморозки кирпичик коктейля из морепродуктов: мидии, кальмары, крошечные октопусы. Пусть сами размораживаются на горячей сковородке. Тем временем начинаете варить полпакетика итальянских макарон «рикони». Замечаете, что сковорода булькает вовсю в пузырях тающего льда. Самое время влить в это булканье умеренную дозу оливкового масла. У вас теперь есть время крупно порезать на доске красный и золотой перец, сельдерей и немного помидоров. Готовы макароны! Отбрасываете их на друшлак, или как там его — дуршлаг? Теперь все внимание на сковородку: морские гады, отморозившись друг от друга, весело поджариваются в масле. Посыпаете их всякими там специями: черный перец, карри, лесная смесь — в общем, тем, что находите в кухонном шкафу. Сложнейшие ароматы вселяют надежду: авось, что-нибудь получится. Гады приобретают золотистый оттенок. Высыпаете вареные макароны на ваше жарево. Смешиваете эти два главных ингредиента и начинаете их перемешивать чем-то длинным и плоским — не знаю, как называется. Теперь и макароны приобретают золотистый оттенок. Сверху кладете на эту смесь нарезанные овощи и на пять минут прикрываете сковородку кастрюльной крышкой. Блюдо готово: гадские макароны с припущенными овощами. Наливайте стакан бордоского вина «Марго» и приступайте к трапезе. Сразу почувствуете, что о вас позаботилась любящая рука.

Когда от этих кулинарных потуг становилось невмоготу, я все-таки отправлялся в ресторан, чаще всего в «Абри а Кот». Заказывал там все, что полагается: дыню с ветчиной на закуску, отменную канар-конфи, то есть что-то утиное, с гарниром «рататуй», чай с заменителем сахара; в общем, вот такие дары природы. Хозяин заведения меня уже приметил, всякий раз подходит, спрашивает, откуда я. Я всякий раз отвечаю по-разному: то из Америки, то из России, то еще что-нибудь. Он всякий раз уважительно округляет глаза, а на слово «Белоруссия» даже поднимает палец и произносит: «О-ля-ля, президан ЛокошкО!»

В кафе всякий раз сидит не больше пары парочек, иной раз даже приходится ужинать соло. Как он умудряется не прогореть, этот месье Абрикос? Но вот однажды я туда зашел под вечер и чуть не оглох от криков. Толпа разнокалиберных мужиков и несколько кругленьких женщин окружали стойку бара, передавали друг другу от бармена бокалы с пивом и не прерывали беседы, то есть старались друг друга переорать.

Столиков никто из этой компании не занимал, и потому я без особого труда нашел себе место. Хозяин почти сразу приблизился и не без горделивости указал мне маленькой ручкой на собравшихся: как, мол, вам нравится такое нашествие?

Я покивал: впечатляет, впечатляет. А что это за народ?

Это наши армяне, пояснил он. Арманьянцы. Собираются у меня каждые три месяца. Или чаще. В общем, не реже двух раз в месяц. Вот видишь, Белый Рус, а ты все еще удивляешься, на что я живу и почему не прогораю. Ты меня дразнишь Абрикосом. А вот теперь можешь видеть своими глазами, какой доход ко мне идет от армян! Он все задирал и задирал слегка замасленный подбородочек, все больше и больше гордился. Наконец, прихлопнул ладошкой по столу и удалился, забыв принять заказ. Я был, признаться, поражен: откуда он узнал, что я назвал его Абрикосом? Ведь я ни разу не произносил это прозвище вслух. И уж тем более ни с кем не делился мыслями о шаткости его финансовой ситуации. И уж тем более: каким образом я все это понял с моим французским?

Я отвлекся от этих мыслей, когда обратил внимание на главенствующую фигуру в этой толпе армян. Гигантский молодой атлет в шортах и в майке без рукавов стоял боком ко мне. В левой руке он держал годовалого младенца. Крошечные ножки мирно свисали со сгиба его руки. Что касается правой руки, то она находилась в постоянном движении: курила сигарету, пила пиво, резкими жестами главенствовала в общем споре. Вдруг меня поразила мысль, что этот гигант является не кем иным, как Сережей Довлатовым в расцвете его лет. Собственно говоря, я никогда не видел покойного в ту пору его жизни, но меня поразило сходство габаритов — ног, рук, плеч, центурионского подбородка, римского носа и благородных ушей; без сомнения, это был Сергей.

С набережной вбежала довольно растрепанная женщина, жена Сережи и мать младенца. Последний был резким движением изъят из левой руки молодого отца. Тот, чуть не задохнувшись от неожиданности, приблизился к стене, приткнулся к ней на манер атланта. Женщина что-то резкое ему в лицо бросала. Он закрывался левой освободившейся рукою. Армянская толпа вся пришла во взволнованное движение. Все к кому-то апеллировали, словно нуждались в окончательном мнении. Главенствующим тут оказался вовсе не Сережа, вернее, не тот Сережа. Раздвинув монгольфьерские животы, вперед вышел «возрастной» коренастый человек в фуражечке-капитанке и в майке с широкими поперечными полосами; глаза его грозно и вдохновенно мерцали. Признаться, я ни разу не встречал покойного. Однако не мог не узнать немедленно в нем Сергея Параджанова.

Он поднял руки, как бы усмиряя море. Оно немедленно затихло, но не замолчало. Еще долго в нем слышались щелканье, клекот, скат камней, вся эта дивная фонетика великолепного французского арманьяка. Потом все присутствующие отошли от стойки и расселись вокруг столов.

Месье Абрикос вынес мне мой ужин в судках, присовокупил к ним бутылку вина и любезно показал на дверь.

С этими судками я медленно ехал по набережной в своем «Кангу», когда вдруг увидел на площади Сент-Эжени не кого иного, как Ника Оризона; он сидел на ступеньках «газебу», то есть павильона, предназначенного для летнего препровождения времени или для выступлений артистов. Почему-то эта встреча показалась мне столь же удивительной, сколь явление двух армянских Сергеев в «Береговом приюте», хотя юнец не напоминал никого из покойных мастеров искусства. Я остановил машину и с минуту смотрел на Ника. Он был обут в те же самые мягкие туфли, и у его ног, разумеется, лежал его удивительный сёрфборд. Облачен Ник был по-прежнему в синий свитерок и гавайские шорты, как будто другая одежда была ему неведома. Густой пирог его волос слегка волновался под бризом. Вдруг он посмотрел прямо на меня и помахал рукой. Неужели узнал? Я помахал в ответ. Он подхватил свою доску и пошел к машине. Сиял чудесной детской улыбкой. Публика с каким-то странным изумлением смотрела ему вслед.

«Очень рад вас снова увидеть, сэр! — подойдя, воскликнул он. — Вы меня еще тогда, в компании Лярокка, заинтересовали до чрезвычайности. Мне показалось, что в вас есть что-то такое писательское. Очень хотелось поговорить, да вот заигрался тогда с Гругрутюа и Дидье, а вы, рррраз, и исчезли, сэр. Ловко так слиняли с места действия».

«Я тоже рад вас видеть, Ник, — сказал я. — Раз уж так все складывается, с удовольствием с вами побеседую. Просто так, без всяких околичностей. Ведь вы же как-никак представитель самой новой волны, не так ли?»

«Сдается, сэр, что вы сейчас движетесь к южным рубежам. Я не ошибаюсь? Вы не могли бы меня подбросить до пляжа Бидар?»

Конечно, я не отказал ему, тем более что названное место находилось в пяти минутах езды от моего гнезда. Он ловко пристроил свою доску в машине. Поставленная на ребро, она теперь своей носовой частью находилась у него под мышкой, а хвостом в кормовом отсеке моего многоцелевого вуатюра. Странная, престраннейшая штука эта Никова спутница жизни; мне все время казалось, что она прислушивается к нашему разговору и вот-вот начнет повизгивать от удовольствия.

«Значит, путешествуете, мой друг, по всему миру?» — спросил я его для начала и тут же спросил сам себя: какого еще начала?

Он горделиво заскромничал. «Ну не по всему миру, сэр, но все-таки за два месяца побывал в Оаху, в Мельбурне, в Дурбане, в Бразилии и вот теперь — Биарриц, сэр».

«Ну и где лучше всего, то есть где сёрф-то самый устойчивый?» — спросил я и тут же опять спросил себя: да тебе-то какое дело, где он самый устойчивый?

Он тут же ответил с колоссальным энтузиазмом: «Чудо из чудес, сэр, это устье Амазонки! Речной поток там сливается с океанским прибоем, и образуется колоссальная волна, которая неторопливо и цельно идет в сторону океана. Мы на ней с моим другом, индейским мальчиком по кличке Наган, шли больше получаса и даже временами менялись досками на ходу! Вот это был cool!»

«Простите, Ник, за возможную бестактность, но разрешите спросить: как это вы разъезжаете по миру во время учебного года? Ведь вы, наверное, пока что не выше чем в седьмом классе, не так ли?» Я посмотрел на него сбоку не без ехидства и тут же себя одернул: что это я устраиваю пацану какой-то инспекторский допрос?

Он хлопнул в ладоши, еще более усугубляя суть моего вопроса. «Ноу, нот эт олл, сэр, я никогда не нарушал школьной дисциплины! Просто я умудрился, сам не знаю, каким образом, продемонстрировать такие познания, что преподавательский совет школы, а вместе с ним колледжа Корнуэлл раньше времени присудили мне степень бакалавра. Таким образом у меня освободилось время для отдыха перед поступлением в университет».

Впереди зажегся красный огонь светофора, и я смог на несколько секунд повернуться к Нику, чтобы внимательно еще раз рассмотреть его внешность. Детская искренность в сочетании с юношеской серьезностью напомнили мне что-то из далекого прошлого. «Ваши родители, Ник, должны быть людьми широкого кругозора и либеральных убеждений, если они одобрили ваше одиночное путешествие. Я прав?»

Теперь уже он посмотрел на меня с исключительным вниманием, если не с какой-то неожиданной настороженностью. «Да-да, вы угадали, сэр, мои родители как раз люди такого склада, как вы сказали».

«Должно быть, они к тому же еще и весьма состоятельны, если могут позволить себе оплату ваших странствий. Я не ошибся?»

Он присвистнул с еле уловимым оттенком насмешливости. «Вообще-то вы не ошиблись, сэр, мы не бедняки, но в данном случае путешествие оплачивается британской ассоциацией сёрфинга, точнее, ее филиалом, именуемым The World Group Protecting of the Young who Run over the Waters. Вот здесь направо, пожалуйста».

Мы свернули с шоссе на узкую дорогу, ведущую к огромному летнему кемпингу. Сейчас он был еще пуст, и через открытые окна машины можно было слышать гул ливанских кедров, окаймляющих это бискайское пристанище. Ник показывал направление: «Вот здесь налево, сэр. Теперь направо, сэр. Теперь прямо, сэр. Стоп, сэр». Мы остановились на вершине холма, с которого был виден пляж Бидар и дальше необозримый Резервуар. Здесь среди дюн ютилось несколько сарайчиков, похожих на московские «самопальные» гаражи. «Тут у меня с прошлого года стоит мотоскутер, сэр», — с улыбкой пояснил Ник. Он щелкнул пультом дистанционного управления. Одна из жалких хибар открылась, явив вполне годный к употреблению гараж, в середине которого стоял миловидный двухколесник, сродни тем, на которых в этих краях кружат по городу школьники старших классов. Не знаю, что случилось, — а что может случиться, когда ничего не случается? — но я испытал какое-то неясное, но острое беспокойство.

«Надеюсь, Ник, вы не собираетесь оседлать это миниатюрное транспортное средство?» — осторожно спросил я.

Лицо мальчика на мгновение окаменело, в нем промелькнуло что-то похожее на физиономию какого-нибудь спецназовца из бесконечных нынешних сериалов. Впрочем, окаменело и промелькнуло, и в следующую секунду передо мной был все тот же тринадцатилетний мальчик. Он рассмеялся.

«А почему бы нет, сэр? В прошлом году я гонял тут на нем все лето».

«Предполагаю, Ник, что вы основательно подросли за этот год. Боюсь, что вы будете выглядеть довольно нелепо на этом миниатюре. Что-то вроде Ахилла верхом на крошечном ослике. Народ просто обхохочется при этом зрелище».

«Ну и пусть хохочут, — пробормотал он. — Подумаешь, большое дело. Этот байк в отличном состоянии, он легко потянет даже боксера Кличко, не то что подростка-сёрфера, простите, сэр, совсем непохожего на Ахилла».

Мне показалось, что он тоже испытал вдруг какую-то мгновенную и очень резкую тревогу. Или он просто был уязвлен моей добродушной насмешкой. Так или иначе он переборол неприятное чувство и сделал шаг к гаражу. Я успел схватить его за локоть.

«Вы, собственно говоря, куда собираетесь мотануть на этом ослике, или, вернее, на этом странном жуке?»

«В Гитари, сэр. Там мой друг Вальехо Наган ждет меня к ужину с компанией таких, как мы, ребят».

«То есть «тружеников моря»?»

Он расхохотался: «Неплохо сказано, сэр! Это вы сами придумали?» Он как-то неловко топтался, очевидно не зная, как непринужденно, по-светски, попрощаться со странноватым «сэром». Мне вдруг пришла идея устроить спонтанный пикник над пляжем Бидар. Ведь у меня в машине судки с полным комплектом ужина от месье Абрикоса! Да и бутылка отменного «Марго» в придачу! Слегка, а может быть, и основательно фальшивя, я небрежно предложил мальчику разделить со мной мой ужин. Ну чего вам тащиться в час пик до этого порядком отдаленного Гитари, вызывать ехидные насмешки раздраженных водителей? Уверен, что у меня тут достаточно продуктов для двух джентльменов, чтобы заморить червяка. Да-да, Ник, нечего подкалывать старика, я действительно редко выезжаю из дома без запаса съестного.

Открыв судки, я с удивлением обнаружил, что Абрикос снабдил меня ужином для двух персон: две порции шотландской лососины на закуску, два больших панированных антрекота с двойным гарниром из рататуя, два слоеных пирожных на десерт. Интересно, что к этому прилагались два комплекта столовых принадлежностей, включая два стакана для вина, ну и, разумеется, две накрахмаленных салфетки. Желал ли Абрикос слегка подмазать своему постоянному одинокому клиенту, извиниться за армянский кавардак в ресторане или — тут некоторый ознобец прогулялся у меня по спине, — или он пожелал хотя бы слегка двинуть вперед сюжет? Уж не начинает ли наша округа с ее обитателями подыгрывать новому «романному настроению»?

Мы разложили припасы на плоском камне и уселись на песок друг против друга, словно за кофейным столиком. Я поднял бокал и пожелал юнцу «дальнейших успехов». Он на секунду задумался, а потом осторожно предположил, что его успехи, кажется, будут связаны с моими «дальнейшими успехами». Странная мысль, не правда ли, сэр?

«Послушай, Ник, какого черта ты меня все время называешь «сэр»? Старца Лярокка ты запросто называешь по имени, а ко мне обращаешься словно к директору школы».

Малый был явно голоден. Он активно уничтожал свою половину ужина, но тут вдруг остановился с открытым ртом.

«Прошу прощения, сэр, но я не знаю, как вас называть».

«Называй меня тоже запросто: либо Базз, либо Окселотл».

«Что это значит, сэр, я не могу понять».

«Это мое имя, Базз Окселотл».

«Я никогда ничего подобного не слышал, никогда даже не подозревал, что в Америке есть люди с такими именами».

«В Америке, может быть, и нет таких, но в России, в Рязанской губернии, вы можете встретить Окселотлов целыми выводками».

Тут Ник еще шире раскрыл рот. «Так вы, сэр, то есть Базз, то есть мистер Окселотл, стало быть, из России?»

«Неужели ты не уловил моего русского акцента?»

Он был явно смущен, немного даже покраснел, прятал глаза. «Признаться, Базз, я думал, что это у вас такой своеобразный американский говорок, ведь в Штатах множество разных говорков, слегка... ммм... обескураживающих нас... ммм... британцев».

«Но ведь ты, кажется, бывал в России, в частности, в Крыму, в собачьем питомнике на склонах Ай-Петри, не так ли?»

Он забормотал, как бы оправдываясь: «Это была очень короткая поездка в составе группы школьников под эгидой «Общества англиканских друзей Святого Франциска Ассизского».

«Значит, ты не проникся там чем-нибудь специфически русским?»

При этом вопросе Ник вообще как-то поплыл, как-то неадекватно заерзал. Он даже прилег спиной на свою доску и ухватился за ее бока, словно набираясь силы. «Как вы могли, мистер Окселотл, так подумать? Мне кажется, что стоит только ступить на землю России, как сразу начинаешь проникаться ее спецификой. Эти друзья Сан-Франциско Д'Ассизи учили нас понимать животных. Вы, конечно, знаете, что в Крыму немало бродячих брошенных собачонок. Мне казалось, Базз, что я понимаю этих несчастных, во всяком случае, понимаю их основную мысль. Они как будто говорят своими взглядами снизу: «Простите меня, могущественные люди, за мое существование». Я просто был готов разрыдаться под этими их взглядиками. Это как-то связано с идеями Достоевского, вы не находите? Особенно с образом Коли Красоткина из «Братьев Карамазовых». Как он страдал после того, как дал собачке кусочек сала с осколком бритвы, как он после этого преобразился! Вот так же все мы должны страдать при виде несчастных заброшенных собак. Уж если мы взяли эту четвероногую расу на воспитание, как мы можем бросать их на произвол судьбы?!»

Признаться, я был просто потрясен этим страстным монологом юного англичанина. «Ты считаешь, что мы взяли собак на воспитание, мой друг?»

«Для чего же еще?!» — воскликнул он, потрясая обоими своими кулаками.

«Ах, Ник, ах ты мой Коля Красоткин! Какой же ты хороший мальчик!»

Мы оба замолчали, смущенные излияними своих чувств. Ужин был завершен в молчании. Между тем солнце вступило в свою предзакатную фазу. Гигантское медное, с прозеленью, блюдо неба отражалось в грандиозном океанском отливе. Пляж расширился в три раза, а скалы, знаменитые скалы Биаррица, прибавили на одну треть в высоте, уподобившись то ли кускам крепостных стен, то ли сторожевым башням.

«Послушайте, Базз, когда возникали эти скалы, на Земле не было никаких крепостей, — сказал Ник, будто прочел у меня на лбу это промежуточное описание отлива. — И никаких башен, конечно. Не было никого, кто мог бы их с чем-нибудь сравнить. По сути дела, никто не мог даже понять, какого они размера, потому что не было никакой меры. Тем более что не было никого на этом берегу, когда на горизонте начала вздыматься земная кора. Никого, кроме меня».

Я содрогнулся. Последняя фраза юнца как будто

приоткрыла для меня какую-то новую, совсем еще неведомую сферу романа. Все-таки я собрался с силами и спросил его с достаточной осторожностью: «Кроме тебя, мой друг? Ты думаешь, что ты был здесь, именно на этом берегу, когда на горизонте стала вздыматься земная кора?»

С минуту он молчал, глядя на неподвижный ныне, пролившийся медным соком горизонт, потом произнес печально: «Я не думаю этого, но просто вспоминаю: сижу вот именно на той скале, на которой мы сидим сейчас, и гляжу вон на ту скалу, которую сейчас могу сравнить с пьющим динозавром. Не понимаю, кто я, и в голову даже не приходит, что такое время, размер, вес, меры длины, высоты, ширины. Слышу только нарастающий грохот, он забивает мне уши, и наконец вижу, как на горизонте начинают появляться камни, фронт камней. Они сталкиваются друг с другом, налезают друг на друга, и грохот становится невыносимым...»

Тут он вскочил, протянул руку и с криком «Это они!» ткнул пальцем в южном направлении, как раз в сторону приморского городка Гитари, родины композитора Мориса Равеля. Никаких камней не было видно, просто оттуда по пляжу и по мелководьям отлива двигалась к нам какая-то внушительная мотораскоряка, что-то вроде военного внедорожника «Хамви»; лучи повисшего как будто навсегда, а на самом деле ежеминутно снижающегося солнца то и дело зажигали его ветровое стекло.

Ник Оризон спрыгнул с обрывистой дюны и понесся по отливу навстречу приближающемуся кабриолету, заполненному пацанами и гёрлами. Никакого «Болеро», урезонивал я себя, никакого кино! Он махал руками и что-то кричал. Звук улетал в сторону машины. Наконец они его заметили и все

45

встали, приветствуя несущегося огромными древнегреческими скачками друга. На антенну машины было привязано несколько цветных тряпок, они трепетали от бриза и от восторга.

Вдруг я увидел на пледе оставленный Ником пульт дистанционного управления. Я схватил его: вот так удача! Надо немедленно пресечь жажду юнца оседлать его зловещего мотоосла! Не знаю: почувствовал ли Ник, что я опасаюсь за его жизнь? Внешне эта его каталка выглядит не более угрожающей, чем комнатный пылесос, — если не считать торчащие в сторону зеркала заднего вида, придающие ему сходство с глубоководным скатом, — однако и пылесосы ведь могут быть чреваты коротким замыканием! К тому же, кто знает, проклятая штука, будучи заведена, может материализовать какую-нибудь шаровую молнию; ведь это не секрет, что отдельные сегменты атмосферы буквально нашпигованы невидимыми шаровыми молниями. Ну и наконец простейший вариант: в гараже может поджидать этого пока не очень-то п р о з р а ч н о г о героя вполне обычное для первого десятилетия XXI века устройство, именуемое р а с т я ж к о й. Несколько секунд я сидел не двигаясь, глядя, как из-под халупы начинают выползать какие-то жужелицы. Ну вот, какая-то лярва под гаражом начинает плодоносить. Тут я попытался себя обуздать: в конце концов за кого ты больше боишься, за великолепного сёрфера Ника Оризона или за свой роман? Вычеркиваем жужелиц, никому они тут не нужны. Берем пульт дистанционного управления, или на русско-американском языке «римутку», и наглухо закрываем двери гаража. Римутку, размахнувшись, зашвыриваем в глухую, перевитую лианами тамарисковую рощу.

Я собрал судки, плед, недопитую бутылку вина,

направился было к своей машине и вдруг остановился со всем этим добром в руках. Кончик оризоновского сёрфборда мигал мне непостижимо маленьким маячком; он подавал мне сигналы!

Чуть ли не бегом я устремился к «Кангу», свалил в багажник все барахло, вернулся к доске и сел рядом с ней на песок. Что делать дальше? Маячок продолжал мигать, но уже в явно ускоренном режиме. Значит, мне надо к нему максимально приблизиться, так я понимаю, Мистер Сёрфборд, госпожа Доска? Я положил обе ладони на нос плавстредства, и тут прямо под ладонями у меня раздвинулась шкура доски и открылся маленький экранчик сродни окошку в сотовом телефоне. Там бегала ленточка букв, она гласила: «Если вы хотите оставить сообщение для Ника Оризона, постучите указательным пальцем прямо подо мной». Я сделал то, что было предложено, и тут же открылся киборд. Не знаю уж, чему я подчинялся: воображению, интуиции или какой-нибудь реальной угрозе, но я написал: «Ник, если тебе днем или ночью понадобится движок, можешь взять мой «Кангу». Он стоит напротив дома №6 по улице Жан-Жак О'Дессю. Ключи лежат под половичком пассажирского места. Днем звони мне на мобильный 06 66 77 88 99. Базз Окселотл». После этого я сделал quit, коммуникация закрылась, и мыслящая машина превратилась в обычную плавдоску.

Между тем кабриолет «Хамви» подъехал и остановился совсем близко от нашего холма. Мальчишки и девчонки побежали к низкому отливному сёрфу. Среди них я заметил и юную красотку Дельфину Лакост. Не отставая от пацанов, она носилась по мелководью и хохотала вполне в духе всей компании. У ног ее самым активным образом мельтешил отпрыск старика Лярокка, ее маленький племянник Дидье. Он все норовил ухватить за руки как Дельфину, так и нового друга Ника Оризона, то есть образовать некий мостик между двумя великолепными организмами. Вскоре это ему удалось, и троица помчалась к полосе прибоя.

В стоящей машине осталось между тем только двое: первым бросался в глаза пиренейский великан Гругрутюа, который, пользуясь отсутствием орущих юнцов, растянулся во всю длину на заднем сидении и, кажется, дремал, лишь изредка пытаясь схватить зубами каких-то докучливых насекомых, вторым был человек за рулем, весь как будто намазанный темно-желтой мазью, с гладко зачесанными за уши черными волосами и с бесстрастным или, может быть, застойно-страстным лицом. Он, очевидно, был не очень-то длинноног, о чем можно было судить по максимальному приближению его кресла к рулю. Что касается рук, то они поражали своими размерами и мощью мускулатуры. Вот это, очевидно, и есть наш друг из устья Амазонки, не кто иной, как сеньор Наган. Нет-нет, мы не откажемся от этого персонажа, пусть сыграет свою роль, елки-палки, да он уже вступает в свою роль в том смысле, что не отрывает яростного взгляда от Дельфины Лакост.

Пытаюсь обуздать преждевременно разворачивающуюся сюжетную линию, беру все и всех в скобки, поворачиваюсь спиной к Резервуару, влезаю в свой «Кангу» и отчаливаю по направлению к приморскому шоссе и далее — к дому.

Лучи солнца еще освещали верхушку моего главного дерева, большой и симметрично закругленной магнолии на фасадной лужайке, и потому я без труда увидел в ее ветвях двух докучливых сорок. Минуту или две я смотрел на магнолию и вспоминал историю наших взаимоотношений. Устроив здесь себе сочинительское гнездо, откуда открывается вид сразу на две страны, Францию и Испанию, не говоря уже о том, что все это пространство именуется Басконией, я стал обитателем ботанического склона наряду со слоняющимися там соседскими кошками, пробегающими мимо собаками, воркующими голубями и шустрыми сороками. Таким образом я вступил в какие-то особые, не вполне понятные, но ободряющие отношения и с дубом, и с кедром, и с олеандром в глубине сада, тем более с горделивой фасадной магнолией. Сомневаюсь, что они знают, как я их называю, иначе я бы знал, как они называют меня, не так ли?

Летом 2003 года в Европе стояла патологическая жара. Воздух был неподвижен до такой степени, что каждое утро окружающая природа казалась мне не живой картиной, а фотографическим снимком. После долгого отсутствия я вернулся в Биарриц и увидел, что магнолия пребывает в плачевном состоянии: листья пожелтели и скукожились, иные ветви полностью облысели. Зашел садовник, печально покачал головой: дело плохо. Нет уж, подумал я, надо все-таки побороться за эту особь. Подтащил шланг и несколько часов с короткими интервалами поливал древо мощными струями воды от макушки до ствола. На ночь оставил струящийся шланг у подножия. Утром я увидел, как дерево может ответить на такую массированную заботу. Среди оживших ветвей горделиво покачивалось не менее семи распустившихся белых чаш. Магнолия как бы говорила: спасибо вам, сеньор приезжий, за вашу аш-два-о с аминокислотами и песчинками редкоземельных элементов. Я тогда раскланялся: это вам спасибо, мадам Магнолия, за ваши чаши.

Не успел я до конца припомнить свою борьбу за магнолию, то есть не прошло и секунды, как сороки с шумным шухером вылетели из ее ветвей и почти вертикально взмыли в закатное небо. В последний миг перед тем, как они исчезли, я заметил в клювах у двух из этих мерзавок мои солнечные очки. А я-то столько времени искал их по всему дому!

Эти очки я купил пару лет назад за 150 американских долларов в одном из бутиков вашингтонского даунтауна. Редкая модель, так называемые goggles, они закрывали не только глаза, но и боковые поверхности кожи вокруг глаз. Массивная оправа напоминала то, что когда-то, ну, скажем, в сороковые годы, называлось «роговыми очками». Во Франции хрен найдешь такую штуку. Иногда мне казалось, что французы, особенно люди пожилого возраста, по этим очкам узнают во мне американца. Нынче по всему миру распространилось мнение, что французы недолюбливают американцев. Мне кажется, что это лажа. Из всех цивилизованных наций только французы сохранили какую-то особую тягу к янки, и больше всего к тем полумифическим, спрыгнувшим с неба, янки сороковых годов. Стоит только где-нибудь на площади в курортный сезон зазвучать свингу, как французы выскакивают из своих кафе и начинают по всем правилам, со всей нужной хореографией отчебучивать эти лихие танцы, как это происходило в 1944 году, в дни освобождения Парижа.

А возьмите тот же сёрфинг: ведь это именно американцы тех лет внедрили нелегкую забаву на французских пляжах. Ну, и разумеется, уж если они увидят кого-нибудь в очках-лупоглазах, тут же вообразят каких-нибудь американцев в кокпите «летающей крепости», идущей на нацистскую цель. Короче говоря, мне нравилось ходить в этих очках, и вдруг они пропали.

День за днем я ходил по своим комнатам и искал очки. Проклятые вещи — то и дело пропадают. Сколько раз я убеждался в том, что нельзя их искать и без толку тратить на поиски уйму времени. Когда захотят, тогда и выскочат на поверхность, сделав вид, что они тут всегда лежали.

Вещи — такие сволочи,
Прячутся по квартире,
Скалятся, гады, по-волчьи
Над хозяином с его артритом.

Исчезают щетки для волос, беговые туфли, диски, на которые грузишь свои «бэкапы», пульты для телевизора и для плейеров, летом шорты, зимой шерстяные штаны, визитные карточки нужных персон, книжка «Речевые формулы французского языка», баскетбольный мяч, черт знает что еще, солнечные очки-лупоглазы...

Затаилась где-то отвертка,
Мобильник, блин, будто врос в кирпич,
А ведь лежал под пропавшей журнальной версткой;
Звонят как будто бы из Керчи.

Ходишь полдня по своим небольшим комнатам, взъяряешься от тщеты. Дом взъяряется на тебя, за спиной у тебя — а иногда и прямо перед носом — стучат, хлопают все двадцать три двери: кто, кто построил этот дом с таким количеством дверей, неужели тихонькая мадам Лафон, у которой этот дом и был куплен, неужели она сама была сторонницей сквозняков как окончательных аргументов в спорах с муженьком, когда по дому одна за другой с яростью захлопываются все двадцать три двери?

Иногда мне кажется, что дом злится не столько на меня, сколько на попрятавшиеся вещи. Перетряхивая стены и двери, дом как бы подключается к поискам. Трахтарарах, из двух кухонных дверей вылетают ручки, сами по себе куда-то к эвонноэвве закатываются, сотрясается холодильник, ты бросаешься к нему, чтобы проверить, не разбилась ли крынка с молоком, — нет, ничего не разбилось, больше того, в прохладной полости тебя поджидает приятный сюрприз: в пространстве между упаковкой «Стеллы Артуа» и коробкой сардин внезапно обнаруживается то, что давно уже бросил искать, ну тот самый, что изредка подавал какие-то слабенькие сигнальчики как будто бы из Керчи, ну, в общем, мобильный блядский телефон. Какой приходит тут восторг, как преображается мир! Из провонявших всяким вздором абсурдностей вдруг выходит некий мир-друг, ободряет тебя хлопком по плечу: давай открывай баночку «Стеллы» и звони какой-нибудь совсем забытой, совсем состарившейся Стелле Артюхиной в Керчь, выходи на террасу, шлепайся в шезлонг, затевай долгую беседу с воспоминаниями. Керчь, Керчь, не началась ли там у вас война, мадам? По-прежнему ли хлопает в набережную ваш лишь капельку замусоренный прибой? Мадам Керчь, а вы по-прежнему вспоминаете о ваших жарких ночах, о грезах с примесью большевистской идеологии? Ах, как приятно найти потерявшийся телефон-портабль!

Иногда мне кажется, что мои предметы недвижимости противоборствуют предметам движимости в их постоянных стремлениях спрятаться, разбрестись, причинить зло хозяину. Ну вот опять же, те же злокозненные очки-goggles: потеряны месяц назад, казалось бы, безвозвратно, однако ты их все же как-то подсознательно ищешь, бросаешь то туда, то сюда полубессознательные взглядики — а вдруг вот сейчас обнаружатся, сверкнут на солнце, пропищат на манер телефончика какой-нибудь знакомый мотивчик?

Магнолия не хочет, чтобы ты так без конца маялся. Ей дорого твое достоинство. Именно поэтому она заманивает в свои ветви двух сорок. Присаживайтесь, госпожи воровки, на мои великолепные ветви! Суетные щеголихи, разумеется, не отказываются от приглашения, и именно в этот момент магнолия приглашает появившегося хозяина заглянуть глубоко в ее щедрую макушку. Проходит еще один миг, и птицы с ворованным предметом хозяйского обихода, то есть с очками-лупоглазами, взмывают в поднебесье. Хотите верьте, хотите нет, несут их вдвоем, каждая за свою дужку. Растворяются в океанском закате.

> О, твари подлые, сороки!
> О, клептоманик уазо!
> Пусть заклеймят вас эти строки
> Замысловатостью резьбы!

Спасибо, магнолия, теперь хотя бы можно исключить очки из круга спрятавшихся вещей. Наконец-то и я добрался до своего «Мака». Ни дня без строчки, — талдычу я себе, — кто отец этой зернистой идеи, Стендаль или Олеша? — ни дня без какой-нибудь, пусть хоть самой завалященькой строчки. Ни ночи без строчки — это мое. И записываю: «Таков и наш комсомол; выросший на корявых стволах идеологии, он все-таки умудрился взрастить на своей плешке шапочку благих побуждений». Да ведь где-то уже промелькнули эти «благие побуждения»... И засыпаю под умиротворяющий гул Резервуара. Во сне вопрошаю свой туманный замысел: «При чем тут комсомол? Какое отношение он и все эти его румяные лгуны имеют к моим предроманным блужданиям? Почему в компьютере появляются современные фигуры всяких там сёрферов, французов, загадочного юнца-англичанина, не похожего на Ахилла Ника Оризона, бразильского индейца Вальехо Нагана, почему в мыслях я все время возвращаюсь к «верному помощнику партии», Ленинскому комсомолу, о котором сейчас никто не имеет ни малейшего понятия?

III. Узник краснознаменного изолятора

Приснилось странное. Оказывается, в московской тюрьме «Фортеция» вот уже несколько месяцев томится некий господин сорока с чем-то лет, имеющий какое-то отношение к нашему роману. Имени его мы пока не знаем, а потому будем его называть просто Узником. Неведома нам пока и суть дела, по которому замели этого нестарого еще человека с жестковатыми чертами лица. Судя по тому, как он себя держит в узилище, а держит он себя довольно независимо и гордо, можно принять его за «узника совести», однако по тому, с каким почтением к нему относится стража, этого не скажешь. Может быть, какой-нибудь «авторитет» перед нами? Вряд ли: ботинки на босу ногу не носит, на фене не ботает, наглостью какой-либо стопроцентно не отличается, а самое главное — никакой российский пахан не полез бы в тамарисковый парк, ему тут нечего делать. Что же остается, ведь не допытываться же у тюремщиков, что за человече.

Тюремщики, надо сказать, сами смотрят на Узника с недоумением: чего он так мается, чего чахнет, когда мог бы просто отдыхать под эгидой индивидуальной системы привилегий? Питание в камере получает по формату +3000 калорий. Два раза в неделю может даже полакомиться фирменной солянкой, которую готовит для «элитного контингента» Жан-Поль БлюдО из французских правонарушителей. Располагает также собственным холодильником, где держит свои минводы и гастрономические деликатесы из «Седьмого континента». В камеру к нему подсажены три интеллигента, с которыми по вечерам можно расписать «пулю». В библиотеке раз в неделю может набрать себе книг лучших авторов: ну, скажем, Ольговеры Марьинорощинской, Акуленины Ознобищиной, Оригиналы Спасотерлецкой. А самая главная привилегия состоит в том, что в утренние часы Узник может уединяться в салоне комсостава, официально как бы для ознакомления со своим делом, а нормально: чем хочешь, тем и дрочись — хоть пестуй новую схему для обмана народонаселения (какая еще схема, при чем тут народонаселение?), хоть эротически расслабляйся с соответствующей кассеткой. Нет, Узник упорно продолжает маяться. Иногда часами сидит без движения, уставившись в неустановленный угол мироздания, как будто видит там что-то еще, кроме толстого, как блин, слоя паутины. Иногда за целый день не произносит ни одного наукоемкого слова, одни только отговорки вроде «благодарю», «нет, не нужно», ну там чего-то более человеческого, вроде «идите на хер»; всё на «вы».

Так думал о своем Узнике комендант долгосрочного блока майор Блажной. Иногда, уловив брезгливую мину, он позволял себе критическое замечание: «Какой ты странный мужик, Страто, то есть замысловатый вы какой-то человек, не совсем русский».

Вот наконец что-то похожее на имя промелькнуло в авторских размышлениях, однако, и впрямь, что это за имя, не совсем русское? Может быть, из Европы через Молдавию оно к нам пожаловало, как иные странные фамилии, вроде Лазо, Фрунзе, Змеул?

В ответ Узник чаще всего потуплял взор, слегка зубами издавал какое-то скрежетание, реже взрывался. «Что же, по-вашему, всякий русский должен сразу привыкать к этой вашей вонище?»

Майор ужасался: «Да вы что, гражданин долгосрочно подследственный? Знали бы вы, какие средства уходят на дезодоранты!»

Узник Страто бил себя кулаком в ладонь, бормотал: «Вот именно вкупе с вашими дезодорантами весь этот веками слежавшийся букет ссак, сракк (мучительно хрипел), ххлоррки... (взмывал) невыносимо, как Ххирроссимма!»

Четверо в камере старались поддерживать бодрое настроение. Проснувшись, все принимали позу «сирхасана», то есть вставали на голову. Этот ритуал, собственно говоря, ввел в обиход сам узник Страто. Благородная медитация вверх ногами, думал он, в конце концов отвратит ребят от стукачества. Когда-нибудь один их них, а может быть, и все трое, выйдут из позы со слезами на глазах. Вот это и будет первый шаг к духовному возрождению.

Труднее всех было поддерживать медитацию стадесятикилограммовому Филу Фофаноффу. Перевернутая позиция почему-то настраивала его на смешливый лад, и он, не завершив еще иоговской гимнастики, начинал рассказывать анекдоты то о Ленине, то о Сталине, то о Хрущеве, ну и, разумеется, о Брежневе, об Андропове, о Горбачеве, о Ельцине, а то и о нынешней администрации. Неужели вот такой великолепный Гаргантюа может оказаться сексотом, думал Страто. Подозрения усиливались как раз тем, что гигант выходил из позы с совершенно мокрым лицом. Однако возможно ли такое: одновременно провоцировать и духовно возрождаться? Может быть, эта влага у него просто из подмышек натекла?

Смутные воспоминания приходили в голову Страто, когда он смотрел на двух других сокамерников, Алекса Корбаха и Игоря Велосипедова. Первый, казалось ему, вроде бы не должен находиться среди мирской суеты, тем более в следственном изоляторе. Ведь мы с ним вроде бы окончательно распрощались над пропитанной медом его двухтысячелетней копией в археологическом музее, не так ли? Нет, оказывается, жив курилка, дымит «Голуазом», испещряет поля еженедельника «АиФ», превращая каждое интервью в готовую для постановки пьесу. Что касается И.В., или просто Игоря, которому еще в 1983 году любимая девушка предрекла развал СССР, то остается только гадать, как он со своей застойной серьезностью мог снова оказаться в той самой тюряге, где провел лучшие годы.

Дни тянулись с монотонной тягомотиной и в то же время прощелкивали один за другим, как верстовые столбы на скоростной дороге. Допросы, или, как сейчас их стали именовать, «собеседования», вроде бы тормозили бесконечное пожирание времени, пока и они не превратились в тягомотину. Особенно удручало почти полное отсутствие неба с его метеодраматизмом. В принципе, вся четверка уже начинала подмечать в себе некоторые признаки деградации, вот почему все они жаждали в конце дня усесться вокруг стола и «расписать пулю». Карты все-таки рождали череду мелких неожиданностей.

Наконец лампа под потолком начинала мигать — сигнал к отбою. Узники укладывались и начинали вспоминать свои эротические приключения.

«...случайно я заметил номер комнаты той дамы из польской делегации, с которой познакомился на конференции. Вечером, основательно поддав в баре, я подошел к ее двери и повернул ручку. Дверь открылась. Она стояла возле раковины и мыла груди. Отменные маммарии, надо сказать, сущие дюгони! Я тут же вошел и стал этих дюгоней ласкать. Она не проронила ни слова. Только чуть-чуть стонала. Сначала я занимался с ней в классической позиции, а потом решил, что, если ее перевернуть, уд войдет глубже. Так и получилось, я не ошибся... Заверещала: проклятый, проклятый, любимый...»

«...ваш рассказ, сэр, напомнил мне один случай в Ялте, в гостинице «Ореанда», только там получилось наоборот: я сам оказался жертвой вторжения. Однажды вечером на набережной я натолкнулся на киногруппу, которая снимала какую-то очередную «чеховиану». В главной роли там была известная актриса, только что прилетевшая из Москвы. Была там и «собачка», в данном случае огромный ньюфаундленд. Режиссером оказался мой старый приятель. Он познакомил меня с актрисой, а после съемок мы втроем отправились в ресторан. Все шло по волшебному киношному шаблону: Ялта, удары волн о парапет, массандровские вина, ресторанный джаз, влюбленный режиссер, кокетливая актриса, с понтом беспристрастный друг... Вскоре они перестали на меня обращать внимание, и я отправился спать. Ночью я проснулся словно от какого-то толчка. Мой номер был залит светом от садового фонаря, однако я лежал в тени, которую отбрасывала массивная статуя Ленина. Рядом с кроватью стояла актриса в своей изящной дубленочке. Заметив лежащую в ленинской тени мужскую фигуру, она сбросила дубленочку и оказалась полностью нагой. Нагой и основательно бухой. «Эдька, просыпайся, — сказала она хрипло, — снижаюсь на твой перпендикуляр...» В процессе снижения она все-таки заметила ошибку. «Фу, черт, это не ты, ну да ладно, сажусь на ваш перпендикуляр, товарищ Как-вас-звать...»

«...а я вам расскажу, друзья, один любопытный случай проституции, клиентом которой мне пришлось оказаться. Я работал тогда заместителем главного редактора в одном большом издательстве. Однажды мы отмечали на работе День женской солидарности, или как его там, в общем, Восьмое марта. Столы стояли буквой «П» в конференц-зале, и на дальнем конце одной из пэшных ног я заметил миленькую девчушку, явно не принадлежащую к числу сотрудниц. Смотрю, она мне подмигивает, и это при всей своей ультраневинной наружности. Я пожимаю плечами и показываю руками — дескать, никак не могу выбраться из-за этого стола. Тут ко мне кто-то лезет с тостом, и девчушка в этот момент пропадает из поля зрения. Экая жалость, думаю я, исчез такой симпатичный юный талантик. И вдруг через несколько минут я ощущаю, что чьи-то пальчики взяли меня за оба колена. Заглядываю под скатерть, а там внизу как раз и разместился юный талантик: оказывается, проскользнула под всем столом. «Товарищ Фофанофф, — шепчет она, — айдате в ваш кабинет, а?» Как вы понимаете, упрашивать меня, молодого бюрократа, не пришлось.

В полутемном кабинете мы устроились с Людочкой на кожаном диване, который согласно легенде принадлежал еще наркомпросу Луначарскому. Стараясь не раздавить юницу своей массой, я все время держал ее на коленях. Помимо всего прочего она любезно предоставляла мне свои грудки; они находились как раз на уровне моего рта. По ходу всего действия она не переставала говорить мне о своем женихе. Он, оказывается, гениальный писатель, и она мечтает, ох, Фофаночка, уж так мечтаю, чтобы его роман благосклонно был прочитан в вашем издательстве. Конечно, Людочка, прочтем, обязательно прочтем, ободряю я ее; ну как можно не прочесть книгу гениального писателя. Проституция всякого рода меня всегда почему-то вдохновляла.

По завершении этого поистине отменного соития я все-таки сказал, что прохождение книги не только от меня зависит. «А вы напишите мне, Фофаночка, от кого еще это зависит, и подрисуйте там телефончики, лады?» Я написал на клочке несколько имен, и она, совершенно счастливая, выпорхнула из кабинета. Жениховская книга, конечно, вышла у нас приличным тиражом и получила премию имени Ленинского Комсомола...»

В таком духе еженощно проходило накопление тюремного Декамерона. Увы, всякий раз оно ограничивалось только тремя новеллами. Четвертый потенциальный автор почему-то в этом творчестве не участвовал. «Какого черта, Ген, почему вы-то отмалчиваетесь?» — как-то раз спросил его Корбах.

Ген! Ура! Наконец-то я вспомнил его полное имя! Ген Стратов! Как я мог его забыть? Ведь именно из этих слогов возникло несколько чуть-чуть более продолжительное имя моего юного героя тридцати-с-чем-то-летней давности!

«Ничего не могу к этому добавить», — сухо отвечал Ген Стратов своим сокамерникам и замолкал до утра. И все замолкали вслед за этим молчанием. И каждый наконец-то оставался в одиночестве. Каждый думал о своем собственном прошлом и отгонял мысли о будущем. Не проходило, конечно, ни одной ночи, чтобы у каждого не мелькала неизбежная мысль: а кто все-таки в нашей компании стучит? И неужели все трое раскалывают одного меня? Объективности ради скажем сразу, что среди этих четверых не было ни одного осведомителя. Осведомлял майора Блажного только невидимый паучок «Мицуоки», вмонтированный за санитарной выгородкой в бачок унитаза. Для привилегированных следственных тюрем, вроде «Фортеции», Прокуренция не скупилась на фирменные приборы.

Однажды ночью до Гена Стратова дошло, что утром ему исполнится 43 года, это ему-то, «который хорошо учился в школе и не растерялся в трудных обстоятельствах». От этой мысли мгновенно вспотели башка и плечевой пояс. Надо все-таки расставить вехи, в отчаянии подумал он. Без вех все пронесется, как скоростной спуск, как будто в жизни не было слалома, как будто не дотянул до «кризиса середины жизни», до этой тюрьмы. Когда я окончил школу? То ли в 1977-м, то ли в 1979-м, нет, в 1978-м, вот именно в том, когда Ашка (бывшая Наташка) пришла на выпускной бал в обтягивающих джинсах. Нет, детство вспоминать не будем, нечего валандаться с детством, детство — это не веха. Ведь не будем же вспоминать, как вышли те книжки, после которых все стали спрашивать: «Ген, это не про тебя там книжки насочиняли?» Ну все-таки давай вспомни хотя бы золотую медаль. Он попытался вспомнить тот кругляш — куда он закатился? — но вместо этого стали проноситься какие-то слегка чуть-чуть бесноватые блики времен активности в рамках движения «Молодые лидеры мира».

Блики 78-го

Бабушка при всех боевых орденах по случаю медали испекла огромный пирог, похожий на рельефную карту Варшавского договора. В нынешней ситуации резкого обострения лучшие юноши страны должны пройти серьезную спецподготовку, сказала она. Как вы считаете, Лев Африканович? Вечеринка протекала в рамках семейно-дружеского совета. Среди родных присутствовал и некий товарищ Хрящ Л.А., «свояк», то есть муж младшей сестры бабушки, занимавший еще недавно немыслимо высокий пост в Смольном, а теперь перебравшийся в Москву, в какие-то совсем уже заоблачные сферы на Старой площади. Не следует ли нашему отпрыску поступить в Краснознаменный институт соответствующих органов? Лев Африканович усмехнулся и подмигнул Гену, намекая, что между ними может произойти «настоящий мужской разговор».

Мама пожала плечами. Она не знала ни одного института лучше ее Института им. Лесгафта, где занимала должность завкафедрой биостимуляции. Все эти резкие обострения в современном мире имеют тенденцию к внезапному растворению. Я вижу Гена в роли деятеля мирового олимпийского движения.

Тут вмешался папа, долговязый молодой человек со следами высокогорного ожога. «Я с Ольгой категорически согласен. В системе обострений мальчику совершенно нечего делать, тем более что она чревата окончательным разжижением. Товарищи интересуются: кто она? Система, товарищи, но не Ольга. Что касается подъема на высоты, я вижу этого юношу рядом с собой на леднике истинного социализма и потому преподношу ему сейчас великолепные фирменные трикони. Подавай бумаги в наш Горный, сынок!»

Не перестававший как-то странно подмигивать Лев Африканович поинтересовался, какие планы вынашивает сам объект семейного спора. Ген озарил всех присутствующих великолепной, хоть и несколько предательской улыбкой.

«А я уже отослал бумаги в МИМО».

«Мимо?» — вздрогнула всеми фибрами его могучая бабушка.

Товарищ Хрящ в этот момент хмыкнул, да так, что у всех что-то хрустнуло.

«Имеется в виду Московский институт международных отношений, так, что ли, Генаша?»

«Прошу вас так меня не называть, — строго поправил его наш герой. — Я не Геннадий, а Ген, за что безмерно благодарен моим родителям».

Тут грохнули аплодисменты и прозвенели бокалы.

Между тем яблочно-капустный пирог исчезал с той же стремительностью, с какой Европа исчезла бы под гусеницами танковых армий ГДР, Болгарии и Польши, ведомых кантемировским кулаком. И только когда от него (от пирога) остался последний центровой кусок, напоминающий Швейцарию, в столовую влетела Ашка, одноклассница Гена Страто. Именно его (кусок) и смахнула со стола в пунцовый рот припозднившаяся красавица.

Лежа во мраке «Фортеции» двадцать пять, что ли, лет спустя, Ген Страто страстно вспоминал это ярчайшее событие 1978-го, что ли, года: стремительное появление Ашки, захват швейцарского куска, интенсивное его поедание, мелькание жемчужных зубов, вишневых губ, вздувшихся от жевания щек, огромных юмористических глаз, озирающих всю компанию и вспыхивающих всякий раз при взгляде на Гена Страто; фортиссимо!

«У меня для всех собравшихся есть качественная новость, то есть по поручению компетентных органов, — сообщил товарищ Хрящ. — Принято решение зачислить Гена Страто в МИМО и немедленно отправить его вместе с группой выдающихся ай-кью-студентов в Колумбийский университет по программе «Молодые лидеры». — Он замолчал, обвел замохначенным взглядиком семью с друзьями и добавил: — На год, товарищи, на цельный фискальный год!»

Вместо взрыва радости воцарилась традиционная русская «немая сцена». Всем присутствующим показалось, что по душу Генчика приехал какой-то страшноватый ревизор. А как иначе можно интерпретировать интерес к мальчику со стороны дикообразных компетентных органов?

«Ну если Родина прикажет...» — начала было бабушка и замолчала, столкнувшись глазами с «детьми», то есть с Генскими родителями.

Фразу закончил Лев Африканович:

«...каждый истинный гражданин должен следовать соответствующей ориентировке!»

«Никуда он не поедет! — вдруг воскликнула Ашка. — На целый год?! Никогда! Каким бы он ни был фискальным!» Она вроде совсем другой какой-то смысл вкладывала в это понятие.

Даже и сейчас во мраке четырехместной камеры, в окружении похрапывающих эротоманов Ген преисполнился сладостью подтвержденной любви: вот так Ашка мной распоряжается даже вопреки распоряжению партии!

Товарищ Хрящ тут повернулся к девочке-полуребенку.

«Это как прикажете понимать, товарищ мисс? Молилась ли ты на ночь, Пенелопа?»

«Ген без меня никуда на год не уедет. Ведь мы с ним вчера расписались».

«Ура! — вскричали тут родители. — Вот так ведь и мы в пятьдесят девятом, на пике оттепели, в вихре антисталинских идей прямо с новенькими аттестатами в загс рванули!»

Черт, отразилось на пожившем лице Льва Африкановича, вот так ведешь корабль по курсу, а ключевые события остаются за бортом. Эх, халтура-халтура, родная наша советская халтура-агентура.

Весь стол, а было там не менее пятнадцати персон черт знает каких друзей и родственников, шумно колебался, обсуждая событие. А Ашка под шумок уселась вплотную к Гену и воткнула ему в плечо свой остренький подбородочек.

«Спокойно, товарищи! — утихомирил стол Хрящ. — Поскольку я от лица ЦК КПСС курирую ЦК ВЛКСМ, значит, располагаю определенными полномочиями.

Значит, так...» Довольно длительное, измеряемое по крайней мере двумя-тремя минутами, молчание, шквал эмоций переходит в зыбь эмоций, через открытые окна доносится музыка Запада, какая-то боссанова... «Значит, так, через месяц после отъезда Генчика в Колумбийский университет отправится и его почтенная супруга. Этот обмен будет проходить в рамках программы «Девушки Севера — девушкам Юга». У тебя, Ушка, есть немалое преимущесто перед другими, а именно твои фантастические результаты в стрельбе из лука. В принципе, ты пошлешь свою стрелу мира с Севера на Юг и утвердишься в истории как эталон социализма! Только уж, пожалуйста, без вихря антисталинских идей!»

Тут начался такой хохот, что Льву Африкановичу ничего другого не оставалось, как только удивляться: «А что же я такого сказал, особенно смешного?»

Узнику Страто ничего другого не оставалось, как только лежать во мраке с вафельным полотенцем на лице, промокать глазные впадины и удивляться, как же ему удалось заново пережить то неповторимое счастье на стыке детства и юности.

Без всякой связи после нескольких минут сна выплывает еще одна веха, 1989-й, те времена, когда он, Ген Стратов, оказался на самой вершине Ленинского комсомола.

Блики 1989-го

«С утра болела голова, но хуже то, что надоела...» Эта строчка нередко привязывалась к нему с похмелья, но он никак не мог вспомнить продолжения стиха, да и имя автора было в полнейшем тумане. Иногда казалось, что стих этот читал кто-то из друзей отца и будто это было связано с летом 1968 года, с Коктебелем, когда ему и Ашке было то ли восемь, то ли пять лет. Жгли костры в недоступных с суши бухтах — Третья Лягушачья, Сердоликовая, Разбойничья, Львиная... Коммуны «физиков и лириков», гитары, Окуджава, Высоцкий, Галич, транзисторы, «Голос», «Волна», «Свобода»... Иногда на малых оборотах мимо проходил сторожевик, оттуда смотрели в бинокль. Матрос на корме показывал контрикам дрынду. Нет, тот стих никак не вспоминался.

А вот это явно из 1989-го... В полдень цэковская «Волга» подвозит его к зданию одряхлевшего конструктивизма. Он входит, как всегда, с иронической улыбкой. Черт знает, зачем я принял приглашение в секретариат, когда вся лавочка дышит на ладан? Никто на него вообще не обращает внимания на этих стертых ступенях великой утопии. По ним только шузня с разговорами шлепает, банановидные варёнки там мелькают да синие пиджаки с коваными пуговицами — униформа коопщиков, эспешников и ооопщиков. В большом зале, где когда-то инструкторы секторов тихо шелестели подшивками черт знает чего, теперь вся эта братва громогласно утверждает новые варианты «телефонного права». Проходя через зал в главные анфилады, Ген улавливает обрывки императивов:

«...КрАЗы» идут по безналичке, а вот за «УАЗы» выкладывайте, мужики, капустой. Вам ясно?»

«...Давай, отправляй сразу все триста ящиков и ни одной бутылкой меньше, а то с тобой Шамиль поговорит; понятно?»

«...Остыньте, мужики, проплачивайте киловатты, получите кубометры, иначе придется всю вашу лавочку закрывать. Вами, между прочим, из Прокуренции хлопцы интересуются».

В анфиладах все выглядело более-менее в соответствии с партийно-комсомольскими традициями: большие приемные с двумя-тремя секретаршами, деловито проходящие сотрудники в серых протокольных костюмах с однотонными галстуками, сидящие вдоль стен командировочные с мест. К Первому проследовали две солидные горничные с подносами, несли чай с ломтиками лимона и вазочки с сушками — все в партийно-комсомольских традициях. Пропустив вперед горничных, проследовал в кабинет Первого и Шестой, то есть Стратов Ген Эдуардович, двадцати девяти, что ли, или двадцати семи лет от роду.

Его появление вызвало дружеский смех у присутствующих, пятерых секретарей и трех завотделами. «Ну вот и Ген явился, можно начинать!» Он впервые был на негласном заседании Секретариата. Народ вроде вполне нормальный, вопрос только в том, можно ли с ними нормально говорить. Все курили американские сигареты. Боржоми в середине стола стоял вперемежку с пепси-колой. За креслом Первого на отдельном столике зиждился большой IBM-компьютер; вопрос был только в том, умеют ли здесь пользоваться этой машиной.

Первый предложил поприветствовать нового молодого товарища. Все с удовольствием поаплодировали. У Гена Стратова, несмотря на возраст, накоплен очень богатый и очень нам нужный сейчас бэкграунд. Он был в «Колумбийке», участвовал в программе «Молодые лидеры», защитил диссертацию в МИМО, работал в Африке, заседал на многих международных конференциях, попал в серьезную переделку тут, по соседству с нами (жест большим пальцем в сторону площади Дзержинского), блестяще выкрутился из почти безнадежной ситуации, нашел мужество вернуться на родину, в самое пекло нынешних событий, и вот он среди нас. Мы очень рассчитываем, Ген, как на твой опыт, так и на твои личные качества. Именно такие ребята, как ты, сейчас нужны комсомолу. Мы знаем, что ты очень резво вошел в наш зарождающийся бизнес, что нам у тебя надо поучиться м а р к е т и н г у - т о, законам рынка-то. Мы знаем, что ты так же основательно вообще-то интересуешься редкоземельными металлами. В этом смысле перед комсомолом открываются огромные перспективы, однако сейчас мы вот тут с ребятами жаждем, чтобы ты с нами поделился ну, в общем, философским опытом.

«Личным?» — спросил Ген.

Ребята заволновались. Ну, конечно, и личным, но, в общем-то, общим. О тебе ходит молва, что ты никогда не был, ну, как это сейчас говорят, «совком». Вот и в загранке ты ведь не столько материальной культурой интересовался, сколько трудами русских философов, которых нас, комсомольцев XX века, большевики лишили. Наши люди из соседнего учреждения передавали, что ты из последнего путешествия целый чемодан философии притаранил. Ты, конечно, понимаешь, как важен сейчас философский багаж для лидеров молодежи. Важен до чрезвычайности. Нельзя недооценить важность философской переоценки, особенно сейчас, на грани новой революции.

«Революции?» — переспросил Ген.

Ну, а как же еще, Ген, можно назвать то, что сейчас так сильно набирает обороты? Ведь у нас почти три четверти века не было революций. Из-за них, из-за этих, мы жили без революций. Ну как это еще назвать, если не революцией? Ведь все эти «ускорения», «перестройки», «гласности», ведь это же не что иное, как... ну как это называется...

«Эвфемизмы?» — предположил Ген.

Ребята просияли. Вот именно, вот именно как Ген сказал! Давайте запишем, чтобы потом на Старой-то кому-нибудь под ребро впарить! «Эфемизмы» — это клёво! Там между «э» и «ф» еще «в» прячется, вот так! Ну, в общем, Ген, ты, конечно, помнишь то, что Стендаль-то в фильме «Пармская обитель» сказал: «Несчастлив тот, кто не жил перед революцией», вот мы и хотим узнать, как наша русская философия отвечает на запрос века.

«Вы о Бердяеве слышали, друзья?» — тактично спросил Ген и весело покивал, когда негласный пленум расцвел улыбками — слышали, слышали о Николае! «В общем, наша религиозная философия возникла на фоне расцвета русского символизма, то есть культуры Апокалипсиса, так? В течение тридцати лет одаренные люди России толковали Апокалипсис, или «конец истории», как гибель нынешнего человечества и переход в новую фазу пока что непостижимого свойства. В начале века только и делали, что ждали конца, сидели на балконах, блуждали по набережным, пытались расшифровать небесные послания. Ну, разумеется, и шампанское пили, и за барышнями ухаживали. Развал Империи они трактовали как начало Апокалипсиса и потому-то и приветствовали Революцию; все эти Блоки и Белые... На деле же оказалось, что не феерия общечеловеческая грядет, а какая-то бессмысленная кровавая лажа. Вот тут Бердяев и высказал свою гипотезу, что революция — это «Малый Апокалипсис», то есть своего рода карикатурная репетиция конца истории. Однако платить за такие «репетиции» приходится миллионами».

«Баксами?» — тут же спросил один из секретарей, кажется, Третий, Олег Гвоздецкий.

«Миллионами голов, — поправил товарища другой секретарь, кажется, Второй. — Так, что ли, Ген?»

«Ну в этом смысле».

«Скажи, Ген, где ты это все постиг?» — с исключительным интересом осведомился Первый.

«Да это я брал семестр по конфликтологии в университете «Пинкертон». Там такой профессор из наших, Стас Ваксино, читает курс «Образы утопии».

Все снова заговорили разом. Вот это да! Конфликтология! Образы утопии! Вот чего нам не хватает, парни! Особенно сейчас, когда в двух шагах от такой гребаной «репетиции» стоим! Ты-то сам, Ген, понимаешь, перед чем мы стоим? Что за вопрос, ребята, и к кому, к самому Гену Стратову, который в отличие от нас, комсы райкомовской, так глубоко русскую философию постиг!

Тут Первый, наконец, овладел ситуацией. «Вот теперь, Ген Эдуардович, мы подошли к контрапункту ситуации. Вот видишь, как у нас все сложилось в партийно-комсомольских кругах. Геронтократию мы преодолели, а сами оказались в тупике. Народ миллионами выходит на улицы, на митинги Межрегиональной группы. Требуют отмены шестого пункта и добиваются успеха, а без этого пункта трещит вся система. В таких условиях мы должны добиться максимального уменьшения числа жертв. Необходимо сделать этот «Малый Апокалипсис» предельно малым и, самое главное, не силовым. Без танков и без баррикад, понимаешь?»

Ген вытащил из своего кейса лист бумаги и начертал на нем два слова предельно крупными буквами: «Революция Духа?» Всем показал начертанное. Актив опять разволновался. Вот это толково! Подменить ББ сильным ДД, то есть духовным движением! Какой еще ББ? Как какой — «бессмысленный и беспощадный»!

«Об этом писал Толстой, — сказал Ген. — Все отказываются выполнять драконовские циркуляры, начиная от солдата, кончая маршалом, и тогда, как он сказал, «духовная революция вспыхнет, как сухой стог сена».

Все замолчали и молчали несколько минут. Похоже было на то, что дискуссия подошла к главному своему пункту. Наконец, один из Секретариата, кажется, Пятый, дерзновенно стащил с шеи галстук и намотал его на кулак. «Ген, согласишься ли ты возглавить комсомол и подвести его к самороспуску?»

Не успел он ответить, как в кабинет вошли двое в красных пиджаках с большими картонными б о к с а м и, вскрыли их короткими, но весьма надежными ножами, расставили по столу не менее дюжины бутылок. «Настоящее мерло, господа, как заказывали». Снова началось стихийное, какое-то приподнятое волнение. Настоящее мерло? По-настоящему настоящее, да? Ген, ну поделись опытом. «Значит, так, ребята, сначала оставляете бутылки открытыми минут на десять, чтобы продышались, наполнились кислородом предреволюционной эпохи. Потом наливаете на дно бокала каплю вина, смотрите ее на свет, оцениваете цвет и прозрачность, потом нюхаете, определяете чистоту запаха, потом раскручиваете в бокале и наконец пригубляете, после чего можно уже сказать: вино настоящее!» По-настоящему настоящее, Ген? «Ну почти». Ура, ура! Почти настоящее — это на данный исторический момент выше настоящего! А помните, ребята, как наш простой советский дегустатор дегустировал мочу? Ну давайте выпьем за Гена! За будущий роспуск комсомола!

Кто-то раскрыл утреннюю газету, то ли «Правду», то ли еще какую-то из так называемых «левых», то есть отчасти «правых». А вот смотрите, какой стих сегодня тиснули: «Защити нас, ЦК и Лубянка! Больше некому нас защитить». Это чье же такое весомое творение? Станислава Куняева! Ген слегка даже поперхнулся «настоящим мерло»: да ведь это как раз тот самый автор, которого не мог вспомнить с утра.

«А знаете, ребята, этот автор когда-то другие стихи писал. Помню, как мои родители с утра в Львиной бухте его читали:

> С утра болела голова,
> Но хуже то, что надоела
> Старинная игра в слова,
> А я не знал другого дела.

Долго еще гудел и волновался актив доживающего свои дни комсомола, и все уже хлопали Гена по плечам, уже предвосхищали его как вождя исторического самороспуска, хотя он еще не ответил ни «да», ни «нет». Странным образом и он сам ощущал какой-то неясный подъем, некое вдохновение в здании одряхлевшего конструктивизма, в штабе неминуемого и очищающего предательства.

Конечно, идея самороспуска не тотчас родилась, спонтанной ее назвать трудно. И в том соседнем учреждении, в чью сторону комсомольцы не раз показывали пальцами, она, по всей вероятности, была провентилирована. Еще пару месяцев до того, как Ген был введен в Секретариат ЦК ВЛКСМ, он был отчасти приобщен к подспудной дискуссии на эти довольно скользкие темы. Однажды в кругах зарождающегося бизнеса прошел слух, что вскоре состоится ключевое совещание на тему близкого будущего, а вскоре прошла серия телефонных звонков. Любезнейшие голоса приглашали активистов бизнеса — всего их оказалось персон не менее тридцати — собраться для обмена мнениями во Фрунзенском райкоме.

Ген с Ашкой подъехали в своем десятилетнем «рэнджровере» точно в назначенный час. В коридоре возле конференц-зала уже разгуливали свои из деловой молодежи. Вдруг из какого-то кабинета вышел кто-то донельзя знакомый, лишь до невероятности загорелый и седовласый, попросту копченый кабан — ба, да ведь это не кто иной, как свояк, Хрящ Лев Африканович!

«Генчик, Ашка моя родная, как я рад, что вы приехали! Я так и товарищам нашим сказал — мои приедут!»

Пристроились все трое у подоконника.

«А вы что же, дядя Лев, тоже будете вещать о близком будущем?» — спросил Ген.

«Собирался, но не могу. На дачу уезжаю. Ох, ребята, вы бы видели мою дачу, сплошной монплезир! Надеюсь, что вы как-нибудь вместе с Катюшкой ко мне завалитесь. Какое там купанье, какое солнце — ну сущий рай земной!»

В окно между тем, очевидно, для того чтобы подчеркнуть прелести дачи, начал хлестать ледяной дождь.

«А где у вас дача, Лев Африканыч?» — поинтересовалась Ашка.

«На Мальте. Это страна-остров. Меня там все руководство знает. Вот такое наслаждение мне привалило. Партия позаботилась о заслуженном отдыхе. Вообще, ребята, держитесь за Партию. Она, может, и исчерпала свой ресурс, однако синоним-то ее, ну, Родина-то, эта выдюжит. Всасываете? — Склонился, чтобы сообщить нечто конфиденциальное: — Принято решение удерживать базовые ценности. Сейчас с вами как раз поговорят на эту тему».

В этот момент приятнейший голос, кажется, женский, пригласил всю небольшую толпу проследовать в зал. Свояк на прощанье вручил им свою мальтийскую визитную карточку, на которой значилось: «Лео Кортелакс, Генеральный консультант».

Представители Родины, трое в костюмах спецпошива, все трое вроде на одно лицо, но с индивидуальной асимметрией: у одного левая щека отвисает, у другого сглажена правая бровь, у третьего щедрая мимика кочует с одной половины лица на другую, а в отсутствие мимики всякая сторона каменеет значительностью. Предстоит тектонический сдвиг, товарищи, или, лучше сказать, господа. В песне, конечно, поется «мой адрес — не дом и не улица», однако СССР — это не Родина, а всего лишь политический нюанс. Всем все ясно? Родина — это наша вечная философия, и за нее мы постоим. Вместе с вами, с новым Ком Со Молом, то есть с коммерческим союзом молодежи. Это, конечно, шутка. Однако сегодня у нас на повестке дня очень серьезный вопрос. Соответствующие органы намерены предложить вам, молодым бизнесменам, серьезные инвестиции для развития ваших предприятий. Тот, кто сейчас примет решение, будет всегда оплотом Родины. То, что бессмысленная пресса именует «золотом партии», на самом деле является ресурсом Родины.

После часа подобных разглагольствований всех пригласили на ужин. Ашка, прикрывшись крахмальной салфеткой, сказала благоверному: «Опять осточертевшие подметки паюсной». Благоверный же брякнул без всякого прикрытия: «Опять растленный табака».

По ходу ужина свежие мысли благовозвращенного патриотизма продолжали поступать с перекладины буквы «П». Что такое Родина? Однозначно: место рождения. Нет, брат, не так. Родина — это которая распределяет. Всем, чтоб не сдохли. Другим — по понятиям. Защитникам больше, чем защищаемым. Она любит полезное, всяческие изделия. Чтоб на нее другие не повышали голос. Она течет, как ртуть, всеми многонациональными евразийскими потоками. Ошеломляет нежелающих сзади, во мраке. По кумполу или с вывертом рук. Зависает сама над собой, созерцает из Божьего пространства свои земные угодья. Выдвигается по специальному назначению. Бредит прошлым, манит в будущее, отсутствует в настоящем. Вот именно, как всякий. А говорит по-русски, хотя нередко и с акцентом. Пишет слева направо, однако с крючками, с пятнами родного, хоть и нечленораздельного, потому что едина и неделима.

Мрак «Фортеции», мычание, мука...

Прыжок пятками вперед, обратно в 1978-й.

Блики 1978-го

Когда свояк с тетей Гриппой вслед за всей родней отчалили, в семье возобновились дебаты о будущем Гена. Кто-то предположил, что ответработник шутит. Бабка возмутилась: Лев на такие темы не шутит. Никогда! И все-таки на месте мальчика я бы начала готовиться в команду космонавтов, а для этого надо идти в МАИ. Поколение Гена должно приступить к «космическим одиссеям». Выслушав ее соображения, нынешний Узник, строгий юноша конца 70-х, сказал, что, пока человечество не откроет новые энергии, говорить о космических одиссеях не приходится. Пока что он решил посвятить свою жизнь Африке как возможной арене массовых бедствий. Вот почему он рад, что его зачислили в МИМО, да еще и отправляют в Нью-Йорк по программе «Молодые лидеры». Папа вспылил: ты в своем идеализме попадешь в толкучку всяческих сынков «нового класса». Нынче у нас только на леднике можно остаться честным человеком. Бабка — отцу: Эдька, ты хочешь, чтобы мальчик порвал связи с обществом, превратился в снежного человека? И это после стольких славных дел, повлиявших даже на литературу?! Мама и папа: бабка, ты что, не понимаешь? Он может попасть в консолидацию самых мрачных элементов из всевозможных секретных органов. А ты, Ген, прежде чем взяться за Африку, подумал бы о нашей несчастной Родине. В правозащитных кругах говорят, что готовится поход на Крым.

Ген улыбнулся. Жребий брошен. Я сделаю все, чтобы отличиться среди «Молодых лидеров», окончить МИМО и получить назначение в ООН. В Африке разрастается так называемый социализм. Руководство СССР безответственно поощряет всех диктаторов, объявляющих себя марксистами, включая и каннибалов. Нищие страны получают несметное количество оружия. Став работником ООН, я постараюсь этому противодействовать. В ЦК тоже есть здравомыслящие люди. Буду опираться на них. Ради спасения Африки и, в частности, Габона пойду на сотрудничество с разведкой. Папка, мамка, бабка, Ашка, неужели вы не понимаете, что экспансия в Африке напрямую сопряжена с судьбой нашей Родины?

Неожиданную черту под дебатами подвела ровесница-жена. Какая странная наивность у взрослого восемнадцатилетнего человека! Начитался всякого вздора, всех этих «Памятников», всех этих «Сундучков»! Вообразил себя спасителем народов! Ты что, забыл о главной цели, которая поджидает нас в Африке? Там, а именно в Габоне, где появились на свет Божий Адам и Ева, мы должны будем зачать нашего ребенка! И к этому мы должны готовиться уже сейчас; пошли в твою комнату!

Во мраке камеры он вдруг почувствовал, что задохнется, если сейчас же не закурит. Подставил табуретку к высокому, под потолком, окну. Поднял фрамугу, просунул в ячейки решетки кисти рук, влепил в решетку мокрое от слез лицо, двумя пальцами вставил в лицо сигарету, двумя пальцами другой руки чиркнул огнем, блаженный дым вошел из прошлого в этот миг, прочистил башку. В огромном небе висел тончайший серпик Луны. В детстве, бывало, показывали серпику через левое плечо мелочь денег, чтобы разбогатеть. Свершилось, но что теперь делать-то с этими миллиардами?

Вдруг вспыхнуло острейшее воспоминание ужаса. Рев моторов, дикая тряска борта, зияющая бездна за открытой дверью. Борт полон хохочущей от ужаса молодой толпой. «Я не прыгну, — шепчет он на ухо

Ашке. — Убей, не могу!» «Если не прыгнешь, я с тобой разбегусь! Дам сегодня вон тому негру!» — яростно шепчет в ответ она.

Группа «Молодые лидеры мира» устроила им свадьбу в небе над Флоридой. Все — и они оба — прыгнули с парашютами в сопровождении прессы и ТВ из четырехмоторного Memphis Beaux, «летающей крепости» времен WWII. Вращаясь в потоках воздуха, сблизились и обменялись кольцами. Губы соединились в поцелуе. Только выхлопы парашютов оторвали их друг от друга.

Эти губы, губы, губы, черт бы их побрал! По сути дела, этот поцелуй продолжается уже четверть века, невзирая ни на какие выхлопы. Ген в отличие от президента Картера даже в мыслях своих не изменял Ашке. Чуть ли не каждую ночь он подвергал свою благоверную сущему сексуальному истязанию. Начинал, как полагается, в традиционном супружеском соитии, а потом, умаявшись в мерной качке, вытаскивал Ашку за руку или за ногу из постели и начинал гонять ее по квартире: усаживал на подоконник, растопыривал на ковре, прижимал к стенке, после чего долго носил ее на согнутых и просунутых ей под колени руках и, наконец, заставлял сползать по древу к подножию, где у нее, коленопреклоненной, начинало дергаться горло, и только после завершения этой части акта она вновь обретала дар речи, бормотала «Приап дурацкий» и наконец, счастливая, впадала то ли в сон, то ли в транс с содроганиями.

Больше никого он знать не хотел никогда. Даже став миллиардером и президентом корпорации, отказывался от самых умопомрачительных эскортов, чем вызывал довольно едкие толки в тусовке. Да что там говорить, даже и в этой веками пробздетой и захлорированной «Фортеции», невзирая ни на какие составы, что Родина растворяла в пище, страсть к супруге не умалялась. Раз в месяц им предоставлялись свидания в гнусной пристройке, напоминавшей брусок постного сахара подлейшего розоватого с пятнами цвета; именовалось это «семейный павильон». Ашка приходила с постаревшим лицом, с наплывами под глазами, в байковом тренике, мешком висевшем на ее девчачьей фигуре, или в затертой джинсовой паре. Он тут же начинал вырубать торшеры и канделябры, во-первых, чтобы затемнить тошнотворный гэбэшный китч на тему «Ромео и Джульетта», во-вторых, чтобы затруднить съемку. Оставалась одна голая лампочка в коридоре между сортиром и спальней. Свет все-таки сквозил сквозь щели и матовые стекла. Бардачный полумрак сводил их с ума. Все полтора часа они не отлипали друг от дружки. Говорили только шепотом в ухо.

Интересно, что после каждого свидания с женой он начинал ловить на себе какие-то особенные взгляды коменданта. Под этими взглядами у него начинали тяжелеть и без того тяжелые от бесчисленных отжиманий и подтягиваний руки. Похоже было на то, что съемка все-таки шла, должно быть, на какую-нибудь лядскую сверхчувствительную нитку какой-нибудь инфрахерной аппаратурой. А потом эта пленка просматривается в тесном офицерском кругу. Он еле сдерживался, чтобы не заклеймить таракана оглушающей, если не убивающей, пощечиной. Потом он стал замечать во взглядах Блажного непонятную дрожь, вызванную то ли ненавистью, то ли унизительным восхищением. Эти наблюдения привели его к полнейшему отчаянию. Единственное никому не подвластное откровение его жизни, его любовь к Ашке, становится утехой тюремщиков. Как видно, несмотря ни на какую высокую политику и миллиардную торговлю, ему отсюда уж никогда больше не выйти. Впрочем, так уже и раньше ведь бывало в жизни, когда уверенный подъем к успеху оборачивался безнадежным срывом вниз. Он вспомнил, как его внезапно отозвали из Найроби.

Блики 1985-го

Сначала он не понял, что «отозвали», думал, что просто «вызвали», как обычно по какому-нибудь дурацкому поводу: совещание, брифинг, запрос в инстанциях. Служащих ООН Москва вызывала часто, чтобы на забывались, а после бегства Шевченко такие вызовы стали просто походить на нарастающую паранойю.

В МИДе он пришел, как всегда, в африканский отдел, но там лишь плечами пожимали: «Нет, Ген, на данный текущий у нас к тебе вопросов нет». К тому времени во всех соответствующих структурах имелись у него однокурсники. Один из них позвонил общему другу на Старую площадь и, пока с тем разговаривал, существенно изменился в области лица: комсомольский пофигизм сменился партийной сурьезностью.

«Вот там тебя ждут, — сказал друг Гену, повесив трубку. — Твои прямые кураторы тебя ждут, в общем, у Чегодаева».

Оказалось, что не «у Чегодаева» его ждут, а сам товарищ Чегодаев пребывает в хмуром ожидании. «Поедете со мной! — раздраженно сказал ветеран международной солидарности. — Вопросы вам будут задавать у Бейтабеева». Названный генерал вообще-то бытовал в Ясеневском центре, куда советские сотрудники международных организаций в определенные сроки подавали докладные, однако вместо поездки через всю Москву чегодаевская «Чайка» сделала лишь несколько кругалей поблизости от Старой и остановилась у главного входа в комитет прямо за спиной «козлобородого палача в длинной кавалерийской шинели», как назвал эту работу по металлу писатель Катаев.

Выходя из машины, «молодой блестящий специалист» с тоской посмотрел через площадь на станцию метро, откуда и куда толпами валил праздный народ. Вспомнилась вдруг пьяноватая болтовня в баре отеля «Хайят-Риджженси» в Найроби после возвращения из Сомали, где заседали по вопросам региональных продовольственных кризисов. Кто-то из американцев, кажется, Дэйна Одом, затеял дурацкий разговор о штурме Лубянки. Дескать, дело нехитрое. Достаточно-де под видом туристов забросить на ближайшую станцию метро сотню координированных парней, а потом всей этой сотней перебежать площадь и проломить двери — вот и все, history in its making!

В кабинете, куда он попал, из окон был виден «Детский мир» с лозунгом «Пусть всегда будет солнце!». Чегодаев с Бейтабеевым обменялись рукопожатием. Прежде чем начался разговор, вошло еще не менее четырех рангом не ниже выше названных. Гену предложили стул в середине квадратуры, как подследственному. Помнится, он подумал, что после апрельского пленума все-таки не смогут так сразу. Новый-то генсек из молодых все-таки, послесталинская комса как-никак. Тут же его оглушили вопросом: «Ну расскажи, молодой-блистательный, как тебя завербовали наши коллеги из Лэнгли, штат Вирджиния!»

Ген потряс головой, восстановил слух, затем по очереди посмотрел на всех старших товарищей. Вспомнились джентльмены с острова Карбункул. Неожиданно для себя он фальшиво рассмеялся. «Этот вопрос, товарищи, с разницей в одну букву я могу задать каждому из вас с одинаковой долей абсурда».

Теперь уже настала очередь старших товарищей выразить возмущенное недоумение. «Что за наглость? Какой еще абсурд? Какая еще буква?»

«Буква «в» в слове «наши».

Вмешался Чегодаев: «Товарищи, вопрос серьезный. Ген без нашей санкции принял участие в провокационной акции. Сомали — это дружественное нам государство. Так что давайте без шуток».

«Я видел там вымирающие от голода деревни!» — с пафосом воскликнул молодой специалист.

Теперь уже заговорили все разом, как бы взволнованно, как бы с озабоченностью за него, дескать, как это вы дошли до жизни такой. «Мы вами недовольны, Ген Стратов. Крутитесь на холостых оборотах. Играете на НАТО. Позорите мировое сообщество ООН. Вместо того чтобы углубиться в вашу основную задачу привлечения честных деятелей к сотрудничеству с нами, вы позволяете себя привлечь к сотрудничеству с ними».

«То есть к вербовке! — бухнул тут один из генералов. — Учтите, Стратов, Родина не спускает с вас внимательного взгляда. Вы понимаете, что вам угрожает тюрьма?» Еще один генерал тут добавил сладковатым голоском: «А в таких обстоятельствах вся наша семья разведчиков собирается вместе и ждет от вас полной откровенности; согласны?»

Так прошел едва ли не час. Ген перестал отвечать на вопросы. Да генералы, пожалуй, и не нуждались в его ответах. Каждому надо было высказаться не менее трех раз. Наконец наступила трехминутная пауза, после чего все повернулись к Бейтабееву. Тот сидел, левой рукой подперев соответствующий брыл, правой рукой шебуршал в каких-то бумагах. Правый брыл свисал. Мирным голосом произнесен был вопрос: «А теперь, может быть, расскажешь нам, как вы собирались брать Лубянку?»

Демонстрируя общеизвестную чекистскую триаду, все повернулись к Гену. Тот молчал, делая вид, что принимает всех присутствующих за сумасшедших. На самом деле думал в отчаянии: что делать? Ашка и Пашка (младенец Парасковья) в Найроби. Они теряют меня навсегда.

Бейтабеев закрыл папку. «Завтра явитесь в семь утра с рапортом в четвертый подъезд, к Каховскому. Пока свободны».

Отпускают специально, чтобы проследить. Ни к кому из друзей заходить нельзя. А вот звонить нужно из каждой будки. Марш в метро, оно поможет. Надо обрубить хвост! Не зря ведь все-таки в Ясеневе учили перед отправкой в ООН.

Он чувствовал затылком, задницей, пятками, а также во фронт — подбородком, пупком, коленками, что его ведут; по боковым пространствам, из подмышек, стекал пот. Толпа казалась враждебной, как будто все пассажиры участвовали в слежке. Надо заставить себя действовать в автоматическом режиме. Чего не сделаешь ради Африки. Надо уцелеть во имя Африки. Континент нуждается в великом идеалисте. В новом варианте Альбера Швейцера. Юмор, кажется, помогает: одна подмышка подсохла. Давай, Альбер, исторический Иисус, сделай все, чтобы запутать сыскную сволочь!

Ген вошел в поезд на «Дзержинской» и тут же вышел в «Охотном Ряду». Поехал вверх, прикрывшись газетой «EAST AFRICAN PILOT». В дырку видел, что эскалатор сверху мониторит типичный субъект. Поднимает шляпу в сигнале «Вижу!». Ген поднимает над плечом солнечные очки. В выпуклом стекле отражается в пяти метрах от него другой типичный субъект, вытирающий цветным платком уши и шею.

«Площадь Революции». Бросился было бегом за отходящим поездом и тут же степенно перешел на другую сторону. На «Новокузнецкой» поднялся на поверхность, переулками выдвинулся к Дому Радио. В проходной показал вахтеру красную карточку МИД СССР. Тот козырнул со значением. Ген солидно прошествовал к лифту, и тут как раз трое типичных появились, без особых примет возникли на проходной. На минуту задержались, что дало Гену возможность броситься в боковой коридор, дальше в туалет, запереться в кабинке. Там он вывернул пиджак наизнанку, то есть изменил цвет тела, из синего стал кремовым. Дальше изменил цвет головы, обвязав ее носовым платком; своего рода бандана. Теперь будем ждать. Приближается конец рабочего дня. Сотрудники всех восьми этажей повалят к выходу. В их толпе затеряется хамелеон, кремовый со светло-зеленой головою.

Так и получилось. Сортир заполнился радистами. Зажурчали струи. Кто-то с хохотом рассказывал о трех сыскных, что мечутся сейчас с этажа на этаж. Горбатенький прихрамывающий хамелеон покинул кабинку. Вымыл руки. Вода из-под крана по цвету мало отличалась от мочи. Поплелся с другими на выход. Нелегко ходить, если туфли поменялись ногами, а вот горбиться легко, когда к спине, под пиджаком, приторочен портфель с ооновскими бумагами.

На улице как раз рядом с гэбэшной «Волгой» стояло такси. Водитель цинично прицеnивался к толпе. Хамелеон сунул ему десятидолларовую бумажку. «В «Метрополь», как можно быстрее. Да не в альманах, балда, а в отель!» Таких богатых в 1985 году было еще маловато. Таксист помчал.

Перед отелем этюд «Хамелеон» из золотого фонда Ясеневского центра успешно завершился. В бюро международных рейсов Аэрофлота вошел хорошо здесь известный Ген, молодой советский джентльмен из Найроби.

Девчонки, скучавшие в своих окошках, переполошились.

Ой, девочки, Ген пришел!

Как он хорош!

А в каком прикиде!

Небрежно стильный, галстук на сторону!

Вот уж фактически хай стайл!

Здесь все сидели инязовки, хоть инонязы сюда редковато захаживали, предпочитая свои фирменные конторы, то ли Люфтганзу, то ли Эр Франс; ТиДабльюЭй опять же. Основными клиентами были наши спецы, те, что по безналичному расчету.

Увидев Катю, он тут же направился к ней. Если здесь все ему симпатизировали, то Катя просто умирала, трепетала своей млечно-румяной красою.

«Послушай, Катюша, у меня чэпэ. Внезапный вызов из штаб-квартиры. Можешь мне сделать билет по кредитной карточке?»

«Ах, Ген-Ген, я и не знала, что ты в Москве! Когда ты летишь?»

«Катя, я должен мчать впереди своего визга. Вылет через два часа! Вот тебе карточка «Америкэн Экспресс».

«Ну, конечно, Ген, какой разговор! А что же по безналичному, Ген? Ведь это же проще. Ну, ладно, давай карточку, пойду у начальника спрошу». И упорхнула.

Несколько минут он стоял, внешне улыбаясь, внутренне дрожа, готовя выступление по системе «форс-мажор». Вышел начальник, им оказался однокурсник Гурам Ясношвили. «Ген, привет, а я вот, видишь, в опалу попал из-за одного гомохлебуло. Следующий раз приедешь, давай кирнем?»

«О чем говоришь, Ясно? Конечно, выступим по полной программе!»

На прощанье надо вроде бы спешить, но вроде бы и не особенно спешить, чтобы никто не подумал, что от органов рву когти. Минут пяток надо с Катюшей пофлиртовать, довести румяную до эмоциональной перегрузки.

Через шестнадцать часов после двух пересадок Ген прибыл в Найроби. Стояла ночь. Ровесница Ашка и крошка Пашка спали. В темпе собирайтесь, девчонки, берем только маленькие рюкзаки. Давай-ка я Пашку привяжу к животу на манер кенгуру. До рассвета надо слинять, а то прискачут из посольства. Снова начался колоссальнейший перелет, на этот раз в другую сторону: Найроби — Франкфурт —

Нью-Йорк. В JFK их встречал африкановед из «Молодых лидеров», Дэйна Одом.

С его помощью они получили работу и дом прямо на территории Института Африки возле крошечного городка в штате Нью-Йорк. «Тут у нас надежная федеральная охрана, так что можете не волноваться, ребята: сюда ваша агентура не сунется», — успокоил их Дэйна. Он был уверен, что олухи-комитетчики даже и понятия не имеют, где отсиживаются дерзновенные беглецы.

Оказалось, что он все-таки недооценивал лубянскую службу. Однажды за завтраком, то есть по московским часам перед ужином, в доме Стратовых зазвонил телефон. На линии был все тот же стратовский свояк-опекун Лео Кортелакс, то есть Лев Африканович Хрящ. «Что же ты, Генчик, не мог на меня выйти после того чегодаевского безобразия?» У него появился какой-то барственный московский басок, вроде как у Ливанова в роли Фамусова. «Ну зачем, скажи, друг любезный, надо было устраивать эти маскарады, тащить куда-то безукоризненного ребенка, лишать московское общество красавицы Люшки, а передовой комсомол своей собственной выдающейся персоны?» В дальнейшем разговоре выяснилось, что он вышел на самый верх, после чего товарищу Чегодаеву поставили на вид, а «его превосходительство» генерал Бейтабеев по собственной инициативе, конечно, ушел в резерв — подчеркиваю, в глубокий резерв — главного командования.

Это был самый первый звонок из Москвы. Ашка прыгала рядом с телефоном, как будто ей было невтерпеж. Вырвала трубку у Гена. «Ну что там у вас, Лев Африканович?»

«У нас все бурлит. Примат духовного начинает преобладать над приматом материальным. Лучшие умы становятся флагманами перестройки. Вам нужно вернуться, и Москва распахнет вам объятья. Нужно влиться в ряды творческого комсомола, чтобы влить...» Тут он запнулся.

«Продолжайте, дядя Лев! — заорала Ашка. — Итак, влиться, чтобы влить; а что влить? Прошу вас, продолжайте!»

«Влить молодую энергию в вакуум, чтобы не возникло пустоты! Итак, до скорого, и передайте, пожалуйста, от нашего передового эшелона сердечный и искренний, по-настоящему патриотический привет нашему бесценному Александру Исаевичу Солженицыну: ведь вы там неподалеку от него располагаетесь, верно?»

Положив трубку, Ашка полдня кружила по обширному американскому дому под музыку «Кармен-сюиты», «Щелкунчика», а также «Юноны и Авось». В Москву, в Москву! Ген, ты, я и Пашка, мы — три сестры! Летим в Москву! Она распахнет нам объятия!

Ген злился. Его гораздо больше тянуло в Габон. В горы Габона, где они уже были однажды, около трех лет назад. Спускались в жерло вулкана, где миллионы лет назад внезапно сфокусировалась космическая радиация, вследствие чего, очевидно, и появился первый человек, Адам, который одновременно был и Евой, пока они не разъединились для Первородного греха. Давай заночуем вот в этой пещере Адама и Евы. Конечно, заночуем, Ген, раз мы сюда добрались, ведь мы только для этого сюда и шли, для этой ночи. Хочешь пари: мы отсюда не выберемся. Конечно, не выберемся, если не будет зачат ребенок. Значит, надо зачать ребенка в жерле этого вулкана, в начале начал.

На самом краю пещеры, над прорвой, они расстелили свои спальные мешки и долго лежали на них, то глядя вверх на преувеличенные их восторгом звезды, что казались даже и не совсем звездами, а иллюминированными душами, то заглядывая вниз, где медленно перемещался какой-то калейдоскоп разноцветных углей и откуда поднимался опьяняющий пар. Потом они вошли в соитие, настолько невероятное, что оно казалось им основным событием мироздания. Очнулись, когда весь Габон, а вместе с ним и все космическое жерло, а вместе с ним и вся пещера были залиты солнцем. Над ними висели два взрослых паука, величиной с сомбреро, и маленький, не более шпульки ниток, паучонок. Сомнений не было — ребенок зачат!

По ночам в кромешной тишине штата Нью-Йорк то ли во сне, то ли наяву Ген созерцал свой Габон и думал, что они с Ашкой, в принципе, могли бы постоянно обитать в жерле того вулкана и зачинать ребенков, одного за другим, пока не возникла бы новая раса. Что ж, ради Африки, ради будущего человечества можно пожертвовать и ооновской карьерой, и объятиями Москвы.

В ту неделю в Институте Африки проходила многоцелевая конференция без широкой публики, а, наоборот, с узкой когортой наиболее выдающихся исследователей. Интерактивная деятельность поощрялась. В рамках интерактива политолог и антрополог Джин Страто был приглашен на семинар по Rare Earths, то есть по редкоземельным ископаемым. Он не очень разбирался в этих металлах и кислотах, во всех этих скандиумах, иттриях и лантанидах, однако уловил важнейшую для себя мысль: редкоземельным элементам принадлежит колоссальное будущее в постиндустриальном обществе, в технологии новых катализаторов и сплавов. В этом смысле, господа, Африка чревата колоссальными геологическими открытиями, особенно в зонах ее активных вулканов.

Вот куда надо отправляться, а не в Москву-кву-кву, в город, провонявший бедой, где все жители рыщут день-деньской за колбасой, а жулье хлещет «винтовую» водку и обжирается валютными «нарезками», где «флагманы перестройки» зовут к демократии, а власть готовится ко «дню-икс», где разваливаются двери подъездов и засираются лифты, в город, куда еще можно въехать, но откуда нельзя выехать без всех этих партийных, комсомольских и гэбэшных комитетов, в лучшем случае без всевозможных «свояков». Он хотел было обо всем этом всерьез поговорить с Ашкой, но каждый день откладывал, пока вдруг не увидел, что та пакует чемоданы.

«Ты куда это собираешься, мать-красавица?» — спросил он.

«В город, который мне дороже любого Габона», — ответила она и продолжила сборы.

В первый же вечер в Москве, когда по старой памяти протырились поужинать в Домжур, они наткнулись на Гурама Ясношвили. Тот был весь в коже: кожаный черный пиджак, кожаные черные штаны, а сверху внакидку кожаное черное длиннющее пальто; да, чуть не забыли — кожаное черное кепи! В этом прикиде даже среди гардеробной толпы он производил впечатление исторического памятника.

«Ребята, да вы никак вернулись! — вскричал он. — Вот это, слушайте, здорово! Слушай, Ген, а ты знаешь, меня тогда из-за твоего «Америкэн Экспресса» чуть не расстреляли! А Катьке пришлось тут же за фуевого полковника замуж выходить. Слушайте, Ген и ты, Ашка-красавица, давайте пошлем всю эту дипломатию, по-грузински говоря, на гомохлебуло! Давайте начнем КООП, ООО, совместное, понимаешь, с немцами-австрийцами предприятие! Примкнем к комсомолу, они нас будут к р ы ш е в а т ь, слушай. Лады?»

Начался бизнес. Получали кожу из Турции. Машины для раскройки из Финляндии. Пошив в Риге. Сбыт в Москве. Потом возник бизнес с кассетами, с софтвэа, с кетчупом, зимними шинами, джинсами, теплыми сапогами, а также с так называемыми карбонидами, то есть удобрениями и т.д. Ашка была очень активна в бизнесе. Очень быстро они разбогатели, как все активные люди в ЦК ВЛКСМ. Купили дачу, «Волгу» и «Ниву». Потом появился бывалый, но надежный «Рэнджровер». Охранников посылали заправлять весь этот автопарк на первую капиталистическую заправочную станцию «Ажип». Там уже их знали, называли «беспокойные сердца»; в общем, стоянием в очереди ребята себя не унижали.

На очередной встрече во Фрунзенском райкоме КПСС представители Родины поставили вопрос не то чтобы ребром, но под ребро. Господа, давайте уточним, какие молодые компании здесь присутствуют и в лице каких руководителей поименно.

Бизнесмены сидели в довольно свободных позах: кто нога на ногу, у кого нога на подлокотнике кресла, у третьего руки сцеплены на затылке. Можно было заметить, что молодые люди обмениваются улыбками, выражающими некоторый дефицит уважения по адресу асимметричных представителей. Все-таки начали уточнять: «Менатеп» — Ходорковский, Лебедев, Невзлин; «Олби» — Бойко, Гербер; «Альфа» — Фридман, Авен, Гафин; «Мост» — Гусинский, Бранденбур; «Логоваз» — Березовский, Дубов, Патаркацишвили; «Таблица-М» — супруги Стратовы, Ясношвили...

Асимметричные лица, проверив свои списки, сделали ключевое заявление. В вашем лице, господа, мы видим отчетливое отражение современного комсомола. (Кто-то из присутствующих обеими руками нарисовал некое обобщенное лицо.) Мы хотим, чтобы между нами установилось полное доверие. Фактически речь идет о подписании исторического контракта между властью и бизнесом. Родина вступает в фазу разборки социализма. Вы можете стать монтажниками нового общества. Призываем вас, не оглядываясь, идти вперед и создавать частные мегаструктуры. Обогащайтесь ради демократической альтернативы. Для ускорения процесса Родина пойдет на инвестиции начальных капиталов. В недалеком будущем возникнет инициатива приватизации промышленных предприятий. Нужно, чтобы вы были к этому готовы. Предупреждаем всех: подписав лежащие вот на этом столе бумаги, вы становитесь неотъемлемой частью исторического контракта. Родина будет внимательно следить за обоюдным выполнением всех положений этого документа.

Ну подписывайте те, кто Родине доверяет.

Присутствующие переглядываются. Змейкой проскальзывает общая мысль: да разве можно этой твари доверять? Вдруг Ашка Стратова легкой походочкой, руки в карманах курточки, проходит к столу. Вынимает правую, в которой зажато стило «Монблан». Давайте, я распишусь за корпорацию «Таблица-М»!

Лиха беда начало. Через несколько минут уже вырастает очередь. Ну теперь посмотрим, кто кого!

Блики 1990-го

В тот блаженный летний сезон ЦК комсомола дерзнул устроить для Секретариата и актива (включая и девчат) двухнедельный отдых на острове Кипр. Никто, между прочим, тогда не знал, что популярный среди пьющих русских отечественный одеколон «Шипр» назван так как раз в честь этого острова; только полиглот Ген Стратов слегка чуть-чуть догадывался. Всем комсомольским вольноотпущенникам была дана на острове полная свобода — и все разбредались, кто группами, а кто и парочками, на наемных тачках, кто в Лимасол, кто в Ларнаку, кто в Пафос, а иные даже норовили пробраться за посты ООН в город-призрак Фамагусту. Ну купались за милую душу, ныряли с аквалангами, взмывали в безоблачное небо на парашютах, влекомых быстроходными катерами, а самые дальновидные между делом открывали первые в советской истории оффшорные банковские счета.

К таковым дальновидным относились, разумеется, и супруги Стратовы. Едва устроившись в своем полулюксе, они позвонили с данного острова на другой, где писал свои мемуары крупный деятель нашей партии, товарищ Кортелакс, то есть на остров Мальта.

«Вы, надеюсь, не с пустыми руками, ребята?» — спросил многоопытный летописец.

94

«Багаж небольшой, дядя Лев, но все-таки...» — с соцреалистическим задорцем ответствовала Ашка.

«А все-таки что там у вас, в багаже-то?»

«Ну чемодан, ну два рюкзака, ну дипломат».

«А сколько там у вас, в дипломате-то, один или два?»

«Полтора, дядя Лев».

«Ну для начала неплохо. Тогда, значит, запиши телефон моего дружка Василиу Ваксенакиса, греческого патриота, то есть киприота. Полагайтесь на него, как на меня».

«То есть с осторожностью, дядя Лев?» — невинно осведомилась деловая женщина.

Хрящ, значитца, расхохотался и так, расхохотамшись, попросил передать трубку Гене. «Ну и девка у тебя, Генчик! Вот бы мне такую в дочки. Или просто в партнеры».

«А мы, между прочим, дядя Лев, к тебе собираемся. Вот и обговорим у тебя Ашкино партнерство».

«Неужели осчастливите старика?»

«Если старик нас осчастливит. Можешь устроить нам визы в Габон?»

«Без проблем. Это где такой Габон размещается? В Латинской, что ли, Америке?»

«Гораздо ближе, в Западной Африке. И в то же время дальше всех Америк. Там сейчас вдобавок к республике еще король такой правит по имени Ранис Анчос Скова Жаромшоба».

«Ну этого-то я лично знаю. Хороший мужик. Визы у вас в кармане».

К концу кипрских каникул Ген сказал комсомольцам, что им надо на несколько дней «смотаться в Габон» по вопросам бизнеса редкоземельных ископаемых. Те переглянулись и, конечно, дали добро. Как можно тормозить нашего собственного выдвиженца на пост самого последнего Первого секретаря Ленинского коммунистического союза молодежи, ведь в эсхатологическом смысле он нас всех выше на голову.

Полет из Ла Валетты в Либревиль с пересадкой в Лагосе прошел почти по расписанию. Увидев щелкающий под океанским бризом зелено-желто-синий флаг Габона, Ген положил руку на грудь Ашки, а та прикоснулась к его бедру. Страсть уже одолевала их, однако ночью в гостинице они не прикоснулись друг к другу: берегли свое чувство для вулкана.

Путь к вулкану лежал через Порт-Жантиль, куда можно было добраться либо по воздуху, на желто-зелено-синем гидроплане времен расцвета французской колониальной империи, либо по морю на небольшом кораблике той же эпохи, на носу которого, словно скульптура Сезара, стоял заржавевший зенитный пулемет. Выбрали, конечно, первый вариант — быстрей-быстрей к сладостному жерлу, прародине редкоземельных элементов и космической страсти. При подлете, однако, оказалось, что аппарат не может приводниться: бухта Порт-Жантиля бурлила под налетающими шквалами ослепительной безоблачной бури. Пришлось возвращаться в столицу и нанимать плавсредство. Капитан запросил неслыханную в этих местах сумму, тысячу баксов, и тут же ее получил. Потрясенный такой удачей, длинноносый, неопределенной этнической принадлежности капитан унесся куда-то в джунгли, перемешанные с металлоломом, очевидно, для того, чтобы где-то там зарыть десять сотенных, а вернулся, прыгая на одной ноге: очевидно, кто-то или что-то вонзилось ему в другую ногу. Во время шестичасового плавания у него разыгралась какая-то лихорадка, сопряженная с жутким вздутием стопы. Вдобавок к этим мучениями на борту начался бунт экипажа, то есть двух престарелых пиратов, мужа и жены, которые требовали у капитана половину щедрого русского гонорара. Стратовы сидели в своей крошечной каюте, а над их головами по палубе то и дело прокатывались волны наступлений и отступлений с матерными французскими проклятиями, со свистом каких-то ятаганов, с яростными взрывами пустых бутылок; огнестрельного оружия, кроме застывшего навеки зенитного пулемета, на борту вроде бы не было, иначе бунт, вполне осмысленный, но все равно беспощадный, не продолжался бы битый час.

Ген, который в таких экстремальных обстоятельствах напускал на себя мину стоического спокойствия, с той же миной предположил, что кораблик, крутящийся в полукилометре от берега, сейчас перевернется. Ни малейшего изумления не выказал он, и когда Ашка вытащила из рюкзака два австрийских пистолета «Глок». Вооружившись, они выбрались на палубу и увидели катающийся от борта к борту клубок трех тел; союз двух против одного к тому времени уже распался, каждый дрался сам за себя. Два выстрела в воздух заставили неистовых габонцев образумиться. Продолжая изрыгать проклятья и стонать, они вернулись к своим обязанностям: капитан перехватил идиотически крутящийся штурвал, матросы встали со швартовами и крюками у левого борта.

Но мостках пристани к этому времени собралась уже порядочная кучка горожан. Они хохотали, подпрыгивали и аплодировали. Похоже было, что многие запомнили чету Стратовых по их первой экспедиции. И почему бы не запомнить — ведь прошло всего лишь пять лет, и русская пара к своим тридцати годам не убавила ни в молодости, ни в красоте, а по некоторым приметам багажа прибавила в достатке.

Габонцы редко упускают малейший повод к проведению очистительных и вдохновляющих ритуалов. И вот уже застучали тамтамы, затрубили дудки, зазвенели ксилофоны, чьи клавиши здесь вырезают из священного камня мбигон. Мэр Порт-Жантиля, босой, как и все остальные граждане, приплясывал, придерживая весьма увеличившееся за эти пять лет пузо. Он хорошо помнил этих молодых представителей великого Советского Союза и называл их по именам, месье Жи и мадам Аш. Забыв на минуту о своем пузе, он пригласил их на ужин и ночевку в свой дом. Заодно, дорогие Жи и Аш, мы обсудим великие таинства марксизма.

За ночь шквалы улеглись. Безбрежное золотое небо на востоке очертило темно-синий горный хребет, предвещая грядущий восход солнца. Предвещание сбылось, наступил новый габонский день. Мэр вместе со своими служащими, иными словами, со всей семьей, решил сопроводить молодых толкователей марксизма при подъеме на гору. Для этой цели он обуздал свое пузо дополнительной майкой и подвязал ее у себя на шее. Экспедиция растянулась, почитай, на четвертуху километра. Сначала они шли по удобоваримым тропам и пересекали кристально-бурливые реки по висячим мостикам. Иногда на пути встречались крохотные деревушки, чьи жители проводили утренние ритуалы по умиротворению древесных духов, проживающих в местных вариантах растения тамариск. На высоте полутора тысяч метров джунгли стали гуще, поселения больше не встречались, однако Гену и Ашке, как и в первый раз, все время казалось, что они находятся под чьим-то неусыпным наблюдением.

Ашка поделилась этим ощущением с вице-мэром, то есть с первой женой мэра. Та весело, заливисто рассмеялась. Да ведь это гориллы! Живут здесь на высоких склонах и налогов не платят. И сразу после этой неплохой шутки на опушку вышло несколько двухметровых волосатиков. Приблизившись к людям, они стали пружинисто прыгать, бить себя в грудь на манер баскетболистов НБА, радостно скалить зубы, и только их слегка трагические глаза, казалось, не участвовали в этом всплеске эмоций.

«Да они ведь вас узнали, товарищи! — вскричал мэр. — Я всегда говорил, что советские люди обладают каким-то необъяснимым притяжением!»

Ну тут уж Ген и Ашка стали подпрыгивать, скалить зубы и бить себя в грудь, да к тому же еще и сиять отнюдь не трагическими, а скорее слегка нахальными глазами. Одна из гориллиц, поймав на лету какую-то стрекозу, разжевала ее передними зубами, после чего приблизила жвачку к пунцовым губам белокожей самки. Ашка, ничтоже сумняшеся, мгновенно проглотила слюнявый комочек. Завершилась эта встреча объятием двух светлокожих с двумя волосатиками, после чего все гориллы солидно удалились.

Экспедиция на той же опушке расположилась на ланч. В центр круга была вынесена плетеная корзина с кровяными колбасами. Служащие мэрии тут же обучили иностранцев традиционному способу поедания этих предметов. Нужно взять мягкую колбасятину одним кончиком в рот, прокусить оболочку и, нажимая пальцами по всей длине, высосать все содержимое без остатка. По завершении этой процедуры все участники ланча остались сидеть со свисающими изо ртов пустыми оболочками, напоминающими использованные презервативы. Ген поспешил поделиться со всеми этим глубокомысленным наблюдением, и все покатились со смеху.

По завершении ланча Ген и Ашка встали и раскланялись. Любезнейшие габонцы, мы очень высоко ценим ваше гостеприимство и обещаем ответить вам тем же на нашей прохладной родине. Засим до свидания! Нет-нет, вскричали габонцы, мы проводим вас до самого кратера. Стратовы еще раз раскланялись. Извините, друзья, но боги марксизма Перун и Ярило повелевают нам завершить это восхождение без сопровождающих лиц. Оревуар, любезнейшие габонцы! Оревуар, оревуар, послышалось в ответ. Не было более веских причин для социалистической администрации, чем повеление богов.

К концу этого великолепного дня, изрядно ободрав ладони и колена, Стратовы достигли кратера вулкана, где несколько лет назад они сотворили чудо зачатия своего первенца; напоминаем: безукоризненного ребенка Парасковьи; дополняем: пребывающего сейчас под присмотром деда Эдьки, бабки Элки, прабабки, майора ВВС Верочки, а также голландской бонны по имени Беатрис. Здесь, на краю кратера, они закрепили канаты, опоясались ремнями скалолазов и начали спуск в жерло вулкана, к пещере. Ярое солнце габонского дня быстро приближалось к раскаленному океанскому горизонту, но еще быстрее любовники уходили в сумерки гигантской впадины. Прошло не более пяти минут спуска, как небо над жерлом странным образом преобразилось: лиловатое и бесконечно прозрачное, оно сфокусировалось над двумя слегка вращающимися на своих канатах телами. Звезды явились щедрой россыпью, но вместо обычной своей невозмутимости они демонстрировали сейчас исключительную заинтересованность судьбой влюбленных и яркое янтарное мерцание. Над скальным гребнем вулканного края вдруг объявилась идеально круглая и объемная Луна, покровительница их любви и редкоземельных элементов.

Тут внезапно произошел отрыв от вертикали, Ген повис в воздухе и начал вращаться на своем канате. Он стал искать глазами Ашку и увидел, что и ее легкое тело вращается все быстрее и быстрее. К этому вращению вокруг своей оси прибавилась и неуправляемая раскачка, чья амплитуда все больше расширялась, грозя влепить его любимую в каменный отвес. «Ген, тебе не кажется, что я от тебя улетаю?» — не без любопытства произнесла она, и этот шепот, как мощное эхо, залепил ему оба уха. Каким-то чудом ему удалось закрепиться на вертикальной стенке, и в тот момент, когда из темно-лиловой бездны сверху на него понеслась повисшая, как добыча невидимого хищника, или, так скажем, невидимого, но ярко воображаемого демона, ярко освещенная небесными источниками, едва ли не превращенная в объемное, но не телесное изображение, в тот самый момент, когда оно, это изображение, должно было пронестись мимо него в двух метрах, чтобы тут же унестись прочь, он оттолкнулся от отрицательной вертикали, прыгнул в пустоту и успел обхватить ее спину, ее такие любимые лопатки и дать ей возможность прилипнуть к нему, главному для нее Гену человечества.

После этого раскрутка и раскачка прекратились, и они повисли в объятиях друг друга над бездной, в глубине которой уже возжигался медлительный калейдоскоп, запомнившийся им с той самой первой ночи Габона. Интересно, что, несмотря на всю экстремальность этого трюка, а может быть, и благодаря оному, в них немедленно вспыхнула полностью не обузданная страсть.

«Ну давай, Ген! Можешь стащить с меня шорты?»

«А ты можешь оттянуть вниз мой зип?»

«Ну вот я взялась за тебя! Какой ты твердый и горячий!»

«А моя рука лежит на тебе! Какая ты мягкая и горячая!»

Из жерла вулкана начал подниматься опьяняющий пар. Их губы слились в нескончаемом поцелуе. Ашка начала осторожно поднимать и раздвигать ноги, стараясь утвердить свои пятки на ягодицах любимого. Им обоим казалось, что они навсегда, словно осенние пауки, повисли над бездной в своем объятии, а между тем их канаты продолжали растягиваться, опуская их вниз сантиметр за сантиметром. Закатный мрак загустел настолько, что потерял свою лиловость и обрел вместо нее ночную космическую прозрачность, и только когда, по словам Аристофана, «возникло яйцо из круженья стихий,/ И ночь возложила его, овевая / Своим соболиным плюмажем» (старый шут, конечно же, имел в виду Луну), только тогда Ген и Ашка почувствовали под собой твердую почву и, не размыкая объятий, повалились набок.

В принципе, эти супруги вычислили с удивительной точностью свое движение вниз к блаженной пещере, и если бы случайно не оторвались от вертикальной стенки, прибыли бы на место назначения без всяких приключений. Впрочем, как говорят в продвинутых туристических кругах, опытные англичане нередко сами придумывают для себя всевозможные препятствия и приключения, чтобы путешествия закрепились в памяти. Спуск Стратовых тоже оказался незабываемым. Теперь они лежали, обнявшись, на плоском балконе пещеры, который за годы их отсутствия покрылся мягкой благоуханной травой, напоминающей ложе царя Соломона и Суламифи. Прошло не менее и не более пяти световых, или слуховых, или просто осязательных секунд, прежде чем однолюб Ген поднял ноги своей суженой и вошел в нее с предельной однолюбостью. Я твоя, шептал муж своей жене, я — Ашка. Я твой, шептала жена мужу, я — Ген. Мы входим в мир первичных зачатий, думали они, когда молчали, занятые любовной работой. Нас окружают вещи в себе, все еще сияющие своей непостижимостью. Мы сами вещи в себе и друг в друге; неужто мы покинули тварный мир? Вот говорят иногда, пытаясь понять, что такое счастье, что это лишь мгновение непостижимости, прикасающееся к коже, как летучий ожог, но этот миг в жерле космического колодца, в нашем влагалище, с нашей раскаленной резкоземельной втулкой — неизмерим. Ты можешь еще говорить? Кажется, нет. Ты помнишь еще нашу задачу? Кажется, да; это зачатие Никодима. Точка с запятой, точка с запятой, точка с запятой; ; ; ; ; ; ; Начинается извержение. Сонмище охотников кружит вокрух сияющего яйца? прдлжтс ооаея иееие звржн. Упади своей головой на мои груди, высоси мне левую грудь. Дай мне оседлать тебя и склониться, высоси теперь мою правую. Калейдоскоп внизу взбух и выплюнул гигантский аэростат космической магмы. Плевок прошел мимо пещеры, не уничтожив, но лишь обдав сокровенным жаром два тела, катающихся по Соломоновой траве. Прошел к Луне, был поглощен Луною. Звезды превратились в «Бранденбургский концерт» вместе с «Пятой», вместе с «Шествиями» Прокофьева. Два возмутителя спокойствия, преисполненные музыкальной энергии, блаженно заснули.

Утром все было залито солнцем. Где-то по соседству кукарекал дикий петушок. Змей-соблазнитель покачивал башкой, мимикрируясь под Древо Познания. Мимо пещеры проскользнули на канатах толстозадые немецкие туристы. Трусы куда-то пропали. Ген встал и натянул шорты на голые чресла. Ашка еще спала, подложив под щеку свою толстую косу. Пусть спит, подумал он, изнывая от нежности. На голый торс он надел разгрузочно-погрузочный жилет агрессивного блока НАТО с множеством больших и малых карманов. Медленно стал обходить пещеру и брать пробы земли, камешки, отколупывать от обнаженных геологических срезов какие-то полоски расщепленного материала; все это раскладывал по пластиковым мешочкам и рассовывал в карманы РПЖ. Таков все-таки современный человек, во всяком случае, тот, кого позднее стали называть «новым русским», Любовь, конечно, — это главный движитель жизни, но прямо вслед за ней, едва ли не наступая ей на пятки, шествует Бизнес. Было бы глупо уйти из этого мира земных и космических восторгов, из самой активной впадины почти не тронутого континента, не собрав образцов Rare Earths. Ведь наше поколение, зародившееся в недрах смутно бунтующего советского комсомола, само сродни редкоземельным элементам, нужным для разработки новых сплавов новой фазы человеческого развития, эры новых энергий, грандиозных сумм свободно конвертируемой валюты. Так или иначе мы отрываемся от оскверненных совдепом поверхностей, вернее, мы снимаем на выброс их первый экологически заразный слой. Конечно, глупо цепляться за патриотизм на исходе XX века, неглупо все-таки развивать то, что я, Ген Стратов, назвал бы планетаризмом. Развитие и усовершенствование человечества как единой земной расы — разве может быть более высокая цель у всей череды человеческих поколений? И тот, кого мы прошлой ночью с Ашкой...

«Ген! — услышал он зов любимой. — Посмотри-ка на своды пещеры!»

Всякий, кто бросил бы пытливый взгляд на высокие своды, сразу бы понял, что здесь плодятся не только люди. Там, среди сталактитов, висели кульки спящих летучих мышей, трепетали крыльями разнокалиберные птицы, копошились еще какие-то твари вроде лемуров, но с преувеличенными мыслящими глазами.

«Ты слышишь этот хор, Ген? Слышишь, как они все вопрошают: кто мы? Кто мы? Кто мы?»

Смеясь, она пошла к нему, но остановилась в пяти метрах от него под сводами, полными жизни. Нагая, со следами его поцелуев на шее, с напухшими губами и с наливающимися новой страстью девчачьими грудками, она теперь стояла в застенчивой позе. Ген старался на нее не смотреть. «А интересно, где же прячутся пауки, ставшие уже хорошей комсомольской традицией?» — поинтересовался он. И не успел он этого произнести, как над ними зависли, слегка раскачиваясь и вращаясь, два паука, не менее прекрасных, чем те, четырехлетней давности, которых он, помнится, сравнил с сомбреро. И так же, как тогда, по нитке родительской слюны сновал паучий ребенок размером не более шпульки мулине.

«Ген, ты хочешь, чтобы я к тебе подошла?» — срывающимся голосом вопросила Ашка.

«Так мы с тобой отсюда не выберемся, — пробормотал он, — Ашка такая-таковская! Ты дразнишь меня Приапом, а сама-то кто? Настоящая нимфа Калипсо, владычица Одиссея!»

Они все-таки выбрались. Подъем прошел на удивление споро, то есть без всяких срывов в бездну. Едва они перевалили за край кратера, как тут же увидели весь актив Порт-Жантиля во главе с мэром-марксистом. На буколическом холме среди молодых кедров уже дымил костерок, варился довольно противный на вид суп с плавниками акулы. Хлопали пробки шампанского.

«Вчера наши службы задержали танкер с контрабандным мазутом и наложили на него штраф, — пояснил мэр. — В честь этого подвига и в вашу честь, дорогие товарищи, совершено это дерзкое восхождение». Пузо лежало у него между ног, и он пытался выбить на нем ладонями бравурный туш, впервые услышанный на слете ленинской молодежи в столице ГДР.

«Скажите, господин мэр, знаете ли вы местного короля по имени Ранис Анчос Скова Жаромшоба?» — спросила его Ашка. Он посмотрел на нее и слегка потупил глаза. «Несравненная мадам Аш, от которой слегка кружится голова, мне трудно сказать, знаю ли я короля до конца, но это я сам».

«Вот это здорово! — Ашка пощекотала у короля за ухом. — Скажите, а мы можем у вас купить кусок земли?»

Тут уже и Ген рядом присел с чековой книжкой кипрского банка.

«Сколько квадратов вы бы хотели?» — спросил король.

«А сколько вы можете предложить, ваше величество?» — Ашка заглянула глубоко-глубоко в рыжеватые глаза суверена.

«Десять квадратов вас устроит? — спросил тот и уточнил: — Десять квадратных километров, если угодно».

«Вместе с вулканом, не так ли?» — уточнил в свою очередь Ген.

«Ну, конечно, с вулканом. Как же можно продавать землю без таинственного вулкана?»

«И сколько вы за этот кусок хотите, товарищ король?» —спросил Ген.

«Десять», — тут же ответил Жаромшоба, и Ген слегка взвыл от огорчения: десяти миллионов у них еще не было.

«Земля тут у нас очень хорошеет и поэтому дорожает, — пояснил король. — Год назад она стоила восемь тысяч, а теперь стоит десять тысяч».

«По рукам!» — повеселел Ген.

«Одну минуточку, — вмешалась Ашка. — Мы заплатим вам, ваше величество Ранис Анчос Скова Жаромшоба, сто тысяч долларов за десять квадратов этой земли с вулканом, чтобы в будущем не возникали споры».

«Ах, мадам Аш, у меня от вас еще сильнее кружится голова, — пропел король. — И зовите меня, пожалуйста, просто Ранис Анчос Скова».

IV. Позор! Долой!

Толпа на площади Дзержинского ближе к ночи становится все гуще. По крайней мере две ее трети состоят из молодежи. Из нее две трети облачены в униформу безоружного восстания: курточки до пояса, джинсы, кроссовки. Вот вам и взращенный партией комсомол! В сердцевине площади, вокруг статуи «козлобородого палача», раскачивается движимый неясным ритмом сплошняк самых активных. Сплоченные группы людей, потрясая сжатыми кулаками, скандируют какие-то лозунги. По мере приближения становятся слышны два главных слова: «Позор!» и «Долой!». Откуда сразу взялось такое множество трехцветных знамен? Кое-где на углах площади среди толпы стоят танки таманцев или кантемировцев, стильные девчонки, оседлав броню, размахивают трехцветными полотнищами. Кто-то, поднятый товарищами, начинает карабкаться на статую. На плечах у него завязан российский флаг. Два силача бьют кувалдами в драгоценный гранит. Монумент недвижим. Со всех сторон на пьедестале мажут несмываемыми белилами оскорбительные словеса. Ближе к нам рыдает пожилой небритый человек в зажеванном и заляпанном плаще-болонье: «Неужели сбылось, неужели мечта всей жизни осуществилась, неужели гадам конец?» Кто-то протягивает ему бутылку водки: «Хлебни, отец, за свободную Россию!» Водочные бутылки мелькают кое-где. Так называемое шампанское используется в основном для пенных салютов. Вдруг на периферии площади поднимается над головами огромная туба, вокруг нее теснятся кларнеты и банджо; диксиленд мажорно трубит Now's Time!

Девчонки, мальчишки, а также и всякий бомжатый народ выплясывают трепака. Какой-то малый в куртке стройотряда кричит: «Надо на штурм идти, а эти выплясывают!» Повсюду огни: пламеньки зажигалок, фары застрявших автомобилей, лампы кинохроники. И лишь массивная громада КГБ хранит полнейший мрак. Ни в одном из множества окон нет ни малейшего освещения, никто не стоит у окна с папиросой в раздумьях о судьбах вверенного им государства, никто зажигалкой не чиркнет. А ведь бывало — и в глухой ночи то одно окошко засветится, то другое, то в разных местах, то по три подряд. Сейчас твердыня зиждется за темно-серой спиной основателя, мраком своим намекая лишь на полнейшую пустоту: дескать, если штурмовать задумаете, ничего и никого в нашем сердце не найдете.

Стратовы подошли к площади со стороны Политеха. Новенький «Лендровер» был оставлен возле ЦК ВЛКСМ. Ген нес на плечах шестилетнюю Парасковью. Трехмесячный Никодим сидел в кенгуровой сумке на животе Ашки. Младенец крутил головой, озирал все большущими глазами, как будто старался удержать в памяти происходящее. По пятам шла охрана, два каратека черного пояса Сук и Шок. По приказу хозяев они делали вид, что не имеют к семье никакого отношения.

Вначале по пути к площади супруги хранили полное молчание. Не смотрели друг на друга. Ссора произошла еще в машине, когда Ген сказал, что пойдет туда один. Не получив ответа, он приказал каратекам отвезти Ашку с детьми домой. Уехать из Москвы, запереться на даче, никого не принимать, на звонки не отвечать, пока он не позвонит по закрытой линии. Только после этих императивов Ашка взвилась. Как он смеет говорить с ней таким тоном? Что я тебе, домашняя гусыня с выводком? Мы все с тобой делаем на равных, «Таблицу», семью, любовь! Как он смеет приказывать? Боишься за семью? А ты знаешь, что, пока ты шлялся на своем самолете со своими алкоголиками по Сибири, в ночь, когда ждали атаки «Альфы», мы были у Белого дома? Ты что, не понимаешь, что я должна, должна, должна все это видеть своими глазами?

«Мама права!» — воскликнула Пашка. «Да-да-да», — проговорил за сестрой трехмесячный младенец. И только тогда Ген молча вылез из машины и помог жене и детям выгрузиться.

Пока шли к площади, напряженка рассеялась. Вокруг царил карнавал веселой победившей революции. Народ шел с гитарами, сиял. Голосили разудалые антисоветские частушки, знакомые им со времен ранней юности.

> Наш родной советский герб,
> Справа молот, слева серп!
> Хочешь жни, а хочешь куй,
> Все равно получишь ...

Рифмованная концовка тонула в хохоте. Ашка схватила Гена за ухо, развернула его голову и влепила великолепнейший поцелуй в губы. Сук и Шок на правах случайных попутчиков сделали два сальто, прямое и обратное, а потом вместе подпрыгнули, подняв над головами черчиллевские рогульки. V for Victory! Виват, Россия!

Возле спуска в подземный переход с платформы грузовика с откинутыми бортами семью позвали: «Ген, Ашка, залезайте к нам вместе с вашими отпрысками!» Два случайных прохожих, то есть Сук и Шок, немедленно предложили свои мускулистые длани, и через минуту Стратовы уже стояли среди своих, комсомольцев Центрального Комитета. Кто-то тут же предложил «хлебнуть». Блажен, кто посетил сей мир в его минуты роковые, то есть рок-н-рольные! Ура, ребята, Ген с нами! Где ты был, чертов Ген? Искали тебя по всему городу. Да я только что прилетел из Сургута. Ну вот и пришлось без тебя, без нашего философского вождя, объявлять самороспуск. Боялись упустить исторический момент. Миша, Витя, передайте Гену «матюкалку», пусть теперь он толкнет речугу! Один из секретарей через усилитель представил оратора. Дескать, товарищи, от имени самоупраздненного комсомола слово имеет наш гениальный, то есть почти генеральный, в общем, друг, бывший секретарь бывшего ЦК, ныне президент корпорации «Таблица-М», миллионер Ген Стратов, вкратце так. Народ вокруг грузовика стал оборачиваться и прислушиваться. Кое-кто уже покрикивал. Дескать, давай, в целом, Ген! Вруби гадам, как говорится, не глядя! Позор, так сказать, гэбэшному гадюшнику! Долой!

Ген взял усилитель и с ходу начал влиять на толпу своим неповторимым баритоном: «Приветствую вас всех, господа, и поздравляю с победой! Слава россиянам, отстоявшим Белый дом! Горжусь принадлежностью к самороспуску коммунистического союза молодежи! Вообще, между прочим, горжусь комсомольским прошлым! Неправда, что комсомол только лишь и делал, что поставлял кадры госбезопасности. Мы все-таки были молоды, и нам претила идиотская власть большевистской геронтократии. Родители мне рассказывали, что еще в 1968 году в Новосибирском академгородке комсомол создал почти капиталистическую структуру под названием «Факел»: они принимали заказы от предприятий на технологические разработки и выполняли их силами молодых ученых по рыночным расценкам. Каково? Да, разумеется, комсомол возрос на корявых стволах уродливой идеологии, однако он нередко давал хвойные ростки, похожие на нежно-зеленый укроп или пастернак. Взять хотя бы комсомольские попытки отстоять современное искусство от партийных крокодилов. Будучи ребенком, я нередко вместе с родителями посещал молодежные кафе, которые создал комсомол шестидесятых, и там пристрастился к абстрактной живописи и сюрреализму. В сущности, все мое детство прошло под звуки полузапрещенного джаза, единственным защитником которого в тоталитарной стране был все тот же комсомол. Да здравствует джаз! Да здравствует новое общество, к коему мы сейчас радостно присоединяемся путем самороспуска! Позор душителям нового! Долой тоталитаризм!»

Публика, слегка приунывшая от многоречивости оратора, услышав самые популярные в ту ночь слова, радостно взревела: «Позор! Долой!» Сверху, с платформы «КрАЗа», было видно, что ораторы выскакивают то тут, то там по всему периметру большой круговой площади, особенной же популярностью среди новоявленных демосфенов и савонарол пользовался пьедестал душителя свободы слова. В толпе между тем можно было заметить некоторые стихийные подвижки: то возникал какой-то поток голов, то вдруг озеро синхронно вздымающихся рук со сжатыми кулаками; в целом вся площадь медлительно, но неуклонно сдвигалась к подножию темного здания. При всей карнавальности общего настроения вызывали тревогу проносящиеся по головам тени, как будто над площадью кружила стая валькирий.

А что же Сергей? Где его краны? Такие вопросы задавали друг другу бывшие комсомольцы. Ашка спросила, о чем идет речь. Оказалось, что ждут тяжелую технику, краны, которые помогут, ко всеобщему ликованию, стащить Козлобородого с пьедестала. Кто-то протащился шепотом: «Надо отвлечь толпу от призывов к штурму, переключить внимание от дома на памятник». Кто-то пробасил: «А это еще зачем? Пусть толпа идет туда, куда ее тянет импульс свободы». Кто-то бабахнул громогласно: «Пусть люди войдут в этот чертог, от слова «черт», и зажгут там все лампы!» То тут, то там взлетали вопли: «Пусть рухнет все это национальное позорище! Вон в ГДР штурмовали Штази, а мы чем хуже?!» Кто-то снова протащился со свистящим шепотом: «Да вы что, ребята, с ума сошли? Там, говорят, за каждым окном стоит гэбня с пулеметами и гранатометами. Они нам тут такую площадь Тяньаньмэнь устроят, мало не покажется». Понеслись горячие выкрики: «Чепуха, армия на нашей стороне! Тут агентура рыщет в толпе, распускает дезуху. Никого там нет, за этими окнами, все давно разбежались! Надо открыть все двери, вот это и будет финалом нашей революции!» Снова мокрой тряпкой потащились шепоты: «А если комсомольцев начнут бить? Сами себя, что ли, будут бить? Тут все комсомольцы и члены партии! Поймите, друзья, если тут, на Дзержинке, заварится кровавая каша, вся страна покатится в пропасть!» Назревает истерика: «А вы-то какого черта с детьми сюда притащились, авантюристы дурацкие, ведь это вам не африканские каникулы!»

Сук и Шок одним махом запрыгнули на платформу «КрАЗа». «Ген и Ашка, мы категорически умоляем, чтобы вы пошли за нами, плотно за нами — понятно? — пока еще есть шансы выбраться отсюда! Босс, передайте мне Пашку, а Ашку с бэбиком мы возьмем в кольцо с пацанами из комсомола!» Все названные начали спускаться, а тот, кого назвали бэбиком, вот именно зачатый в кратере вулкана Никодим, высунул пальчик из мамкиной сумки и довольно внятно произнес: «Позор! Долой!» Сук и Шок даже приостановились, почесали затылки: «А вот это надо записать в Книгу Гиннесса!»

Пока выбирались из толпы, видно было, что через площадь к памятнику самым малым ходом проходит огромный строительный кран. Стальной трос с крюком раскачивался над восторженно озаренными башками. Комиссару Дзержинскому предстояло стать единственным повешенным этой революции.

Да, насчет погоды. Дождь, в общем-то, постоянно присутствовал, даже когда ненадолго отсутствовал, напоминая о себе в виде циркулирующих по лужам пузырей. В частности, когда статуя покачнулась, он припустил. Многие задавались вопросом: к добру это или не очень? Что совпадает с чем: дождь со свержением истукана или свержение истукана с дождем? На этот вопрос ответ, кажется, и по сей день не найден.

V. Появление алмаза

Сумбурные блики, вконец изнурившие узника «Фортеции», позволили мне перейти к чему-то похожему на последовательное повествование. Телефон хранил великолепное молчание. Электронная почта переживала очередной вирусный грипп. С другой стороны, сад демонстрировал вдохновляющую активность: каждое утро, едва я поднимал в своем кабинете шторы, я находил в нем (в саду) все новые и новые цветовые пятнышки — беленькие, желтенькие, розовенькие, кумачово-тюльпанные. С лиловым тут произошла едва ли не метафизическая метафора. В углу под стрижеными кипарисами уже второй, если не третий год подряд замечена была мной гнусноватая ботаническая помойка — какие-то слегка живые стебли, полузадушенные мерзейшими мотками каких-то колючих лиан, задавленные вонючим гнильем, претендующим на роль чернозема. Надев резиновые перчатки, я стал там возиться, пропалывать запакощенные грядки, освобождать живое от гнили. Пока возился, все время думал про Узника, которого якобы звали Ген, вообще про всё, что все недавние дни в хаосе каком-то передо мной мелькало, пытаясь организоваться в стройный слог. И вдруг увидел, что прополка и очистка закончены, а бледно-зеленые живые стебли стоят рядками на чистой земле. Закончив эту работу почти уже в сумерках, я подумал, что в дальнейшем повествовании, возможно, все большую роль будет играть супруга Гена, так называемая Ашка, от которой у многих, в том числе и у габонского короля, кружится голова. После этого подтянул шланг и задал светло-зеленым грядкам порядочную баню. Утром я поднял шторы и едва не вскрикнул от неистовой лиловости — это раскрылись за теплую ночь великолепные ирисы!

Читатель, надеюсь, помнит, что подобная метаморфоза уже произошла однажды в саду с увядающей магнолией. Невредно тут будет также вспомнить и о бодлеровских тамарисках, да и вообще о некоторых узах, связывающих ботанику со словесностью. Итак, двинемся дальше.

В разгаре всероссийского финансового кризиса колоссальная горнодобывающая и промышленная империя «Таблица-М» испытала дополнительные трудности: в одночасье исчезли из поля зрения оба президента, Ген и Ашка Стратовы. Больше того, в течение суток от них перестали даже доходить звуковые сигналы, а на звонки по зашифрованным номерам операторы мобильной связи отвечали зловещей фразой «Абонент находится за пределами досягаемости»; молчал и Интернет. Только на вторые сутки в кабинете председателя совета акционеров Гурама Ясношвили что-то тренькнуло в настольной лампе. Гурам выгнал всю обычную толпу, замкнулся на массу, то есть на весь 15-этажный билдинг, и тогда через стило «Монблан» во внутреннем кармане его пиджака прозвучал тихий, но вполне отчетливый голос Ашки: «Мы пьем чай. Жаль, что тебя нет с нами. Всем привет». Это означало: «Мы в порядке. На связь не выходи. Скоро будем». Тогда он отключился от массы, впустил всех в кабинет и приказал подать шампанского.

В это время «Гольфстрим» Стратовых подлетал к маленькому аэродрому, недавно вырубленному в джунглях в полукилометре от их приморской виллы. Там находился их семилетний сын Никодим, доставленный со всеми предосторожностями за день до их прибытия. Едва приземлились, как тут же к трапу подъехали «Гелендваген» и «УАЗ» с русской охраной. Через несколько минут Ашка и Ген уже входили в виллу, в которой через открытые окна океанский бриз вздымал белые занавеси.

В большой комнате, пропитанной запахом моря и горячего песка, спал невероятно длинный и невероятно худой ребенок. Он улыбался во сне, хотя при каждом выдохе маленький пузырек лопался на его губах. Две капельницы на колесиках стояли в изголовье. Трубки с иглами, введенными в вены, тянулись к продолговатым сосудам с растворами. Датчики на груди, животе и на голове соединяли это странное существо с батареей ультрасовременных приборов. Две сестры высокопрофессионального возраста то и дело поглядывали на экраны. Три врача примерно такого же возраста сидели в креслах на смежной террасе. Это была бригада ведущих педиатров, срочно выписанная из университета «Джонс Хопкинс», штат Мериленд.

При виде вбежавших родителей врачи вылезли из кресел и вошли в спальню. Ген пожал им руки своей левой, потому что правая поддерживала полуобморочную Ашку.

«Миссис Стратов, у нас есть good news для вас. Организм мальчика, кажется, вступил в фазу какого-то обратного процесса, — сказал профессор Перкинс. — Верьте-не-верьте, но за истекшие сутки он убавил в длину на шесть дюймов. Кожные его покровы утратили радужную окраску, которая поначалу ввергла нас в смятение. Периодически к щекам возвращается румянец, и хотя он поразительно бледен, но все же больше не напоминает инопланетянина».

«Что касается bad news, — продолжил профессор Тампан, — то они в равной степени касаются и вас как родителей, и нас как клиницистов. Дело в том, что его анализы продолжают бросать нас в жар и сумятицу. Никто из нас троих никогда не видел ничего подобного. Непонятно, как может человеческая особь существовать при таком малом числе эритроцитов и таком гигантском числе эозинофилов. И как назвать никому из врачей неведомые клетки, которые делятся, и сливаются, и снова делятся прямо под прицелом наших компьютеров. Что касается химии, то она выявляет нечто нам совсем неведомое и вряд ли соответствующее периодической системе...»

Ген посадил все еще трепещущую Ашку на подоконник и сел рядом с ней. «Это, должно быть, редкоземельные элементы», — пробормотал он.

В наступившей после этого тишине отчетливо прозвучал голос ребенка: «Мамка, папка, как я рад, что наконец-то вижу вас во сне». Глаза его были по-прежнему закрыты, но на губах промелькнула улыбка.

«Впервые слышим его голос», — сказал третий профессор, Волковицкий.

Интересно, что все предшествующие годы Никодим Стратов проявлял себя лишь в образе совершенно первоклассного цветущего мальчика. Он рос, как говорится, не по дням, а по часам, но иногда вроде бы даже и по минутам. Так, во всяком случае, казалось взрослым: отправляется, скажем, малец на занятия по фигурному катанию, а возвращается подросшим едва ли не на высоту коньков. Взрослые в переполохе: да ведь не может же такого быть, чтобы пятилетний мальчик за час так резко прибавил! Затаскивают сопротивляющегося Никодимчика на ростомер, ну вздыхают с облегчением: нет, это нам просто показалось, ну прибавил, конечно, но не на высоту коньков, а всего лишь на палец. Словом, никогда этот стратовской отпрыск никакой патологией не отличался, а, напротив, среди сверстников представлял высший ранжир нормы: крепкий, румяный, с папкиной густоволосостью, с мамкиной синеокостью. Интересно, что к пяти годам он не только читал, но и пристрастился даже к русским стихам. Открывал, например, Пастернака и находил про себя: «Я рос, меня, как Ганимеда, несли ненастья, сны несли». Вместе с одиннадцатилетней будущей нимфеточкой Пашенькой они представляли идеальную детскую пару идеальной семьи.

Ненастья, однако, уже кружили поблизости. На просторах недавней «родины чудесной» разыгрывалась эпопея нового российского бизнеса. Шли схватки между «солнцевскими», «курганскими», «питерскими», «тольяттинскими», «ореховскими» и прочими группировками. В недрах группировок зрели ударные кулаки так называемых «бригад». «Забивались стрелки», чаще всего завершающиеся стрельбой. В среде «конкретных пацанов» возникал «новояз» 90-х. Слово «крыша», например, приобретало жутковатую коннотацию. От него отпочковывался мерзковатый глагол «крышевать». И вся эта зловещая игра кружилась вокруг быстро возникающих и стремительно возвышающихся олигархических корпораций. В одночасье, а то и в одноминутье, создавались миллиардные капиталы. То и дело гиганты сталкивались друг с другом. Воздушные пространства страны, в которых над тысячекилометровыми нефтяными и газовыми полями стояли арктические антициклоны, пересекались частными самолетами и чартерами конфликтующих компаний. Неуклонно агонизирующая плановая индустрия в рамках приватизации рождала то ежедневно лопающиеся пузыри мощного мошенничества, то более-менее устойчивые платформы добычи и сбыта, охраняемые парнями с помповым оружием. Охранные отделы предприятий то и дело превращались — и вроде бы даже на вполне лигитимной основе — в группы «поглощения». Охрана как таковая становилась мощным бизнесом, в котором заправляли делами бывшие гэбэшники и грушники. Немало было и одиночных наемных стволов, всяких «снайперов» и «киллеров», они, поднахватавшись из мирового кинематографа загадочных манер, нередко и в «Таблицу» заходили, интересуясь, не нужны ли какие-нибудь экстренные услуги.

Сук и Шок иногда беседовали по душам с такими единоличниками. А почему бы вам, сударь, не влиться в наш здоровый коллектив? Зверскими инстинктами вы вроде бы не обладаете, судя по внешности. Мочиловка по заказу — опасный бизнес, и прежде всего для исполнителей; вы это понимаете? «Таблица-М» отстрелом конкурентов принципиально не занимается. В отличие от партии большевиков комсомолу претит террор, как индивидуальный, так и массовый. Это шутка. Вы с шуткой, как видим, дружите, не так ли? Наша охранная структура нацелена целиком на оборону. Как наши деды-то пели: «Чужой земли мы не хотим ни пяди, но и своей вершка не отдадим!» Итак, мы готовы подвести нулевую черту, списать вам все грехи, то есть, как любит говорить наш босс Ген Стратов, возродить вас как личность, если вы, конечно, согласны пройти школу молодого оборонца.

Школа эта находилась на ферме возле Звенигорода. Добровольца прежде всего привозили на стрельбище и просили продемонстрировать его профессиональное искусство. Чаще всего эти снайперы оказывались липовыми. Стреляли они на шермака, не делая поправки на ветер. Чаще всего оказывалось, что у этих ребят вообще не было мокрых дел, иными словами, псевдокиллер предлагал на продажу не профессиональный опыт, а только свою готовность к убийству. Прости, браток, но такой маразм нам не нужен, говорили ему Сук и Шок: «Таблица», если вооружается, то лишь для самообороны, понял? И вот если ты готов войти в нашу бригаду, пройти соответствующую подготовку по самообороне без оружия и с оружием, если будешь готов принимать навязанный бой и в этом бою не лезть на рожон, но и не дрожать за свою шкуру, если ты освоишь мораль «Таблицы» и философию «Редкой земли», тогда ты станешь одним из нас со всеми вытекающими последствиями.

Чаще всего любой отморозок с еще уцелевшими кое-какими человеческими качествами при этих словах наполнялся восторгом; вот это да, вступить капитально, стабильно так в структуру «Таблицы-М»! Подчиняться по прямой небезызвестным господам Суконному и Шокмуратову, таким молодым конкретным организаторам охраны, которые под влиянием Востока полностью искоренили русскую Матерь Щинскую из своего существования; ну и ну!

Бывшего отморозка привозят в переулок Печатников, в штаб-квартиру корпорации, 15-этажный дом с прозрачными пеналами для лифтов. Там повсюду барражируют характерные пацаны, демонстрируют вежливость. Одеты все в подогнанные костюмы с ненавязчивыми галстуками, и вот вчерашнему отморозку становится не по себе в том, чем вчера гордился, то есть в тренике из жатого шелка и с большим как бы отсекающим подколенным дизайном; вдруг начинает ощущать какую-то общую недомытость.

По дороге туда, куда ведут, недомытый бросает взгляд в буфетные помещения. Ё-моё, возле стоек щебечут за кофе девчонки в облегающих джинсах, прямо ковбойское войско!

Столько девчонок с такими данными не наберешь во всем месте, откуда он приехал! А в других, уже диванных кабинетах за кофейным перерывом сидит даже не джинсовая юность, а модельная младозрелость; ну это вообще! По фазе!

«Послушай, приезжий, — сказали в 1996 году одному такому недомытому Сук и Шок, — давай-ка соберись, мы уже почти пришли. Демонстрируй стопроцентную жесткую готовность и нулевую растерянность. Забудь о том, во что одет. Фильм «Зимний герой» видел? Вот так веди себя, как Брюс Джезказган. Понял?»

«Алё, братаны, ну чё вы так напрягаете? — отвечает приезжий. — Можно покурить-то перед аудиенцией, малость расслабиться?»

«На этом этаже у нас не курят», — сказал Сук, а Шок добавил: «На трех из пятнадцати этажей здесь не курят».

«То есть как это?» — удивился приезжий, который вообще-то без сигаретки вряд ли себя позиционировал для дальнейшей жизни и службы.

«Это потому, что наша Директория не курит, — пояснили ему. — Ни Ген не курит, ни Ашка, ни Ясно. Верхушка, они говорят, должна быть экологически чистой. Тут фильтры повсюду стоят. Чувствуешь запах озона?»

С этими словами они вступили в озоновый слой корпорации и проследовали мимо секретарей и консультантов в огромный кабинет, в котором воздух уже напоминал французские склоны Альп, а заодно и иодистые испарения бискайских пляжей. Приезжий не ведал ни того, ни другого и от неожиданности закашлялся. Впрочем, может быть, он имитировал покашливание, чтобы скрыть смущение: ведь перед ним в дальнем углу кабинета сидели за компьютерным столом три молодых персоны в затрапезных свитерках, миллиардеры Стратовы Ген и Ашка с их неизменным партнером Гурамом Ясношвили. Приезжий никогда их не видел живьем на таком близком расстоянии, однако в прошлом просмотрел не менее трех сотен фоток и дюжины две кассет с их изображениями. Признаться, он не рассчитывал, что его проведут прямо к ним, даже не обыскав. Решив заявиться в «Таблицу», он предполагал допрос с пристрастием, ну без особенного зверства, но и без миндаля в шоколаде. Странным образом их главные эксперты по охране, Сук и Шок, которых он тоже знал по снимкам и кассетам, никаких ему вопросов по сути дела не задавали, как будто в натуре принимали за кустаря-одиночку.

«Располагайтесь там, на диванах, ребята! — крикнул им Ясно. — Сейчас вам кофе принесут, а мы присоединимся минут через десять».

Ашка откинула со лба свою косую челку и улыбнулась такой улыбкой, какой приезжему еще ни одна земная женщина прежде не улыбалась. Ген только помахал левой рукой, правая не отрывалась от мышки. Красненький курсор стремительно перемещался по огромному монитору. Через пару минут, все еще не отрываясь от компьютера, босс бросил фразу, непосредственно адресованную приезжему: «Макс, чувствуй себя как дома!» Приезжий мог бы поперхнуться от неожиданности, однако сдержался, проглотил кофе и еле заметно усмехнулся. Сук и Шок переглянулись: у них-то ведь приезжий фигурировал как Витя Харитонов.

Прошло почти точно десять минут, когда все трое за компьютерным столом разом прокричали «гип-гип-ура!» и стали хлопать друг дружку ладонь в ладонь на баскетбольный манер. После этого экстазного момента машина была выключена, и все трое, не торопясь, направились в диванный сектор; славянская каштановая чета и рыжий грузин. Вежливо поздоровались со всеми за руку. Уселись вокруг кофейного столика. Минуту молчали, все еще сияя от какой-то неведомой пришельцу удачи, наконец Ашка небрежно брякнула: «Только что «Таблица» обогатилась на полтора ярда». Сук и Шок хлопнули друг друга в той же манере «high five».

«Есть повод для шампанского, — глубокомысленно изрек Гурам. — Все согласны?»

Ашка, словно лисичка с задней парты, подняла ручку. «Я за!»

Сук и Шок вообще-то не были горячими сторонниками алкогольных допингов, даже если речь шла о шампанском «Дом Периньон».

«А нельзя ли чего-нибудь попроще, ребята? Давайте закажем кислородный коктейль!»

Ген решительно был на стороне Ясно.

«Поводов для шампанского у нас сегодня больше чем достаточно, господа комсомольцы. Во-первых, мы подрезали «Менатеп», во-вторых, нас почтил своим присутствием не кто иной, как Максим Алмазов!»

Тот, кого так назвали, широко открыл зубастую нишу, то есть улыбнулся.

«Я тоже не против».

«Ты о чем?» — спросила Ашка.

«О шампанском. О чем же еще?»

Принесли несколько бутылок в ведерках со льдом. Ясно внимательно проверил, как поднимаются бокалы. За ножку, ребята, только за ножку! За нижнюю часть ножки! Устроим звон! Пьем за звон! Вообще пьем за шампанское! Мой дядя самых честных правил/ По имени Багратион/ Все вина называл отравой,/ А пил один «Дом Периньон»!

После второго бокала Ашка сняла со стены гитару и стала подыгрывать шутовским экспромтам Гурама. Сверкая улыбками и глазками, постоянно роняя челку и отбрасывая ее назад, она делала вид, что заигрывает с пришельцем. Ген тоже не отставал от этой самодеятельности. Нам каждый гость дарован Богом,/Гонец весны иль вестник зим,/ И даже в рубище убогом/ Алаверды тебе, Максим!

До третьего бокала не дошло. «Пока мы все еще не надрались, — сказал Ген, — давайте поговорим о том, с чем ты сюда пришел, товарищ Алмазов».

Сук и Шок немедленно встали. «Нам уйти?» Донельзя официальный тон запроса указывал вообще-то на серьезную обиду, нанесенную им, верным профессионалам охраны, стоящим с этой троицей плечом к плечу с первых дней «Таблицы». Вычислить мифического Алмаза, о котором ходило столько россказней в бизнес-тусовке, и не сказать об этом верным Суку и Шоку?!

«То есть как это вам уйти? — нарочито возмутился Ген. — Кого же еще прикажете вместо вас пригласить на встречу с Алмазом?»

Мизансцена была восстановлена. Шефы охраны сохранили невозмутимое выражение лиц, однако по некоторым искоркам в глазах было видно, что они довольны: доверие подтверждалось.

«Ну хорошо, — сказал Алмазов. — Вернее, отлично. Честно, не ожидал, что так будет, без блядства, то есть по-джентльменски. Для начала хочу выразить чисто-конкретно полное уважение корпорации «Таблица-М» и ее руководству в твоем лице, Ген, а также в твоем лице, Ясно, а также в ваших лицах, господа Суконный и Шокмуратов, особо за ваш вклад в области восточных единоборств, а особенное, чисто-конкретно, уважение вам, мадам Ашка, за вашу красоту и женское равноправие.

Вы, конечно, понимаете, что как член политбюро «Сиб-Минерала» я должен питать к вам уравновешенную враждебность, однако хотелось бы подчеркнуть, что всегда к вам питал как раз наоборот, вот именно уравновешенный, типа, симпатанс за ваш созидательный капитализм. Вообще, ребята, должен признаться по-комсомольски, что в политбюро было несколько значимых лиц, которые даже на закрытых разборках выступали за слияние с «Таблицей», так или иначе, потому что в области редкоземельных элементов вы были в разы впереди планеты всей.

К сожалению, в политбюро потом стали преобладать лица довольно похабного, чтобы не сказать, типа, бандитского толка. Увы, далеко не сразу я понял, что к нам проникает анонимная, ну, типа, подпольная структура скрытно-большевизма под именем МИО, строго между нами...»

Назвав эту страшную — по сути дела, непроизносимую в бизнесе — аббревиатуру, Макс вытащил из куртки мятую пачку «Голуаза» и умоляющим жестом попросил разрешения закурить.

«Кури сколько хочешь, Макс, — сказала ему Ашка, — и мне дай твоей махорочки». Откуда ни возьмись по гладкому столу подъехала к пришельцу хрустальная пепельница. Вдруг все присутствующие задымили, кроме, разумеется, самураев. Макс продолжил рассказ:

«Вы, конечно, помните не хуже меня ту историю на прииске «Случайный». Мужики из МИО сформировали бригаду для захвата предприятия. Она там высадилась в разгаре такой с понтом забастовки.

Первым делом надо было убрать ваших ребят. Потом намечены были перевыборы профсоюза и дирекции. Наши стряпчие должны были переписать все бумаги на нас. С новыми бумагами часть бригады направлялась в Тюмень на регистрацию. Чтобы избежать мочиловки, они везли с собой несколько чемоданчиков с налом. В общем, диспозиция была продумана и составлена, как в фильме «Обратный отсчет», а прикрывал начало операции Макс Алмазов...» Тут Алмаз осекся и обвел присутствующих вопросительным взглядом: дескать, уточнять детали или без надобности?

Два члена триумвирата переглянулись и усмехнулись, Ашка же с дружелюбной подгребкой спросила: «Ты там, Макс, очевидцы рассказывали, вроде как ангел смерти, парил на вертолете «Дрозд-Сикорский», верно?» Он опустил голову, и на левом его виске появилась и потемнела (а потом вздулась) ромбовидная родинка величиной с бубнового туза. Тяжелый вздох. «Я почти сразу понял, что нас ждут и мониторят все движения».

«А все-таки давай нам свои детали», — предложил Ясно.

«Сколько, например, у вас было гранатометчиков?» — поинтересовался Ген.

«Шестеро».

«Можешь по именам?»

«Погибли четверо, Хвост, Нос, Левый и Тыловой. Двое, Неизвестный и Неведомый, скрылись и растворились среди местного населения».

«Ну а в группе захвата сколько было?»

«Пятнадцать. Погибли семеро, Бамбук, Каучук, Коньяк, Форшмак, Судак, Плетеный, Соленый и Моченый. Темный и Блеклый растворились среди местного населения, а вот те, кого вы взяли, мне неведомы».

«Браво, Алмаз!» — воскликнула Ашка.

Он посмотрел на нее взглядом столь странным, что показалось на миг, будто зрачки отделились от глаз. У Гена промелькнуло ощущение, что его жене угрожает какая-то немедленная и неумолимая опасность. Он встал, сделал несколько непринужденных шагов в пространстве, а потом присел на подлокотник Ашкиного кресла.

«Скажи, Макс, а у тебя на твоем «Дрозде» было оружие?»

«Мы купили партию таких вертушек в Колумбии, и там в комплекте на каждом было по две ракеты «воздух — земля».

«Почему же ты не пустил их в ход?»

Еще один странный взгляд: зрачки как будто проваливаются в глубь глазниц.

«Ну, во-первых, в диспозиции этого не было, во-вторых, наш пилот не очень-то всасывал, как этой штукой пользоваться, а в-третьих... ну, в общем, хрен его знает, ну мне важнее было спасти уцелевших своих, чем убить чужих...»

Он как-то сильно распсиховался, подумал Сук. Как-то неадекватно для сиб-минеральского боевика. Он положил пришельцу руку на плечо.

«Ты вообще-то откуда, Макс?»

Пришелец резко смахнул эту вроде бы благожелательную руку.

«Пошел бы ты подальше с такими вопросами, Суко-сан! Кому какое дело, откуда я?» Глаза его совсем потухли и закрылись. Лицевые мускулы дергались, словно подопытные лягушки. Он вспоминал, как после возвращения из Тюменской его завезли вроде бы на базу отдыха, а на самом деле в логово

МИО, в подвал, где тыкали под подбородок стволы, выворачивали руки и подвешивали к стропилам. Предательство его вроде было уже доказано, и все почему-то интересовались только одним вопросом — откуда он? Кто твои родители, гад? Где твоя семья? Что за пятна у тебя играют по коже? Отчего блуждаешь зенками? Кто тебя научил прикрываться комсомолом? Если ты смерти не боишься, тогда знай — умирать будешь медленно. Ремней из тебя нарежем немало, пока не ответишь на все вопросы! Кулаки его теперь дергались по полированной поверхности. Трудно вспоминать такие детали, не лучше ли откланяться?

Вдруг на один из его сжатых кулаков легла Ашкина легкая ладошка.

«Напрасно ты мучаешься, Макс: здесь тебе добра хотят».

Он опомнился. Открыл глаза, в них засветился черно-синий мирный космос.

«Простите, ребята, мне вспомнились эти миошные экземпляры. Я так до сих пор и не знаю, что у них было на уме».

«Вот сейчас самое время открыть еще одного старика Периньона», — предложил Ясно.

После выпитых бокалов все снова расслабились и заулыбались.

«Интересно, что означает эта аббревиатура, МИО?» — подумал вслух Ген.

«Мускулы и Органы», — предположил Шок.

Взрыв смеха.

«Мощь и Оборона», — предположил Сук.

«Я слышал, что это «Мир и Охрана», а может быть, «Мудрость и Осторожность», — сказал Ясно.

Все еще пуще развеселились.

«А почему серединному «И» отводится только

роль предлога? — с мнимым возмущением спросила Ашка. — Почему не предположить, что под тремя буквами скрываются «Мышь, Игуана, Опоссум»?»

«Браво, Ашка! — воскликнул Ген. — Твоя догадка может быть ближе всего к истине. И все-таки добавляю еще одну версию — «Меланхолия, Истерия, Одиночество»? А ты, Макс, как это читаешь?»

Пришелец осклабился. «В ту ночь у меня все крутилось в башке — Мрак, Игла, Огонь».

Все затихли. Он встал и пересек всю обширную, как теннисный корт, комнату по направлению к окну. Несколько минут там стоял молча, спиной к ним. Все смотрели ему в спину. Никто не исключал, что за этим молчанием начнется что-то ужасное. Наконец Ашка крикнула: «Ты хочешь сказать, что тебя там пытали?»

«Ну, конечно, пытали, Ашка, как ты думаешь? Ведь там были потомки трех гэпэушных монстров, Маги, Ихты и Облома. Иначе они разговаривать не умеют. Они пытали меня до тех пор, пока в подвал не спустились три чина из политбюро «Сиб-Минерала»...»

«Шмачкин, Усский, Зигберт, так, что ли?» — спросил Гурам.

«Ну вы, я вижу, все знаете, — снова осклабился Алмаз. — Тем лучше. Эти трое считали меня своим братаном и никогда не спрашивали, откуда я. Кажется, догадывались, что это мне и самому неведомо. Вежливо попросили развязать подследственного. Угостили пивком «Тинькофф». Давайте, господа, поговорим по-хорошему. У Алмаза есть еще шанс реабилитироваться перед братством.

Значит, так. Нужно предъявить ультиматум «Таблице-М». Пусть разоружаются перед партией, сдают все свои ассеты, ключи ко всем оффшорам и территорию в Габоне. Для того чтобы поняли серьезность дела, нужно устроить похищение стратовских детей, одиннадцатилетней Парасковьи и пятилетнего Никодима. Эта операция будет поручена Алмазу. В случае успеха с него снимаются все обвинения по прииску «Случайный». Ты понял, Макс? Согласен? Ну вот и отлично. Если же ультиматум будет отвергнут, ты берешь на себя лично завершение операции. Все ясно, Макс? Видите, ребята, он кивает, он соображает, он все, конечно, понимает. Итак, ты с четырьмя ребятами из опергруппы завтра вылетаешь в Ажаксьё, снимаете там виллу в десяти километрах от бухты Страто. Есть достоверные сведения, что вскоре туда прибудут дети с воспитателями и охраной. На этом острове у нас есть сеть стрингеров, которые обеспечат вам поддержку... Ну вот... Вот так все было...»

Он замолчал и сел на подоконник. Сидел, глотал слюну. Левым предплечьем стирал пот со лба. Все присутствующие тоже молчали и не спускали с него глаз. Стало быть, все эти брызги шампанского были чистейшей мистификацией? Как я могу говорить о том, что я пережил тогда? У меня на это слов не хватит. Я сам не знаю, что это было. Замочат? Пусть замочат. Какую-то точку все-таки надо поставить в этой бредовине.

«Продолжай», — сказал Ген.

Алмаз дико взглянул на него. Продолжать? Ты уверен? Ген, у меня слов на это не хватает. Но ведь дети живы, да? Они в безопасности?

«Продолжай! — взвизгнула Ашка. — Ведь ты же был там! Я чувствовала, что звери бродят вокруг дома. Давай, Макс, рассказывай! Стань до конца человеком!»

Его вдруг пронзило острейшее чувство: почему

131

эта женщина любит Гена, а не его, Алмаза? Чувство острейшее, ничего не скажешь. По остроте почти равное тому чувству, что пронзило тогда в бухте Страто. Они сидели тогда на своем маленьком пляже среди скал — трое, мать с двумя детьми, Ашка, Пашка и Никодимчик. Он не ожидал увидеть их втроем. Думал, что будут только двое маленьких. Ну, понятно, с какими-нибудь боннами. Ашка прилетела неожиданно, ночью. Он спускался со скалы по узкой расселине. По его команде должен был произойти отвлекающий взрыв и затем отрепетированные действия группы захвата.

«Ну хорошо, попробую рассказать, как могу. В последний момент перед командой я вспомнил книжку, которую читал незадолго до операции. Книжку о российском терроризме столетней давности. Как этот эсер охотился на великого князя, ну Николаев. Ну да, Каляев. Когда тот вышел уже на угол атаки, он вдруг увидел, что в коляске вместе с великим князем сидит великая княгиня с двумя детьми. Его вдруг пронзило какое-то острейшее чувство: «не убий», не убий слабых, безгрешных, — и он проехал мимо на своей бричке. Вот такое же чувство меня тогда пронзило, и я скомандовал пацанам «отбой». Слава Богу, я не нажрался тогда шмали. Был чист, как стеклышко, и весь насквозь пронизан чем-то человеческим. Ну вот и все».

«А все-таки что было дальше?» — железным тоном спросил Ген.

Неожиданно для всех присутствующих Алмаз разрыдался. Его трясло. Он вытирал кулаками и рукавами куртки свою мокрую морду. Все поняли, что он уже несколько дней не мылся: черные струи текли со лба, капали на безупречный паркет.

«Ну чё дальше... Чё ты не понимаешь, Ген, чё

было дальше? Чё мне оставалось еще? Только линять дотла, исчезнуть до конца. Гарун, в общем, бежал быстрее лани. По всем помойкам прятался. Кредитки все свои в сортир спустил. Оставил весь багаж. Добирался автостопом до родины, а потом подумал, какое я имею отношение к этой родине, когда понятия не имею, откуда я, когда ничего на ней не оставил, кроме страха. Вот откуда я — из страха. Всю жизнь от страха дрожал — и в комсомоле, и в армии, только виду не показывал. Идти раскалываться в органы? От МИО там не спрячешься. Они теперь повсюду, и недели не пройдет, как замочат. Короче, ребята, и вы, восхитительная Ашка, ничего лучше я не нашел, как прийти в «Таблицу-М». Хотел просто охранником тут у вас пристроиться, и вот уж не ожидал, что примите на самом Олимпе. Ну вот, если хотите иметь верного бойца, обещаю больше не слюнявиться...»

«Сколько тебе лет, Макс?» — спросил Ген.

«По документам двадцать восемь».

«А по жизни?»

«Понятия не имею».

«Иди в ванную, Макс, — сказал Ясно. — Смывай там свою копоть. Тебе туда шмотки принесут. Какой размер носишь?»

Ген Страто лежал на своей шконке, заложив руки за голову, нога на ногу, в полной темноте. Три сокамерника, Фил, Алекс и Велосипедов, утомившись от своего еженощного «Декамерона», посвистывали носами. Эта черная кубатура выделывает странные номера со зрением и с памятью. Иногда даже контуров стола не видишь, а то вдруг можешь различить все оставленные на столе карты. С памятью еще пуще: то не можешь вспомнить ни одного лица в каком-нибудь чудном застолье, а то вдруг из ванной комнаты выплывает этот хренов Алмаз, и ты видишь его декатлоновскую фигуру до мельчайших подробностей — космы говенного цвета, отмывшись, легли темно-русыми волнами, с ряшки исчезли черт знает куда все угри и бляшки, и сама ряшка превратилась в симпатичную физию будущего товарища по оружию, на плечи и вдоль всего туловища, включая ноги, лег отменный бёрбириевский костюм, а белая майка под ним вообще превратила тварь дрожащую во вполне конкретного парня...

Давайте все фотографироваться — новое ядро корпорации «Таблицы-М», специализирующейся по редкоземельным элементам.

Вскоре по всей бизнес-тусовке прошел слух о перебежчике Алмазове. Якобы этот смельчак сдал Стратовым и Ясношвили тех миошников, которые пронизали и чуть было уже не придушили «Сиб-Минерал». Будто бы прошла целая серия допросов в Прокуренции. Вроде бы намечались кардинальные, или, как сейчас еще говорят, «чисто-конкретные», мероприятия по оздоровлению бизнес-сообщества. То есть аресты. Увы, они не состоялись. Все миошники, открытые Алмазом, исчезли из поля зрения. Вообще возникла какая-то прохладная здоровая атмосфера, в которой даже неловко было говорить о каких-то злополучных злодеях — если так можно сказать о злодеях — из пресловутого МИО.

Теперь давайте ознакомимся с одной из фень новояза, добытой с помощью одного из недавних номеров журнала «Совершенно секретно»: тормоза — входная дверь; сборка — комната на нулевом этаже, куда помещают «свежепойманных», она же — ожидания в автозаке; опер — распределяет в камеры; казенка — матрасик, алюминиевая кружка, ложка, подушка, одеяльце, кусок вафельного полотенца; шленка — миска, после обеда сдается; пятак — площадка перед тормозами; поляна — там, где стоят одинарные шконки; старосид среди «свежепойманных зайчиков»; рабочка — привилегированная бригада обслуживания персонала; крытка — запертая камера; подследы; хозбыки; малява — письмо, можно «спалиться»; УДО — условно-досрочное освобождение; ИЗПД — использование заведомо подложного документа; продол — коридор перед камерами. После прочтения глубокий вздох — по фазе...

В период расцвета «Таблицы» все работали, как сумасшедшие. Сидели по ночам, разрабатывая проекты слияний, расширений, поглощений. Иногда возникало ощущение, что империя уже работает сама по себе, вроде бы даже и не нуждаясь в каких-то новых умственных проектах. Она мощно качала прибыль, расширялась, строила титанические обогатительные предприятия, новые шахтерские городки на канадский манер, подъездные пути, забрасывала геологические экспедиции по всей Сибири и во многие страны Африки, нанимала все новые десятки тысяч крс (отнюдь не крупно-рогатого скота, но квалифицированной рабочей силы), расширяла сеть НИИ, устраивая международные конференции ученых, зазывая на них самых высоколобых из «стран семерки», заманивая их на гигантские зарплаты в свои структуры, переманивая топ-менеджеров из международных гигантских корпораций, выстраивая свои полчища лоббистов в Государственной Думе, а также «на Холме», то есть в Конгрессе США, а также в парламентах Евросоюза, ну, разумеется, и в Кремле, и в министерствах, и в силовых органах РФ, настраивая в свою пользу передовых красоток клубного общества, время от времени потрясая Москву сверхкрутыми корпоративными балами в плавучих танцзалах на Москве-реке, на которые предварительно загружались свежайшие морепродукты и целые погреба выдержанных вин, лучшие рок-группы и табуны девиц, но в то же время не оставляя усилий в области филантропии, выражавшихся в строительстве школ, больниц, в устройстве всевозможных фондов, в распространении компьютеров и Интернета, а также в покровительстве искусств, в перекупке различных СМИ с целью распространения идей открытого общества... Итак, империя работала сама по себе, вроде бы совсем и не нуждаясь в руководящей верхушке, однако, с другой стороны, верхушка оная была уверена в том, что и ее деятельность является неотъемлемой частью этой вроде бы спонтанной имперской активности и, если снять эту олигархическую, очумевшую от астрономических прибылей верхушку, тут же что-то подломится и пойдет процесс распада.

Вот именно в этот энергетически мощный период произошло ЧП с Никодимчиком.

Желая закрепиться в мироздании на веки вечные, верхушка начала вырабатывать исторический документ, именуемый далее «Первая хартия корпорации «Таблица-М»». На эти полусекретные «сэшнз» нередко приглашались посторонние, но близкие фигуры из либеральной общественности. Вот, например, от словесности там пару раз был романист Базз Окселотл. Он как-то не очень адекватно испускал якобы понимающий хохоток, после чего, ничтоже сумняшеся, делал быстрые записи на салфетке. Можно себе представить, какие идеи будущей хартии особенно заинтриговали старого сочинителя. Ну скажем:

«...Время российского «Клондайка» на исходе...

...Пора прекратить бессмысленное «забивание стрелок», крышевание, траншейную войну и терроризм...

...«Таблица-М» берет на себя серьезные обязательства по окончательному искоренению криминала из своих структур...

...Из нашего лексикона будут удалены жаргонные речения, вроде «откат», «распил», «занос», «разводка»...

...Пора подвести черту под «войной компроматов», под использованием в этой войне нарушений финансового законодательства, совершенных в ту пору, когда этого законодательства не существовало; иными словами, нужно побудить власть обнародовать некую «очистительную амнистию»...

...Для начала корпорация «Таблица-М» объявляет о переходе к полной прозрачности своих текущих финансовых операций. С этого момента корпорация полностью отказывается от «черного нала» и «конвертов». Она переходит к чековой системе оплаты труда. Все служащие и рабочие корпорации будут обязаны ежегодно составлять налоговые декларации. В свою очередь сама корпорация декларирует все свои доходы и ежегодно направляет в казну свой корпоративный налоговый чек...

... «Таблица-М» призывает всех партнеров по бизнесу последовать ее примеру, что, безусловно, приведет к возврату капиталов из заграницы, то есть...»

За окном надрывалась из последних сил злая мартовская пурга. Вот это Ген вспомнил отчетливо. Все собравшиеся вокруг огромного овального стола говорили одновременно. Он хотел было на правах члена триумвирата оборвать этот базар и приступить к формированию пунктов хартии, когда заметил, что один из трех членов триумвирата отсутствует. За столом не было Ашки. Оглядев зал, он увидел ее в темном углу возле окна. Она стояла лицом в пургу, положив обе руки на затылок, что придавало ее тоненькой фигурке какую-то совсем уже лишнюю стройность и почти невыносимое очарование. Рядом с ней с некоторой столбообразностью высился мужчина, в котором он не сразу опознал Макса. Почему он не сразу понял, что это Макс? И почему, даже не опознав Макса, он сразу почувствовал, что происходит что-то непоправимое в его судьбе?

Оставив спорщиков, он пошел туда, в темный угол под огромным окном, в котором непрерывным потоком неслись космы пурги.

Он застонал и даже как-то взметнулся на своей шконке. Надеюсь, что хоть стона моего не слышат Фил, Алекс и Игореха, эти притомившиеся мастурбаторы. Ни одной картины не могу оживить из исторических дебатов по хартии. Винегретный поток валится в тартарары. Даже пристально оглянувшись назад, не могу разобрать, чья борода там мотается, чья бритая башка катится в лузу. Только и осталось: иду псевдонебрежным шагом, как будто просто встал, чтобы размять затекшие конечности, потягиваюсь, якобы разминаю суставы, будто бы и не замечая, что кто-то там стоит в темном углу, а на самом деле приближаясь с каждым шагом к резкому повороту судьбы.

Теперь он видел их отражения в темном стекле. Черт побери, всякий становится моложе и, стало быть, красивше в этих темных отражениях, но эти двое, Он и Она, этот космический выродок и его вечная мечта, казались умопомрачительно великолепной юной парой.

Еще один шаг, и Ген услышит их беседу и по первому же слову поймет ее содержание. Шаг сделан. Он застывает в мнимой задумчивости. Он слышит ее голос:

«Каждый день одно и то же. Ну сколько это может продолжаться?»

Теперь он слышит его голос:

«Ну что ты хочешь? Каждый год «снеговая уродина» гадская нас доводит! Пять месяцев зимы — отдай не греши!»

Так вот они о чем говорят — просто о зиме, об этих бесконечных метелях. Он сделал еще один шаг и оказался между ними.

«Ген, ты посмотри, что творится! — сказала она. — Мы так до дачи не доберемся».

«Ну и ночуйте в городе», — сказал Алмаз.

Вдруг Гена пронзила еще одна метельная одуряющая своей внезапной наглостью мысль. Они просто воспользовались словесным прикрытием, Он и Она. Впервые в жизни в этот вроде бы вечный союз этих основных местоимений вошел Другой. Всегда, на протяжении, почитай, двадцати лет, Он равнялся Я. Я и Она, Ген и Ашка, Генашка. Теперь Меня вытеснил Другой Он. Теперь, увидев медленно приближающееся отражение в темной стеклянной стене, они успели перестроиться и заменили свой страстный любовный диалог болтовней о метели.

За столом между тем по-прежнему кипели политические страсти. Верховодил Ясношвили. Никто, кажется, и не заметил, что двое из всесильного триумвирата отсутствуют. Один лишь из приглашенных интеллектуалов либерального наклонения, а именно сочинитель Базз Окселотл, внимательно приглядывался к слегка покачивающимся фигурам в темном углу конференц-зала. Там что-то происходит более важное, чем выработка хартии «Таблицы-М», думал он. Нет-нет, думал он, только не это. Тебя не для этого сюда пригласили. Вовсе не для того, чтобы измышлять какие-то романтические страдания. Смешно выискивать новых Карениных и Вронских в среде хищнических миллиардеров, в корпорации, занятой поисками залежей редкоземельных элементов по всей планете. Ты здесь сидишь среди присутствующих совсем не в роли поэта, никто здесь тебя не видит мечтателем в тамарисковых аллеях, никто тут не читал твоих романов. Здесь знают тебя как фигуру, некогда противостоящую тоталитарному режиму, как вернувшегося из изгнания представителя либеральной общественности, как автора постоянных колонок в трех либеральных изданиях, иными словами, как активного борца за гражданское общество. Он отгонял от себя все романические импульсы, однако не мог оторвать взгляда от трех фигур, медленно колеблющихся в полумраке, словно три утопленника в среде более плотной, чем воздух, ну, скажем, в воде, где они поддерживаются в вертикальном положении при помощи каких-то придуманных романистом грузил.

Вдруг Ашка оторвалась от грунта и пролетела через весь зал — к столу.

«Ребята, Ген предлагает всем и прямо сейчас лететь на Канары!»

Увы, всем трем корпоративным самолетам, вылетевшим в ту вьюжную матерь-щинскую ночь из Москвы на Канары, пришлось разворачиваться в воздухе едва ли не в виду вулкана Тенерифе, ибо первая новость столичной биржи сообщила в то утро об обвале рубля.

Не успели эти три борта взять отчетливый курс домой, как еще одна неслабая новость шарахнула по президентскому джету: предельно засекреченный источник дрожащим голосом сообщил, что семилетний Никодимчик пребывает в бессознательном состоянии. Нужно ли говорить о том, что его родители после этого сами впали если и не в бессознательное, то, во всяком случае, в невменяемое состояние. Ген окаменел, Ашка тряслась. Трое ближайших стражей корпорации и семьи, Сук, Шок и Алмаз, приняли решение садиться на Майорке и оттуда управлять операцией по спасению ребенка. Никто из них не знал, где находятся стратовские дети. Два года назад, после того как Алмаз раскрыл заговор МИО, Парасковья и Никодимчик были полностью засекречены за пределами родины чудесной. Время от времени родители их тоже исчезали, ссылаясь на вящую необходимость посетить по редкоземельным делам то Дубай, то Тасманию, и тогда люди ближайшего круга догадывались, что где-то, очевидно, совсем в противоположных местах на земном шаре, состоялась родительская встреча с отпрысками.

Через несколько часов после приземления на Майорке Ген и Ашка все-таки взяли себя в руки. Сук и Шок на зафрахтованном самолете были посланы в Балтимор для окончательных переговоров со знаменитыми профессорами. Макса отправили в швейцарский госпиталь для организации мобильной группы обслуживания. Через день он сообщил, что все указания выполнены, группа готова выдвинуться в...

«В чем дело, Макс, почему ты поперхнулся?» — свирепо спросила Ашка. Он не знал, что ответить. Просто спросить, куда перебрасывать группу обслуживания, не мог. Конечно, за два года в руководящем звене «Таблицы-М» он смог доказать преданность всему составу, не говоря уже об Ашке, и все-таки спросить напрямую, куда переправлять медсестер, аппаратуру, подсобный персонал, включающий переводчиков и охрану, то есть все то, что нужно для борьбы за жизнь Никодимчика Стратова, он не мог.

Наконец, она догадалась.

«Разве я не говорила тебе, куда надо лететь?»

«Нет, ты не говорила».

«В таком случае ты сам должен был догадаться».

«Почти догадался».

«Назови шифр».

Он назвал шифр Габона.

Она вздохнула с облегчением.

«Прости, Макс, что я сразу не догадалась о твоих сложностях. Вылетайте немедленно. Наши уже там. Мы с Геном вылетаем завтра».

Понимает ли она, что я готов отдать Никодимчику всю свою кровь плюс любой из моих органов для пересадки в придачу, и не только потому, что он ее сын, а просто потому, что это мальчик, попавший в беду, думал он, пересекая наискосок Средиземное море. Эта самопожертвенческая мысль, с одной стороны, бесконечно смущала его своей вроде бы наигранностью, театральщиной, с другой же стороны, при попытке изгнать ее из своей сути профессионального боевика он вдруг испытывал какой-то категорический императив спасения и вместе с ним высочайший духовный подъем, что-то вроде мощного музыкального сдвига, так или иначе связанного с его любовью к Ашке. В такие мгновения он понимал, что вопрос «ты откуда?», который вечно его мучил, теперь, через два года после того, как он пришел с повинной в «Таблицу», потерял свою остроту. По-прежнему не отвечая на него, он теперь хотя бы твердо и окончательно знал, что он из «Таблицы-М», что он член этой стратовской семьи, а Ясно, Сук и Шок — это его братья.

Все три группы, задействованные в транспортировке мальчика, собрались в Габоне на третий день после начала спасательной экспедиции. Всем было дано указание не распространяться о своих маршрутах. Вот так бывает даже в среде всесильных. Два-три щелчка Зевса — и рассыпаются все радужные планы и вместо Канар приходится лететь в Габон, куда из неведомой земли доставлен катастрофически изменившийся Никодимчик. Зевс, впрочем, может в одночасье сменить гнев на милость. Поставить, скажем, некоторую группу смертных на своей безразмерной ладони и освежить их милосердным дыханием из левой ноздри. И сразу все взрослые кинутся друг к другу обниматься и чуть ли не плакать от счастья, а семилетний Никодимчик в своем первозданном виде великолепного ребенка начнет прыгать то ли по этой всемогущей ладони, то ли по собственной кровати и ликовать от неожиданной встречи со своими родителями.

Счастливый этот исход неожиданного несчастья произошел на третий день стратовского бдения. Некоторые участники этого бдения, и прежде всего мама Ашка, связывали это чудо с прибытием единокровной сестрицы Никодимчика, тринадцатилетней красоточки и умницы Пашеньки. Что касается светил педиатрической науки, профессоров Перкинса, Тампана и Волковицкого, то они, перечеркнув весь свой план медикаментозного и физиотерапевтического воздействия, склонялись теперь только к тому, чтобы возблагодарить габонских духов и колдунов.

Оказалось, что те каким-то образом сами по себе узнали о том, что происходит на вилле Стратовых. Кто это те? — встрепенется тут читатель. Как кто, ответим мы, как раз те, о ком идет речь, — духи и колдуны. К их числу добавим и некоторое число дружественных нам горных горилл: ведь каждый помнит, как мать-горилла вложила в пунцовый Ашкин рот полуразжеванную стрекозу за несколько часов до зачатия Никодимчика. Все эти три дня и три ночи вилла была окружена несметным числом костерков, вокруг которых постукивали барабанчики, подвизгивали флейточки, подвывали голосишки и голосищи. В воздухе колебались целительные ароматы джунглей. По неведомым тропинкам духи, колдуны, гориллы и просто высокосознательные граждане независимой республики доставляли к стенам виллы всевозможные смеси почв, доставленных непосредственно из кратера вулкана. Руководил всем этим целительным процессом сам мэр Порт-Жантиля, член ЦК НОП и король Габона Ранис Анчос Скова Жаромшоба.

Когда в вилле началось хаотическое ликование, король-марксист почтил Стратовых своим присутствием. Признаться, его нельзя было узнать после первой встречи. Пропал его знаменитый живот, или, если можно так сказать о короле, отвратительное пузо. Он выглядел теперь на двадцать лет моложе и на сто процентов элегантнее в своем оливкового цвета тропическом сафари-джекете. Мадам Аш и месье Жи, своим новым обликом я обязан вам, провозгласил он и, боясь чрезмерного головокружения, попридержал желанную руку за локоток. Оказалось, что все сто тысяч баксов, полученных им от Стратовых за десять квадратов околовулканных почв, были потрачены на операцию удивительного омоложения. В течение ряда лет выпускники медфака университета Монпелье (того самого, где обучался неистовый Франсуа Рабле) удаляли и отсасывали весомые пласты жира из подкожных пространств и внутренних полостей короля. Дюйм за дюймом благодаря достижениям пластической хирургии исчезали излишки кожи. В конце каждого года зримо молодеющий король представал перед населением и произносил ключевые речи о будущем человечества. Таким образом народ сохранял в памяти своего любимого урода и одновременно восхищался возникающим у всех на глазах Королем Габонского Комсомола.

«Ваше величество Ранис Анчос Скова, в этот радостный день позвольте нам от имени корпорации «Таблица-М» преподнести вам традиционный подарок молодой России!» — провозгласил Ген и передал монарху плоский чемоданчик с изображением лимона.

Сук и Шок ударили по струнам, и все присутствующие, включая колдунов и духов, грянули: «Комсомольцы, беспокойные сердца, комсомольцы все доводят до конца!»

Шесть лет спустя в недрах «Фортеции» узник Стратов, сидя с закрытыми глазами на своей шконке, пытался вспомнить разные моменты того вечера. С особой отчетливостью он увидел огромный багровый закат над Атлантикой. Он вышел из бурлящего весельем дома и пошел через пляж к медлительному накату прибоя. Вскоре он увидел сидящего на дюне одинокого человека, по могучим плечам и высокой шее которого он опознал Алмаза. В который раз при виде этого парня он испытывал пронизывающее беспокойство. В который раз уже он еле удерживался от вопроса: «Кто ты такой, Макс? Откуда ты?» Он сел рядом с ним на песок и вздохнул. Макс повернул к нему все еще залитое закатом лицо. В глазах у него промелькнуло чувство искренней любви. Он протянул Гену руку ладонью вверх, и тот положил на нее свою не менее тяжелую руку.

«Ты знаешь, — промолвил Макс, — когда мне было семь лет, я тоже взялся было умирать. То есть в том смысле, что я прошел через что-то сродни болезни Никодимчика. То есть я вдруг колоссально отдалился от жизни. Это было, кажется, в Хакасии. Если не в Бурятии. Потом мне не у кого было спросить, где это произошло и что за люди сидели вокруг меня. Я много раз видел свое жалкое тело как будто с огромной высоты. Помню моменты, когда я как бы прощался сам с собой. Иной раз я вроде бы возвращался на шкуры, очень остро вонявшие сукровицей. Вокруг сидели узкоглазые люди, вроде бы охотники. В один момент все повернулись к вошедшему, и я, кажется, услышал слова: «Пришел шаман». Этот человек стал накладывать на меня руки, но я снова стремительно удалялся то ли в пространства неба, то ли в глубины земли. Одна металлическая жила обкручивала меня. Шаман навалился на меня и стал запихивать мне в глотку свою руку, провонявшую рыбой. Он что-то в моей глотке этой рукой, типа, пытался схватить. Схватить и потащить, чтобы меня от чего-то освободить, вроде как от внутреннего червя, а я как бы данного червя не жаждал отдать. Я вроде как бы всеми точками соприкосновения держался и готовился сдохнуть вместе с гадом. Потом этот шаман, между прочим, член партии, схватил червя мертвой хваткой, и стал тащить, и тащил целый век, или уж не знаю сколько минут, и наконец червяк начисто капитулировал и был извлечен, и я сразу поправился, вот как Никодимчик сегодня предстал перед нами во всей красе...»

Алмаз замолчал и уткнул свою слегка озверевшую физиономию в колени, и дергался, пока Ген не схватил его за плечо.

«Ну!» — заорал Ген.

«Что ну?» — заорал в ответ Алмаз.

«Что дальше было?»

«Дальше, Ген, вообрази, стало очень весело и смешно. Все эти охотники в той хижине стали плясать, хохотать и пердеть, а потом пошли что-то камлать, что-то совсем нерусское или даже несоветское. Давали мне «Зефир в шоколаде». Я просто обожрался тогда «Зефиром в шоколаде»! Потом мы остались одни с шаманом, и он меня ласкал, плакал и ласкал и даже, кажется, немного поддрачивался. А потом стал мне что-то про меня самого рассказывать, как будто чуть-чуть приоткрывал завесу неба. Он мне сказал, что я якобы был рожден в тунгусской яме, в самой глубокой из тунгусских ям. Он также сказал, что у рожденных в этих ямах детей через семь лет после рождения может внутри образоваться какой-то металл. Ребенок, он сказал, может спастись, если вернется в такую яму или если попадет в руки шаману, тоже рожденному в такой яме. Вот такой бред, можешь себе представить?»

«Могу себе представить, — сказал Ген. — Больше того, понимаю теперь, откуда у тебя такой нюх на редкоземельные элементы. Ну а дальше-то что было, Макс? Как ты вообще-то вошел в мир социализма?»

«Утром приехали за мной какие-то дядьки в форме и отвезли в детдом, там я и стал Максимом Алмазовым. Вот так, в общем, вкратце».

Несколько минут оба сидели молча и не двигаясь, хотя прекрасно понимали, что из-за бугра дюны за ними наблюдают две змеи со светящимися глазами. От виллы доносилась до них дивная музыка, вальс Нино Роты. Потом Алмаз завозился, вытаскивая из-под яиц плоский флакон «Чивас Регал». Глотнем, что ли? Давай глотнем.

«Скажи, Макс, ты еще жениться не собираешься?»

«Да я уже женат, Ген».

«На ком же?»

«На «Таблице-М»».

«А мне вот ребята говорили, что у тебя со Стомескиной, ну, с теннисной этой чемпионкой, плотный союз».

«Скажешь тоже, Ген! Всей корпорации известно, что Стомескина в тебя влюблена».

«Да ладно, Макс! Никогда за Стомескиной ничего такого не замечал».

Глотнули еще по разу. Пустой флакон швырнули за спину.

«Скажи, Макс, ну просто по-товарищески, ты не замечал, что Ашка с кем-нибудь встречается?»

«Замечал, Ген, и готовился тебе об этом сказать. Она со мной встречается».

Жжжжиххххх. Обе змеи погасили глаза и ускользнули в разные стороны.

Тогда они встали и долго стояли немыми статуями, не зная, что сказать.

«Давай разойдемся, Макс, хотя бы до Москвы, а то ведь могу тебя убить».

«И будешь прав, Ген. Сделай то, что я сам не могу сделать». Он протянул ему пистолет.

Ген изо всей мочи, как вратарь проигрывающей команды выбивает мяч, ударил его ногой по руке. Пистолет взлетел по большой траектории и бухнулся в воду. Тогда пошли к дому вместе.

VI. АОП

Хронологически довольно перепутанные записи все больше втягивали меня в роман. Выходя по утрам из дома на пустынную весеннюю улицу, я почти немедленно начинал бег трусцой, и это давало ритм для размышлений о стратовской саге. Черт знает, как все это обернется, как эти гаврики себя поведут, однако на данный момент, после очередного путешествия в Габон, надо все-таки подумать, в каких конвульсиях начнет видоизменяться внезапно возникший треугольник.

Возьмите Гена, он всем известен как почти анекдотический моногам. Краше Ашки для него ни одной женской особи во Вселенной не существует, а между тем она ведь не очень-то напоминает тех бесспорных красоток, которых в СМИ именуют The Cover Girls. Конечно, захоти Ген с его миллиардом карманных денег поразвлечься, тут же продефилировало бы перед ним несчетное число этих обложечных наложниц — выбирай! Он между тем смотрит на них примерно с той же страстью, с какой мимолетно прогуливается взглядом по галереям бесценных швейцарских часов, тогда как время определяет по отечественному «Полету» ценой $ 240. Даже такая «неординарная девка», как теннисистка Стомескина — а он всегда соглашался, что она неординарна — со всем ее сексапилом, направленным вот именно на него, и не как на сверхбогача, а лишь как на уникального молодого мужика с его резкими чертами физиономии, с его мощными драйвами и неожиданными выходами к сетке, если можно ко всей его жизни приложить такую спортивную метафору, — даже она не получала от него в ответ ничего более, чем дружеская улыбка.

И только Ашка, многолетняя жена с ее бесконечно знакомыми движениями и быстро меняющейся мимикой бесконечно живого лица, была для него олицетворением женщины. Уже отмечалось, что с ней он был ненасытен. Она нередко дразнила его Приапом — гадский Приап, чертов Приап, зверский Приап... И как только она произносила эту дразнилку, так мигом все в нем вздымалось действительно приаповским началом. Иногда она его отлучала: то перед его приездом драпала из одного особняка в другой, то звонила из Санкта, из Берлина, из Челябы, якобы она там по бизнесу, а он, дескать, обо всем забыл со своими теннисистками, то без объяснения причин сваливала неизвестно куда и через несколько дней возвращалась с блуждающими, якобы греховными, а на самом деле жаждущими приапского супруга глазами.

Он ни о чем не спрашивал и никакой каренинщины никогда не разыгрывал. Умозрительно он ее всегда оправдывал: дескать, что поделаешь, как бы ни была баба сыта любовью, однако всегда, мол, после стольких лет супружества начинает беситься, считать свои года, пытаться поймать что-то свое, дурацкое у п у щ е н н о е. На самом же деле только одного и жаждал — снова взять ее всю с ее ненамазанными губками, с нестареющими мочками ушей, с остренькими локотками, жадными пальцами, венериными холмиками, пятками, залезающими на плечи, со всем их блоком сочленения, завершающим бесконечную встречу. Пускай какие-нибудь молодые коблы в ночных клубах со ржанием похваляются победами над самой Ашкой Стратовой, никому из них и не снилось то, что возникает между ними с восемнадцати лет, год за годом, два десятилетия, жизнь за жизнью.

Если не считать Алмаза. С ним у нее, очевидно, обстоит дело как-то иначе. Там она, по всей вероятности, поймала что-то упущенное, еще не упущенное. Раскаявшийся почти убийца наших детей, спаситель наших детей. Спаситель самой Ашки.

Мой спаситель, спаситель всей корпорации «Таблица-М». Спасатель по призванию, он изверг из себя убийцу. Сказал ли он своей возлюбленной, что он родом из тунгусской ямы? Она, наверное, и сама догадывается, что он нездешний. Не исключу, что у него как-то все иначе между ног. Быть может, у него там есть что-то такое, что возжигает и в ней нездешний огонь. Если это так, то любая ревность неуместна. Нужно его просто убить.

С этими мыслями Ген ходил год за годом по своей корпорации и, замечая себя иногда в огромных зеркалах, удивлялся, откуда к нему приходит какая-то немыслимая жестоковыйность. Ему уже ничего не стоило разрушить в одночасье целую цепочку договоров, как внутренних, так и многонациональных. В аналитическом отделе ему стали давать понять, что в различных сферах правительства и силовых структур снова стали появляться люди из

МИО, миошники, ранее выброшенные, благодаря откровениям Алмаза, из бизнеса.

«Таблица» провела несколько суперсекретных заседаний своих самых редкоземельных элементов. Гурам сказал, что Прокуренция, похоже, собирается возбудить против них дело по прииску «Случайный». Уже начинается опрос свидетелей. Обвиняют руководство «Таблицы» в незаконном пресечении стачки горняков, а также выборов руководства профсоюзов, в нелегитимном поглощении местного отделения компании «Сиб-Минерал», ну и наконец в череде убийств многих незапятнанных товарищей, конечно, без указания их криминальных кличек.

Однажды в разгаре зимнего лыжного сезона в корпорацию и в окружающую тусовку был пущен слух, что руководство отправляется на недельный отдых в Шамони. Или в Куршевель. А может быть, и в Чешские Татры, в Закопане, что ли. Во всяком случае, отдохнуть решили комсомольцы, отдышаться от московских стрессов. На самом деле оказались ребята на горе возле Андорры, с которой внизу на круче видна была маленькая и явно пустая таверна с комнатами. Послали вперед Шока и Гурама, любителей экстремальных видов спорта, чтобы те спланировали вниз на парапланах и купили бы всю эту гостиничку с потрохами до приезда остальных на трех внедорожниках. В общем, там под вой норд-оста, который в их среде почти всегда рифмовался с «не очень просто», произошло келейное совещание, ради которого вся эта история и была затеяна.

Сук и Шок оповестили друзей, что МИО приступила (или приступило) к охоте на Алмаза. Кодла решила укрепить свою позицию, показав всем заинтересованным лицам, что предателей она не прощает. Очень быстро «Таблица» постановила, что друзей она не выдает и Макса немедленно нужно перевести на нелегальное положение. Все проголосовали «за», а Ашка той же самой рукой, которой голосовала, откинула со лба свою каштаново-золотистую челку и посмотрела мужу прямо в глаза — дескать, понимаешь ли ты, на что я иду? И он ответил ей таким же затяжным взглядом — а ты понимаешь, на что иду я?

Она, кажется, понимала. Конечно, она не могла начать решительный разговор с мужем, особенно сейчас, когда все они попали под такое серьезное, если не окончательное давление со стороны миошников. Скрыться вместе с Алмазом в Сибири означало подкосить Гена, полностью разбалансировать вообще всю группу. Забросить спрятанных детей. Предать все еще живую супружескую любовь. И все-таки этим взглядом из-под челки она говорила ему, что не отдаст Макса. Может быть, для всех присутствующих он и является боевым товарищем, и все-таки даже и в этой роли он не совсем свой, не совсем понятный пришелец, человек ниоткуда. Только для нее он не пришелец, только она понимает, откуда и для чего он появился на свет Божий. Он пришел из прозрачной тьмы на ее и только на ее маячок, пришел, чтобы ее любить. Он — это ее Ланселот, соперник ее любимого Гена.

В общем, она присоединилась ко всем. В конечном счете всю компанию из восьми человек (с ними вместе были три фиктивных лыжницы, жены Гурама, Сука и Шока — Кето, Любаша и Эльвирка) охватил какой-то едва ли не революционный подъем. Хозяин, вернее, бывший нищий хозяин, а ныне донельзя богатый управляющий, притащил кувшины с монастырской граппой, все наподдавались под рев норд-оста, сгрудились вокруг пианино и взялись петь комсомольские песни:

> И шум, и треск, и снег пуржит
> Под вой норд-оста.
> Коммунизм сокрушить
> Не так-то просто!

Максу, который уже несколько месяцев кочевал по пространству от Уссури до Тикси, дали знать, чтобы он почаще менял зимовки и пореже появлялся там, где его раньше знали. Этот приказ между тем и без всяких миошников вполне соответствовал его настроению. Находясь вне Европы, то есть где бы то ни было восточнее Урала, он неизбежно, чуть ли не бессознательно тянулся к Ашке, да и та начинала тянуться к нему, словно в нем перемешаны были самарий с неодимом. Они встречались где попало и чаще всего в соседних купе на поездах «повышенной комфортности» и там уже забывали о всех угрызениях и обо всех титанических сложностях корпоративной борьбы. Лежали вплотную друг к дружке, намагниченные, и думали о неизбежной разлуке, старались запомнить всякое любовное движение.

Получив приказ о переходе в «подпол», Макс несколько дней пребывал в недоумении. Вроде бы и так он то и дело передвигается со своей группой геологов, друзей еще по юношеским временам. Их пятерка прочесывает распадки длиной в несколько десятков верст, обнаруживает (или не обнаруживает) следы скандия, иттрия, лантанидов, столбят этот участок, вводят его данные на сайт «Таблицы» или покидают распадок без всяких следов, нанимают, опять же по Интернету, вертушку и перелетают еще за несколько сотен верст от какого-нибудь Бодайбо, то есть растворяются в тайге.

Грешным делом, он валил эту странную директиву на Гена. Должно быть, этот парень, которым он всегда восхищался, больше уже не может совладать со своей ревностью или даже яростью. Может быть, ради того, чтобы сохранить за собой свою любимую Ашку, он высосал из пальца эту директиву и попытался на Совете объяснить всю ситуацию сложностями межкорпоративной борьбы. Ген, неужели ты хочешь, чтобы я опять стал человеком ниоткуда?

Три дня спустя, в разгар короткого солнечного дня, когда температура твердо зациклилась на —45° С, над распадком вдруг завис «Ми»-4-й. Все парни воткнули в снег лопаты и ледорубы: это еще кто к нам сюда пожаловал, свои или гады какие-нибудь? Через несколько минут вертолет сел на утрамбованную вездеходом снежную площадку. Из люка выскочила странная стройная фигурка в изящном городском пальтеце и в меховых унтах, побежала прямо к нему и только у него на шее оказалась настоящей живой Ашкой.

В землянке с натопленной до отказа печуркой они лежали обнаженными, как это бывало в купе экспрессов или в люксах пятизвездных отелей где-нибудь на Кипре. Оба плакали и целовали друг другу мокрые щеки.

«Теперь ты понимаешь, что мы расстаемся с тобой надолго, если не навсегда», — проговорила она.

«Ну а что Ген? — спросил Макс. — Он знает, что ты прилетела сюда?»

Она вытерла простыней свое лицо и завершила свидание короткой фразой: «Да, он знает».

Через два часа после приезда она отправилась обратно, чтобы успеть на конференцию АОП.

Конференция проходила за гигантским круглым столом в одном из исторических кремлевских залов с лепными бордюрами на голубых стенах. Интересно, что этот исторический зал в течение нескольких советских десятилетий бытовал под не очень-то историческим именем, увековечивая одного из мелких большевистских вождей. Имя это так укоренилось, что и сейчас бытует в обиходе, несмотря на возврат к имперской истории.

Что касается аббревиатуры АОП, она по нынешним временам больше всего напоминает интернетовский сервер, ну что-то вроде America On Prime, а вот на самом деле перед нами не что иное, как Академия Общего Порядка. Что это означает, не так уж важно, а важно то, что АОП существует уже в течение нескольких лет на правах совершенно открытой общественной структуры, хотя и содержит в своем составе немало людей, которые еще недавно принадлежали к структурам совершенно секретным. В руководящих ее кругах с равными правами голоса заседают, например, некие маршалы, некогда пребывавшие в РВСН, что можно расшифровать только одним образом, а именно: Ракетные Войска Стратегического Назначения. Рядом с маршалами сидят там и генералы, ничуть не скрывающие, а, наоборот, гордящиеся своей принадлежностью к разведке и контрразведке. Чинов МВД тоже немало, но эти держатся попроще, то есть поконкретнее. Есть тут и специалисты по возрождающемуся подводному флоту, по атомной энергии, по космосу, по дипломатии, по исторической науке, которой придается особое значение в свете выработки окончательной национальной идеи.

Эти патриотически настроенные историки на текущем заседании АОП заслужили поистине восторженные аплодисменты, когда выдвинули новые теории происхождения государства российского. Согласно этим теориям, базирующимся на основательных исследованиях, варяжские князья IX—X веков, пришедшие на Русь и, в частности, приглашенные славянскими племенами на княженье в новгородские крепости, братья Рюрик, Синеус и Трувор, вовсе не принадлежали к скандинавским норманнам, то есть к викингам, а были самыми что ни на есть славянами балтийских побережий, да к тому же еще не северных побережий, а южных, то есть по-братски примыкающих. В отличие от злобных викингов, опустошающих Францию и другие страны Европы, наши были добрыми, то есть славянскими, да и говорили на языках, близких к основополагающему, русскому. Именно поэтому варяги и были приглашены на наши престолы: во-первых, добрые, а во-вторых, понятные в речениях. По каким-то не очень ясным причинам наши современные исследователи не коснулись этимологии слова «варяг», а ведь она лежит на поверхности: «враги», «вороги», «варяги». Нетрудно себе представить ужас, который испытывали береговые народности, когда, скажем, на излучине Волхова появлялись корабли с вооруженными до зубов экипажами. Варяги, вороги плывут! Айда сдаваться! Большой разницы между варягами и викингами, ей-ей, не заметишь. В этой связи вспоминается стих из одной повести 70-х годов XX века:

> Варяги мирно плыли в греки,
> Как будто бы не на разбой,
> Когда к ним вышли человеки,
> Светясь холщовой простотой.
> Они сказали: «Изобильно
> Здесь зверь бежит, летает гусь,

И пахарь успевает сильно,
И все сие зовется Русь.
Молодчики у нас могучи,
А старцы полны важных дум.
Скот на полях пригож и тучен,
Но вот порядка не имум.
Сор из избы метем мы чисто,
А лес не валим наобум.
Девахи наши голосисты!
А вот порядка не имум.
Века проходят за веками
Все без порядка, так нельзя.
Придите, княжите над нами,
Голубоглазые князья!»
Ей-ей, какие человеки,
Подумал головной варяг
И вынес на речные бреги
Хвостатый полосатый стяг.
Стояла жаркая погода,
Вздымались стяги из травы.
Безоблачное время года
Не предвещало татарвы.

....

Тысячелетие России.
Над тяжкой бронзой смуты шум
Иссяк. Века проколесили.
Теперь порядок мы имум.

Этот стишок по завершении исторического сегмента программы подсунул один деятель культуры, судя по мозолистым рукам, скульптор, другому деятелю культуры, судя по мозолистой одной руке, музыканту скрипичного цеха. Прикрывшись своими мускулистыми ладошками, деятели обменялись снобистским хихиканьем: неплохая, дескать, иллюстрация к современным течениям Евразии.

Надо сказать, что деятели литературы и искусства составляли значительную долю среди активистов АОП, и среди них было немало настоящих творцов, искренне приверженных своему жанру. Членство в общественной Академии давало им возможность самым решительным образом выдвинуться вперед. Вот, например, один из активнейших деятелей современной оперы, который до вступления в эту академию вынужден был со своей труппой ютиться на задах одного из мега-маркетов, добился исключительного по масштабам финансирования, что позволило ему отгрохать в пределах Садового кольца удивительное театральное здание со зрительным залом на тысячу сугубо индивидуальных, то есть полностью разных кресел.

Следует сказать, что в составе АОП был на данный момент и один существенный изъян. Недостаточно еще был представлен отчественный бизнес, и эта недостаточность, чтобы не сказать, почти полное отсутствие, вносила в работу Академии некоторый перекос, что давало возможность зарубежным СМИ предаваться сомнительным толкам: дескать, перед нами скорее правительственная структура, чем форум свободной общественности. Настало время как-то зашпаклевать этот изъян, рассуждали многие влиятельные академики. Нужно показать, что наш бизнес вовсе не зажат усилившимся государством, а на самом деле и он может внести в мыслительный процесс свои оригинальные идеи, иными словами, и капиталист может у нас предстать патриотом.

Именно на нынешнее заседание было решено внести идею этого сдвига. Не менее дюжины мест вокруг овального стола было оставлено за теми, кого еще недавно величали у нас на античный манер олигархами, а сейчас стали именовать какими-то продолговатыми титулами, более или менее сближавшими их с верхушкой новой империи. Из этих двенадцати стульев — в каком из них спрятано сокровище, пока неизвестно — девять были заняты с самого начала заседания, но три вот уже около часа пустовали, что вызывало среди некоторых академиков недоуменное переглядывание.

Вдруг в толпе стоявших в дверях представителей прессы произошло несколько ажиотажное движение и в зал быстро вошли члены триумвирата постоянно вызывающей в обществе всевозможные толки корпорации «Таблица-М». Следует сказать, что эта троица сразу создала в некотором смысле контраст к основному составу АОП. Среди довольно одутловатых и несколько аляповатых в своих высококачественных костюменциях академиков спортивные и слегка понтовые Ген, Ашка и Ясно выглядели как сущие денди XXI века.

Председатель собрания, то есть тот самый ракетный маршал — на самом деле он был далеко не первой шишкой в этом обществе, — нашелся, чтобы смягчить этот контраст некоторой насмешечкой. «Ну вот и наш комсомол!» — произнес он, намекая, что, когда вам за сорок, можно-де выглядеть чуток посолиднее. Зал посмеялся с несколько коварноватым дружелюбием.

«Просим прощения, господа, за непредумышленное опоздание», — сказал Гурам Ясношвили. И снова по залу прошли дружноватые хмычки, улыбочки, внимательные прищурки.

«Это я виновата, — сказала Ашка с весьма милой, хоть слегка и обезьяноватой гримаской. — Летела из Читы, однако пришлось задержаться из-за пурги».

«Ради такой женщины можно тут весь вечер просидеть, — вякнул маршал. — Вы на каком самолете летаете, мадам Стратова?»

«На обыкновенном, — ляпнула Ашка. — Ну на «Боинге».

Маршал с его медведоватостью напоминал прямого выходца из советской эпохи. Галантность его была тоже в этом роде.

«Ну что ж, марка самолета вполне отвечает вашей очаровательности, мадам».

Ген шепнул Ясно: «Видишь, какие тут дамские угодники собрались».

Тот ответил ему на тех же частотах: «Сдается мне, что тут одни миошники собрались».

Ген, Гур, Ашкей, вуз аве безуэн монте сюр л'ётр ниво...

«Ну, господа капспециалисты, на какой другой уровень нам надо подниматься? Если скажете правильно, попросим остаться до конца сходки. Если ошибетесь, тогда гуляйте», — так высказался Ген и мельком посмотрел на свои знаменитые российские часы «Высший пилотаж».

«Какого черта, Ген? — взъярился Дэйна. — Чего гадаться? Всякая будет понимать, надо выходить в администрация президента. Если ты хотел, я буду говорил с Шереметьев и Нарышкин!»

«Ты их знаешь?» — стрельнула глазками Ашка.

Дэйна приосанился. «Играем гольф тугезер! Хааарроший мужик оба!»

«Здорово! — воскликнул Ясно. — Давайте сделаем так: Дэйна, Жан-Люк, Генри и Сол прямо сейчас отправляются в Нахабино, играют вместе с графом и князем, а потом приглашают их на ужин. Во время ужина осторожно постарайтесь узнать, известно ли им о вызове в Прокуренцию. А мы пока потрем здесь по жизни на наш сугубо отечественный манер».

После ухода иностранцев Шок показал на ладони крошечный, как майская муха, элемент, очевидный продукт уникального сплава титана и иттрия. Практически этот прибор, если можно назвать такую крохотулю прибором, покрывал все пространство огромного кабинета и выводил все звуки на неизвестно где спрятанный уловитель. Шок накрыл его почти случайно, когда на всякий случай перед сходкой обходил кабинет с новой штучкой, магнитом-SM. Этот SM, то есть редкоземельный элемент самарий, придавал кусочку металла, размером не более мобильника Nokia, титаническую магнитную силу. Практически вечно невозмутимый Руслан Шокмуратов вовсе не пытался найти что-нибудь лишнее. Под видом избытка бдительности он испытывал свой новый искатель, только что запущенный в лабораторное производство. Даже он, донельзя умудренный в новой технологии, был поражен эффективностью магнита. Ну, скажем, стул с металлическими регуляторами, попав в зону действия прибора за десять метров, отлетал от стола, влекомый неудержимой жаждой соединиться с магнитом. И вдруг неизвестно из какой щелки вылетел и прилип к магниту крошечный «клоп», в котором можно было предположить исключительно экзотический сплав.

Все оставшиеся участники сходки подержали на ладони крошечный элемент, в котором явно присутствовал иттрий. Любопытно, ей-ей, это очень любопытно, враги начинают использовать против нас наши самые последние достижения.

Ну хорошо, теперь можно надеяться, что им остается только сосать свою лапу. Что будем делать с приглашением в Прокуренцию? Гена приглашают как свидетеля, однако Одарковского, Журавлева и Лезвина тоже по несколько раз приглашали как свидетелей, а потом вдруг предъявили обвинение и взяли под стражу. Не совсем так, ребята, Лезвина не успели. Он не пришел на последний вызов и улетел по туристической визе. Гэбуха лопухнула. Может быть, так и надо поступить, на лезвиновский манер? Пока не поздно, а, Ген? Между прочим, почему никто не обращает внимания на дату вызова? Прокуренция дает Гену и Гуру целую неделю. Не исключено, что кто-то намекает на возможность соскочить с крючка. Нужно уехать, предать это дело международной огласке, встретиться с друзьями, с деловым сообществом. Оставшимся в Москве будет легче действовать вне ссылок на руководство. К тому же никто из нынешнего совета не был задействован в деле «Случайного». Никто, кроме Сука и Шока, надеюсь, не забыли? Мда, вот это серьезный момент. Очень серьезный. Серьезный до чрезвычайности. МИО не забудет наших самураев. Может быть, им тоже надо уехать? Или. Что или? Или последовать за Алмазом?

Специалисты по охране, оба в черных майках, в споре вроде бы не участвовали, однако по твердокаменности их лиц можно было понять, что они поступят так, как скажут Ген и Ашка.

Итак, комсомольцы-добровольцы, мы сходимся вот на чем: не дожидаясь даты вызова, а именно сегодня или завтра, Гур, Ген и Ашка покидают пределы родины чудесной, а вслед...

«А между прочим, я никакой повестки не получала, — вдруг с улыбкой заметила Ашка и отбросила челку со лба. — Меня, очевидно, там не воспринимают как члена триумвирата. Меня, очевидно, там просто женщиной считают, а, значит, триумвират для них не связан со словом «три». А также между прочим хочу заметить, что эта тенденция намечается и в нашем ультрасовременном совете. Женщину щадят, терпят на совете, однако стараются не травмировать. — И вдруг гаркнула совсем не по-жен-ски, а скорее как-то по-атамански: — Так, что ли?»

Тут все зашумели. Да ладно тебе, Ашка! Ты прекрасно знаешь, как к тебе здесь относятся. Стоит тебе хоть слово поперек сказать, и переломишь всякую дискуссию. Ну скажи, как, ты считаешь, нужно действовать?

Она свела ладони вместе и склонила голову на манер женщины Востока.

«Пусть повелитель решит».

Муж улыбнулся, «спасибо тебе, Аш», и протянул к ней руку, как бы желая потрепать гривку, хотя при всем желании этого нельзя было сделать, не обежав большой стол.

«Вот видите, как по воле повелителя меняется мое имя, — со смешным смирением посетовала она. — Сначала я была Наташка, потом Ашка, теперь стала Аш, ну а потом от имени только одна гласная останется. Или одна шипящая».

Тут все расхохотались и поаплодировали супругам, как бы напомнившим им всем, что рано еще становиться занудами, да и вообще нет никакого повода занудничать, вокруг нас мир, полный великолепнейших редкоземельных элементов, и что такое в сравнении с ним какое-то письмо из свинарника.

«Давайте сделаем ход конем, — предложил Ген. — Один из вызванных поедет сейчас в Нью-Йорк и там предаст это дело международной огласке. Второй останется и явится на допрос в качестве свидетеля. Таким образом свинарник окажется в довольно двусмысленном положении. Уверен, что эта ситуация заинтересует «Коммерсантъ», не говоря уже об «Эхе Москвы», «Файненшл Таймс» и «Уолл Стрит Джорнэл». Какие будут мнения, братва?»

«Кто поедет и кто останется?» — нервно спросил Ясношвили. От прежнего веселья не осталось и следа. Он имел свойство в минуты сомнения и тревоги стремительно набирать возраст. Вот и сейчас он выглядел не на свои сорок, а на все шестьдесят. Орлиный нос навис баклажаном.

«Поедешь, конечно, ты, брат, — мягко сказал Ген. Он и в самом деле за эти годы полюбил однокурсника по-братски. — Останусь я. В назначенное время мы придем с Ашкой в свинарник. Немедленно после допроса мы выйдем с тобой на связь».

«Я знаю, почему должен ехать я, а не ты. — Гурам поднялся со своего места и быстро стал ходить, почти бегать по кабинету. — Тебе кажется, что я в Москве подвергаюсь большей опасности, чем ты; признайся! Хочешь вывести меня из-под огня? Это после стычки с тем миошником в Кремле, с Ихтой, ну да? Я не могу об этом даже думать; вы понимаете, Ген Эдуардович? И вы все, комса, как я могу отсекаться от вас?! Все! Я ухожу!»

И вылетел в дверь, не завершив одного из своих стремительных кругов.

Через несколько минут Ген позвонил ему на мобильный. Послушай, Ясно, давай встретимся сегодня вечером у нас. Нет-нет, Ген, только не сегодня, ответил тот. Я на ходу. Ты где? Да вот сейчас, вот в эту говенную минуту, выезжаю из гаража. Еду в Нахабино. В Нахабино? Вот именно в Нахабино.

В аристократическое общество? Ты правильно понял, в него, в сердцевину! Пока, я тебе отзвоню завтра утром.

Не отдавая себе отчета, не понимая зачем, Ген быстро прошел к стеклянной тонированной стене. Ах да, вот в чем дело — надо посмотреть, он сам за рулем или едет с шофером.

Через минуту из гаража выехал любимый вездеход Гурама, «Хаммер» оливкового цвета. Он сам сидел на заднем сидении. За рулем был телохранитель Глеб. Больше вроде бы никого в этой огромной тачке не было, если никто не лежал на полу. Дикое предчувствие охватило Гена. Неужели это может произойти вот прямо сейчас под нашими окнами? Он услышал за спиной стук каблучков Ашки. На бегу она кричала: «Сук! Немедленно! Высылай ребят!» Сук тоже подбегал к стене, кричал в свою рацию: «Разыщите Подцероба, пусть выезжает с тремя ребятами. Догнать машину Ясно! Оранжевая готовность! ОО на изготовку!»

Оливковый вездеход описал полудугу, огибая клумбу. На выходе из полудуги под кузовом, между колесами, полыхнул огонь. Взрыв оказался настолько сильным, что машина взлетела в воздух и только после этого упала на бок, на клумбу. Затем взорвался бензобак, залитый «под завязку». Из гаража не на колесах, а на своих родных двоих выскакивала команда Подцероба. Увы, они не успели обеспечить оранжевую готовность и защитить председателя Ясно. Из-за затемненных окон пятнадцатого этажа все это было похоже на компьютерную игру.

VII. Прокуренция

Среди промелькнувших во мраке портретов одним из самых ярких для узника Стратова был слегка пошевеливающийся портрет замглавпрокурора генерала-лейтенанта Колоссниченко Светланы Устиновны. Если взвешивать на патриотический манер, в ней было пудов ажник семь. На общепринятый манер можно было килограммчиков десять сбросить.

Так или иначе, в своем голубом мундире с двумя большими звездами, с миленькими сережками-слезками в сочных мочках чуть-чуть подсохших ушей, с солидной башней начесанных волос, сближавшей ее с античным женским персонажем по имени Лизиска, в цейсовских очках, за которыми то расширялась, то сужалась негустая голубизна ее очей, Светлана Вячеславовна естественно олицетворяла стабильность да, пожалуй, и непреклонность нашей правоохранительной системы. Экий монстр, поскрипывал зубами узник, экая «Славянская Джоконда»; любила ли она, страдала ли, рожала ли, производила ли детей?

В тот день, когда Ген предстал перед ней в качестве свидетеля, Колоссниченко продемонстрировала ему всю массу своего женского обаяния. Он очень ей понравился, этот зловещий ультрабогач, враг трудового народа. По секрету говоря, Коллегия давно уже его приговорила, а вот Светлане он понравился, такой, каким он оказался, — по-юношески худой, с седыми висками, похожий на одного кинорежиссера-невозвращенца, которого так и не удалось осудить за измену Родине.

«Очень приятно с вами познакомиться, Геннадий Эдуардович», — сказала она.

«Я не Геннадий, а Ген», — поправил он.

«Ой!» — всплеснула руками она.

«Что «ой»?» — поинтересовался он.

«Да ведь у нас вы по всем бумагам проходите как Геннадий. Признаться, думали, что Ген — это кличка».

«Нет, это не кличка, а имя».

«А ведь в святцах, наверное, и нет такого имени, Ген Эдуардович? Ген Стратов — это ваше собственное имя или такой псевдоним интересный? Стратовы — это какого же корня фамилия?»

«Из греков».

«Это надо же, как интересно! Вы, значит, из греков?»

«А что в этом особенного? Ведь вы, кажется, тоже из греков?»

«Я?! Из греков?!»

«Да я вот на ваших дверях заметил фамилию — Колоссниченко, с двумя «с». Разве это не от Колосса?»

«Ой, а я-то всю жизнь думала, что от колоса хлебного».

«Значит, не от Колосса Родосского?»

«Да что это вы, Ген Эдуардович, так странно подшучиваете над... — Она чуть не промолвила «над бедной женщиной», но вовремя проскочила опасный риф: — Над государственным прокурором?»

Молчание. Он разводит руками. Она углубляется в какие-то бумаги. Он покашливает и в ответ на ее взгляд делает прелюбезнейший жест ладонью: дескать, алле-оп!

«Так что ж, господин Стратов, давайте по делу?»

«Давайте».

«Жаль все-таки, что вы один пришли».

«Но вы, конечно, знаете, почему Ясношвили не пришел».

«Я что-то слышала, но не совсем в курсе. Может быть, просветите?»

«Он попал в теракт».

«Во что попал?»

«В террористическую акцию. Его автомобиль был взорван».

«Ах да, я что-то слышала. Но ведь, кажется, остался жив, верно? Все в порядке с ним?»

«Жив, но не в порядке. Погиб Глеб».

«Это как понять? Какой еще Глеб?»

«Это наш друг, водитель».

Несколько секунд они молча смотрели друг на друга. Не пойму, какого цвета у него глаза: то зеленые, то темнеют до карих.

«А вы знаете, господин Стратов, мы с вами чуть было не познакомились однажды. В девяностом году меня послали из Пролетарского райкома ВЛКСМ на ваш семинар в ЦК. Кажется, на тему о молодежных движениях Запада. Я так это событие предвкушала, однако попала в затор из-за демонстрации. Помните этот кошмар — миллионные толпы на улицах?»

«Значит, вы тоже из комсомола? — Он усмехнулся. — Любопытное совпадение, вы не находите?»

«Да, — с какой-то отрешенностью произнесла она. — Любопытное, любопытное совпадение».

Странная бабища, подумал он, то подбирается, как кот к добыче, то разыгрывает советскую светскость, то зловещина в ней мелькает, то простоватость.

«Жаль, конечно, что с Гурамом Ушангиевичем стряслась такая беда, — сказала прокурорша и заглянула в бумаги явно для того, чтобы проверить, правильно ли назвала грузина. Да, не ошиблась: У-шан-ги-евич. — Конечно, если бы вы были вдвоем, Ген Эдуардович, больше бы было пользы делу. Двое свидетелей, как вы догадываетесь, всегда дополняют друг друга».

«Да я как раз вдвоем к вам пришел, госпожа Колоссниченко. Мы вместе с женой приехали, с Аш... то есть я хотел сказать, с Натальей Стратовой».

Некоторые реакции генерала-лейтенанта при всех ее габаритах своей молниеносностью заслуживали истинного восхищения. В данном случае она мгновенно перекинула налево несколько листов бумаги, уперла указательный палец в нечто искомое и тут же разыграла неслыханный восторг:

«Как? Наталья Анатольевна здесь?! Да где же она?!»

«Она у вас в приемной. Со мной ее не пустили».

Светлана Вячеславовна тут вскочила и прямо побежала через весь кабинет. Обута она была в огромного размера кроссовки «Найк». Распахнула дверь, басовито возмутилась: «Да вы что, девчонки, «Аргументы и факты» не читаете?! Госпожу Стратову не узнали?! Наталья Анатольевна, милости просим!» И даже дверь попридержала, чтобы пропустить столь желанную гостью.

Ашка быстро вошла, вся в тщательно подобранных туалетах от «Селина». Почему-то первым делом осмотрела стены: Путин, Дзержинский, Столыпин. Позднее она сказала мужу, что отбор лиц был явно не случайным. Три исторических деятеля были связаны друг с другом каким-то странным способом. Даже Столыпин? Вот именно и Столыпин тоже. Крутизной обладал, не дай Боже. Вспомни: «столыпинский галстук», «столыпинский вагон»... В кулисах где-то припрятан злодей Богров. Его не успели замочить в сортире.

Гостья протянула руку любезной хозяйке. «Рада с вами познакомиться, Светлана Вячеславовна». Ген с интересом наблюдал за встречей двух женских персон. Огромная прокурорша смотрела на тоненькую олигархиню с явным восхищением. Не хватает только полупрожеванной стрекозы.

«Вот видите, Ген Эдуардович, как ваша супруга просто и мило адресуется по имени-отчеству, а вы все «госпожа» да «госпожа». Садитесь, Наталья Анатольевна, вот в это кресло, прямо напротив вашего благоверного».

Смущенная секретарша внесла тут поднос с боржомами, на этом мизансцена полностью устаканилась. Ген непринужденно, с пузырящимся в руке, уточнил ситуацию:

«Вы, конечно, Светлана Вячеславовна, как читатель «Аргументов и фактов», знакомы с иерархией нашей корпорации «Таблица-М». Она возникла еще в те времена, когда мы втроем, я, Гурам и, хм, Наталья Анатольевна, организовали торговый кооператив. Мы тогда и не помышляли о редкоземельных элементах, а торговали тем, что подвернется под руку: кетчупом, кассетами, кожаными выкройками... У всех троих были равные права, и так мы дожили до серьезных дел, то есть до редкоземельных элементов. Тогда на собрании акционеров нас троих утвердили как руководящий триумвират. С тех пор в корпорации управленческий аппарат усложнился за счет как отечественных, так и иностранных специалистов по нашей отрасли, однако триумвират периодически продолжал утверждаться на всех уровнях. Что касается Натальи Анатольевны, она обладает таким же сильным голосом, как я и Ясно, то есть как Гурам Ушангиевич».

Едва он закруглил свой параграф, как Ашка внесла в дело еще большую ясность: «Иными словами, Светлана Вячеславовна, вы можете меня задним числом включить в ваше расследование как свидетеля».

При этих словах прокурорша как-то сразу погрузнела и помрачнела. Похоже было на то, что ей не очень-то хотелось переходить от светских любезностей к расследованию.

«А что же с господином Ясношвили, он что же, отпадает?»

«Надеюсь, нет, — сказала Ашка. — Сейчас он в тяжелом состоянии, но если выкарабкается... — Она быстро перекрестилась, что вызвало в прокурорских очках некоторую вспышку изумления. — ...Если он преодолеет свои увечья, он, должно быть, сможет присоединиться к расследованию».

«Где он сейчас?» — с нарастающей мрачностью поинтересовалась Колоссниченко.

«Он в госпитале, в хирургии», — ответила Ашка, не спуская глаз с прокурорши. Она понимала, что приближается один из самых важных для следствия вопросов.

«За границей?» — последовал этот вопрос.

«На этот вопрос мы не ответим», — отсекая все любезности, сказала реальная хозяйка «Таблицы».

«Но почему же так? Ведь мы, Наталья Анатольевна, разбираем важное дело».

«Местонахождение тяжелораненного Ясношвили не относится к этому делу. А вот подрыв его автомобиля, без сомнения, к этому делу, то есть к захвату прииска «Случайный», относится».

«Это как же прикажете понимать?»

Прокурорша Колоссниченко смотрела теперь только на изящную дамочку Стратову. Во взгляде ее, как сейчас говорят, «было много чего намешано». Во-первых, ощущалась основательная обида. Экие, мол, благородные, в свою стильную среду, с какого бока к ним ни подступись, не допустят. А сами жулики, расхитители народных недр; редкоземельными элементами только прикрываются. Во-вторых, нарастающая угроза. Скоро увидите, субчики, как мы растрясем ваши миллиарды. Зона по вам плачет. Неумолимый закон простирает над вами свою карающую длань. И, в-третьих, чувствовалась странная, с трудом превозмогаемая похоть. Огромная бело-розовая плоть, казалось, даже подрагивает от желания подмять под себя собеседницу, добровольную «свидетельницу», лобзать ее без конца, сжимать так, чтобы затрещали косточки, запустить лапу ей под юбку, сгрести там все, жать, сосать всякие там ушки, губки, пупочек, хоханчик, стонать от недостатка анатомии...

Ашкины глаза сузились, она, казалось, поняла все три основных составляющих того, «что там намешано». В ней что-то проглянуло уголовное, в этой прокурорше, генеральше и, уж конечно, докторе юридических наук. Нетрудно, ей-ей, представить ее в женском бараке ГУЛАГа в роли «кобла».

«Ну что вы, Светлана Вячеславовна, как-то странно так разгорячились? Давайте будем все держаться в рамках юриспруденции. А понять то, что случилось с Ясноншвили, нетрудно. Ему отомстили миошники, устроившие захват прииска «Случайный».

«Спасибо, Наталья Анатольевна, что вы напомнили мне о рамках юриспруденции. — Кресло скрипнуло, прокурорша развернулась в сторону Стратова. — А вы, Ген Дуардович (звук «Э» ей никак не удавался, как и многим ребятам из охраны), разделяете мнение супруги? Тоже на пресловутых миошников гневаетесь?»

«Не то слово, Светлана Вячеславовна, — спокойно ответил Ген. — Не гневаюсь, а презираю».

«Очень жаль, товарищи комсомольцы, что вы, такие интеллектуальные, подхватываете обывательские сплетни, которыми кишит город. Нет никаких таких миошников».

«Скажите, а какие временные рамки устанавливает закон для опроса свидетелей?» — поинтересовался Ген.

«Два сегмента по сорок минут с перерывом десять минут, — спокойно ответила генерал, после чего склонилась отвисшей нижней губой к селектору и пробормотала что-то совершенно нечленораздельное. Кабинет почти немедленно заполнился голубыми мундирами. — Это мои помощники — подполковник Усач, майор Аль-Бородач, капитаны Гопелкина и Скромнопятская. Дальше с вами будут работать они, а к концу я вернусь, чтобы согласовать дальнейшие сессии».

Она отошла к стене и вдруг растворилась меж книжных полок. Ген, который сидел спиной к той стене, даже и не заметил столь поразительного исчезновения. Что касается Ашки, она так обалдела, что несколько минут даже не могла ответить на формальные вопросы чинов Прокуренции. Самое удивительное было в том, как мягко восстановились стены. Что касается Дзержа и Петра Аркадьевича Столыпина, то они лишь чуть-чуть качнулись. Президент Путин не качнулся вовсе. Ашка слегка оттянула мужнино ухо и шепнула в глубину органа: «Ты меня любишь?» Он оттянул ее противоположное ухо и с шекспировской ядовитостью влил в него свое: «Даже больше, чем Ранис Анчос Скова Жаромшоба». Чины Прокуренции невозмутимо пронаблюдали обмен ритуальными олигархическими (они не знали, что габонскими) знаками внимания.

Дальше началась довольно занудная процедура формального опроса. Кто командовал тюменским СОБРом? Сколько в нем было бойцов рядового и офицерского составов? Где утверждалась эта экспедиция? Согласовывалась ли она с главой поселка Случайный? Кто тогда был главой? Где он сейчас?

Какое вознаграждение выплачивалось бойцам быстрого реагирования и кем? Можете ли вы утверждать, что финансовые органы «Таблицы-М» не участвовали в выплате вознаграждения милиционерам? Можно ли предположить, что вознаграждение выплачивалось из частных средств? По некоторым сведениям, в операции по подавлению общественной активности трудящихся прииска участвовал агент по имени Максим Алмазов; можете ли вы это подтвердить или опровергнуть? Соответствуют ли истине сведения о том, что данный гражданин в течение последующих шести лет являлся активным сотрудником вашей корпорации? Где в данный момент находится Алмазов? Фигурирует ли он по сей день в платежных ведомостях «Таблицы-М»? Известно ли вам, что корпорация «Сиб-Минерал» возбудила в правоохранительных органах дело о привлечении Алмазова к уголовной ответственности?

Подполковник с безучастным выражением лица выслушивал ответы свидетелей. Майор время от времени делал пометки в гроссбухе, который принес с собой. Одна из капитанов вела стенографическую запись, другая отвечала за магнитофонную запись, а также время от времени включала видеокамеру. В перерыве Стратовы прошли в буфет заведения и съели по бутерброду с сыром, подсохшие ломтики которого, как в старые добрые советские времена, проявляли тенденцию к искривлению вверх. В конце опроса появилась Колоссниченко и со скучающим видом подписала пропуска на выход. На этот раз она вроде бы прошла через реальные двери кабинета, однако портрет П.А. Столыпина все-таки чуть-чуть содрогнулся.

Пока шли по коридорам, Ген все старался не произнести вертящуюся в башке одну из главных фраз русской литературы: «...и вы, мундиры голубые...» Вот произнесешь ее на людях, и будут люди усмехаться: Стратов-то, а? Каков! Сразу цвет подметил и цитату вспомнил! Он поглядывал на идущую рядом жену и был уверен, что она тоже в уме бормочет: «И вы, мундиры голубые». У них давно уже, как и у всех ветеранов женитьб, проявлялось частое совпадение мысли и слов. Ну, например, оба могут одновременно произнести: «А что, если сегодня на Спивакова сходить?» — и так далее.

В лифте Ашка чуть-чуть повисла у него на плече. «Знаешь, эта баба, ну, Светланка-то, мне иногда казалось, что она может меня вые...ть».

От этой фразы у него сразу все вздыбилось, он даже как-то нелеповато завозился, поправляя носовой платок в кармане брюк. «Мне тоже так показалось, когда вы так мило любезничали. Быть может, это был мужчина женского рода, а? Тебе не приходило в голову, что слово «мужчина» вообще женского рода? — Вдруг ни с того ни с сего по-английски: — It has a totally female ending, hasn't it?»

С этими словами они вышли из лифта. Ашка лукаво поглядывала на Гена. «Ты, кажется, опять заторчал, мой дорогой? Неужели не надоела, двадцать лет уже изводишь. Подумал бы о теннисистке Стомескиной, сохнет ведь девушка».

«Ну что мне делать, если я только тебя хочу? Клинический случай моногамии».

«Ген, давай заведем особую кнопку на мобильниках, ну, скажем, восьмерку. Нажимаешь — и сразу звучит всенародная песня: «Ты скажи, ты скажи, чё те надо, чё те надо. Может, дам, может, дам чё ты хошь».

И с этими словами, глядя друг на друга, смеясь и пылая, они вышли в обширный двор прокурорского подворья. Там уже вытягивался к выездным воротам их эскорт: джип, «Бентли» и еще два джипа в арьергарде. Возле одного из внедорожников их ждали статные, ловкие и верные без страха и упрека Сук и Шок, которые и сами уже получили повестки в прокуратуру.

«...И вы, мундиры голубые...» — произнес один.

«...И ты, послушный им народ», — завершил другой.

Ну теперь эту цитату будут повторять все мушкетеры капитана де Тревиля, подумал Ген, а Ашка немедленно произнесла его мысль вслух.

По дороге из прокуратуры Ген попросил секретаря-оруженосца Глазенапова соединить их с Ясно. Расторопный хлопец мгновенно протянул на заднее сидение две трубки. Кодированная система связи работала безукоризненно. Голос Гурама звучал так, как будто он успел поменяться местами с Глазенаповым.

«Как понимаю, вы еще на воле, генацвале? Какое общее впечатление от собеседования со столпами закона?»

«Цирк, — ответил Ген. — При встрече расскажем в деталях. Обхохочешься».

За прошедшую после взрыва неделю в жизни уцелевшего произошли немалые изменения. Из частной клиники на Миуссах он в почти бессознательном состоянии был переброшен в калифорнийскую клинику «Санта Саманта», которая являлась своего рода центром восстановительной хирургии, протезирования и трансплантации. Через день ему там удалили размочаленную до колена правую ногу.

В последующие дни хирурги при помощи своей ультрасовременной техники пытались восстановить почти оторванную кисть левой руки. Несколько капельниц и приборов окружали ложе «Ясновельможного Ясно», как его любила называть вся корпорация. С этого ложа, стоящего в центре круглой, салатного цвета комнаты, он мог видеть в круглом окне качающиеся под ветром верхушки кипарисов, океанский горизонт и небо, небо, небо, в котором на закате иногда появлялись инверсионные следы патрульных джетов.

Иногда ему казалось, что он летит вместе с ними, то есть замыкает тройку лохматых орлов. В другой раз он отпускал тех двух, а сам начинал снижаться, покачивая слизистыми боками, боясь снова взорваться до мельчайших ошметок, которые уже никак не соберешь. Почему меня всосал бесконечно плоский Север, думал он, какого хрена дался мне этот процесс искривленного, как серп и молот, роста?

К этим бормотаниям Ясновельможного Ген и Ашка относились до слез отрицательно. Жену Кето, которая там всегда тихонечко сидела рядом с постелью, увещевали сбивать Гурама с потусторонних сальвадородалиевских глюков, стараться говорить на бытовые темы. Говори с ним о протезе, Кетошка, о том, какие сейчас бывают чудо-протезы. Однажды позвонили и вдруг слышат — Кето заливается колокольчиком, а ей вторит барабанчиком хохоток мужа. Ой, Ашка, вообрази, я ему говорю, какие сейчас бывают протезы, такие, что будет ходить, как обыкновенный муж, никто и не заметит под брюками его протез, а он мне отвечает: а без брюк, а без брюк-то будет заметно? Ашка тогда присоединяется к веселью: а без брюк, Гурамчик, будет уже зависеть от другого органа.

Насчет левой кисти, говорит Гурам, врачи обещают даже больше оптимизма, чем насчет протеза. Говорят, что будет восстановлена на 35 процентов. Представляешь, Ген, левая будет на 35 процентов! Ген тогда по кодированной связи внедряет в друга оптимизм: ты, главное, береги свой хук правой, Ясновельможный, понял? Это я понимаю, серьезно отвечает Гурам, хук правой буду беречь. В общем, без правой ноги и с 35 процентами левой кисти он шел на поправку. Такая была закалка у тифлисской комсы конца 70-х. Он помнил те времена. Стычки с армянами, которые чаще всего кончались общим застольем. Песенки той поры:

> Через годы, через расстоянья,
> На любой дороге, в стороне любой
> Песня к нам приходит на свиданье,
> Песня не прощается с тобой.

«А все-таки о чем в основном шла там речь, ребята? Какая маячила основная тема, вы почувствовали? Прииск?»

Ген и Ашка чуть-чуть замялись с ответом, но потом она сказала: «Ну с прииском у них, похоже, вопрос решен. Шьют дело о подкупе СОБРа и о разгоне собрания трудящихся, поголовно влюбленных в «Сиб-Минерал».

Ген добавил: «Наши ответы по этому делу их не особенно интересовали. Глазки начинали мелькать только тогда, когда спрашивали, где находишься ты и... и...»

«И где находится Макс», — сказала Ашка.

«Гурам, — произнес Гурам. Так он часто говорил, когда надо было сказать «Ясно». — Я давно вам говорил, что органы проедены миошниками. Вот вам и Мышь-Игуана-Опоссум».

«У тебя есть дом в Калифорнии? — вдруг спросила Ашка. — Нет? Пусть Кето откроет «Эл-Эй-Таймс» и найдет там для вас большой шикарный дом».

«Гурам, куда ты клонишь, сестрица! Нет, я вас так не брошу. Пятиногий триумвират еще себя покажет! — Он помолчал немного, а потом заговорил элегическим, грустным, душу разрывающим тоном: — А вообще-то ничего хорошего там, на «постсоветском пространстве», не будет. Исторический контракт, который мы подписали пятнадцать лет назад во Фрунзенском райкоме, растоптан носорогами. В принципе, надо переносить штаб-квартиру в Габон. Там духи джунглей во главе с королем Ранисом не дадут нам пропасть. Под сенью вулкана построим поселок, соберем всех детей, всех друзей и там ощетинимся.

Вы помните, ребята, лет пять-шесть назад был один такой господин Окселотл, в прошлом литературный беженец. Он, между прочим, когда-то дружил с моим отцом. Я был тогда еще маленьким, пацанчиком, гонял по тбилисским холмам на самокате, однако хорошо помню, как они кутили все ночи напролет, как дрались с какими-то антисемитами, а потом все вместе гремящим хором в стиле «кременчули» голосили песни. Когда его выслали из СССР, мне было уже двадцать лет и меня почему-то очень интересовала тогдашняя диссидентщина. Отец мне много рассказывал про этого сочинителя, его все звали на разный манер — то Васькой, то Силь-Палычем, то Власом, то Стасом, то Баззом, а то и Таком Таковским. И вот он вдруг мне звонит...»

«Куда он тебе звонит, Ясно?» — спросил Ген. Ашка молчала, прижав ладонь к губам. Кавалькада, включив все мигалки и крякалки, медленно проби-

ралась через очередную пробку на Садовой-Само-
течной.

«Да вот сюда, прямо на мой параплан, — хохотнул Гурам. — Ну я шучу, конечно. Звонил он прямо
на тот код, по которому я с вами говорю».

«Но этого не может быть! — вскричала Ашка. —
По этому коду только мы с тобой можем разговаривать!»

«Как сказать, — теперь уже хихикнул больной. —
Однажды группа американских богачей, о которых
он тогда писал, брела по калифорнийской пустыне
в метаморфозе абсолютнейших бродяг. Они вошли
в заброшенный город, что когда-то возник у сереб-
ряных рудников. Возле пустынной проржавевшей
гэз-стэйшн «Ситго» висел проржавевший телефон-
автомат. Когда они к нему приблизились, он зазвонил. Оказалось, что это звонит наугад из Израиля
дочь одного и невеста другого. Так что такие вещи
случаются, друзья. Вероятность идет в миллионных
долях, однако она существует...»

«Что он тебе говорил, этот Базз Окселотл?» —
спросили они в один голос.

«Он говорил, что нам всем надо уехать оттуда
навсегда. Исторический контракт уничтожен, так
он сказал. Нарастает нацистская перестройка. Нас
могут засунуть в какие-нибудь урановые шахты. Пока не поздно, надо сваливать куда-нибудь... ну на
какой-нибудь остров, что ли... Увы, говорил он,
Остров Крым у нас перехватили... Нет, о Габоне не
говорил. Говорил о каком-то Бон-Рице, я о таких
рицах пока не слышал... Нужно там, говорил он,
всем собраться и ощетиниться...»

На этой фразе Ясношвили замолчал. «Кето, возьми телефон!» — закричали Стратовы. «Тише, — ответила грузинская супруга. — Сейчас вошла сестра
и добавила седативов».

Через год после этих событий «Боинг-756» президента корпорации «Таблица-М» на обратном пути из Японии сделал посадку — с понтом для дозаправки — в Иркутске. Предстоящий перелет в Домодедово должен был завершить едва ли не кругосветное путешествие Гена Стратова. Вначале он перелетел из Москвы в Лондон вроде бы для участия в семинаре крупнейших изготовителей стали и сплавов. На самом деле и сам семинар был задуман владельцами гигантских корпораций Arselor и Mittall Steel лишь для того, чтобы посекретничать с Геном Стратовым в свете все усиливающегося на него давления российских правоохранительных органов. В последние месяцы не только Прокуренция, но и Генпрокуратура с удивительной регулярностью устраивали маски-шоу с выемкой документов в штаб-квартире «Таблицы». Сохранившие хоть некоторую независимость газеты сообщали, что готовится полный развал российского бизнеса редкоземельных элементов. Некоторому числу работников охраны во главе с Суком и Шоком были предъявлены обвинения в убийстве каких-то неведомых сибирских деятелей. Пока еще они оставались на свободе с подпиской о невыезде.

Ген такой подписки еще не был удостоен, поэтому и собрался в путешествие. Он понимал, что корпорация да и сами ее руководители целы только благодаря поддержке коллег по мировому бизнесу. Эти люди не будут показывать рогульку V for Victory, носить майки с надписью «Ура «Таблице-М»! » или выкрикивать, стоя в пикетах: «Руки прочь от Стратовых и Ясно!» Им достаточно на разных званых ужинах, в том же Давосе, показать российским заправилам, которых они называли запросто Владом, Алексом, Майком или Сержем, что они в курсе дела и что это дело им не нравится, и тогда, возможно, процесс демонтажа будет либо ограничен, либо остановлен окончательно. С этими людьми считается даже кремлевская верхушка. Вот, например, сам мистер Миттелл, индус из касты браминов; недавно он выиграл колоссальный аукцион на Украине, выложил астрономическую сумму и стал владельцем криворожского металлургического гиганта, обеспечив таким образом работой несколько десятков тысяч еще оставшихся от советских времен профессионалов. Естественно, его авторитет подскочил до уровня мировых лидеров, а может быть, и выше.

В Лондоне, встретившись с Геном, он у всех на виду обнял его как брата. «Послушай, Ген, давай погуляем сегодня вместе в парке Сент-Джеймс», — предложил он. Запросто, как магнат с магнатом, они прогуливались среди публики вокруг прудов с фонтанами и изящными лебедями. Оба молодых человека среднего возраста обладали некоторым изяществом, свойственным хорошо тренированным джентльменам. Миттелл был слегка похож на некоторые портреты Бориса Пастернака. В Лондоне, как всегда, царила солнечная погода. Можно было вытащить руки из рукавов и подвесить освободившиеся пиджаки на худощавые плечи. В некотором отдалении, не соприкасаясь друг с другом, прогуливались две группы дюжих парней, которым по роду службы запрещается вылезать из пиджаков.

Ген рассказывал Миттеллу о своих катавасиях. Тот с большим пониманием прислушивался. «Послушай, Ген, а что, если я поговорю о твоих катавасиях с Владом? Или с Сержем?» Ген кивал: не помешает, ей-ей, вреда не принесет.

«А вот Майк или Алекс — это подходящие люди?» Ген кивал: названные сокращенными именами — вполне интеллигентные, ну, словом, полностью адекватные люди, однако, друг мой Миттелл... «Вот именно, дружище Ген, это «однако» тревожит меня больше других обстоятельств. В России, а впрочем, и в Украине мне всегда кажется, что за приятными джентльменоподобными людьми маячит какая-то не теневая структура». Ген остановился и даже слегка присвистнул от такой проницательности индийского друга, построившего многонациональную металлургическую империю своими собственными руками.

В этот момент в чугунно-кружевные ворота парка вбежала толпа папарацци. Кто-то им капнул, что Стратов и Миттелл прогуливаются вместе в парке Сент-Джеймс. В другое время этих фанатиков скоростного увековечивания немедленно бы оттеснили случайно прогуливающиеся поблизости молодые люди в пиджаках, в тот день фанатикам даже стало скучно — никто их не трогает, а значит, кто-то заинтересован в публикациях; ну, значит, и цены за фотку будут ниже. В воротах парка магнаты влезли в свои пиджаки. Галантнейший Миттелл не замедлил передать привет «Леди Эшки».

Из Лондона Ген перелетел в Токио и там повстречался с представителями бизнеса высоких технологий, до чрезвычайности заинтересованных именно в сибирских разработках самария и неодима. Сидя на татами за сменой изысканных блюд, Нагоя-сан, Энерго-сан и Рантраяки-сан восхищались виртуозным умением, с которым Ген орудовал палочками. Между тостами, обменом шутками и взрывами смеха трое могущественных производителей японского архипелага как бы между делом интересовались позицией Влада-сан, Алекса-сан, Сержа-сан и

Майка-сан по поводу развития идустрии Rare Earths в нынешней России. Готовился официальный запрос в соответствующие учреждения.

Затем, как перемещались на Запад, так и продолжили, ибо и в Токио из Лондона летели, в общем-то, на Запад с небольшим отклонением к Северному полюсу. Прибыли в Иркутск и тут вспомнили, что вот здесь нужно подзаправиться керосином и виски «Джек Дэниэл» для сопровождающего штаба. Пока экипаж занимался всеми этими делами, Ген отправился погулять по городу с эскортирующей его полет красавицей Стомескиной. Хохотали, немножечко бузили в нескольких заведениях, где как бы ненароком встречали скандально знаменитого и почитаемого олигарха представители местной, как сейчас говорят, элиты. Состоялось также возложение венка к памятнику герою российского флота адмиралу Колчаку. После этого остались ну вроде бы вдвоем и случайно на колхозном рынке над бочкой с отменными пупырчатыми огурцами натолкнулись на великолепный экземпляр сибирского бородача. Тот извлек из широченных шаровар чуть початую бутылку «Кристалла», гаркнул на весь торговый павильон: «Старатели Бурятии приветствуют легендарного Страто! Эх, Ген Дуардович, все мы братия по Бурятии. Давай выпьем!» Огуречная тетка, хорошо знавшая нравы иркутской бродячей братвы, тут же подсунула им три слегка занюханных граненых стакана. Сблизив стаканы, они сблизили и лица. В глазах у бородача сверкнули искры, как будто слетевшие с созвездия Плеяд. Он прошептал: «Ах, Ген, как я счастлив тебя наконец-то увидеть!» И прикоснулся щекой слегка к лицу Стомескиной: «Ах, Ленка, как я счастлив, что вы наконец-то вместе!» В ответ магнат и его эскорт одновременно прошептали: «Ах, Макс!»

Прикончив бутылку, они втроем вышли из павильона. Вокруг кишела многонациональная толпа. Преобладали китайцы. Кто-то спросил: «А это правда, товарищ Стратов, что вас от границы ведут патрули ВВС?» Ответа не последовало. Ген и Макс шли рядом, не разговаривали и не смотрели друг на друга, но каждое соприкосновение их плеч говорило что-то об Ашке, или, как ее недавно стали называть в Лондоне, Леди Эшки.

Подъехали два джипа, из них выскочили стратовские ребята. «Ген Дуардович, нам пора!» Они стали умело отсекать толпу. Перед тем как сесть в машину, Ген и Лена Стомескина оглянулись. Бородача уже и след простыл. В машине девушка забралась на колени к своему покровителю. Эрмесовским платком она вытирала ему мокрое от слез лицо.

В аэропорту их провели в зал VIP. Там стоял спиной к ним взвод мужиков в штурмовой экипировке с надписью меж лопаток: «ФСБ». Подошли трое молодчиков в голубых мундирах. Один из них протянул лист бумаги. Другой произнес любезнейшим тоном: «Гражданин Стратов, нам приказано предъявить вам ордер на арест. Извольте следовать за нами». Третий только поднял руку. Взвод сделал поворот кругом. На груди у всех висели короткоствольные автоматы. Морды были спрятаны под черными масками. Быстро перестроились и стали двигаться на выход, имея в сердцевине банды арестованного. Тот двигался вместе с ними, держа свой нос в ладонях: от двух солдат невыносимо несло казарменной вонью. С этого момента началось его бесконечное противостояние тюремным запахам. За его спиной между тем происходило избиение его охраны железными прикладами. Последнее, что увидел Ген из вольной жизни, был его «Боинг» с двумя трапами, щедро облепленными черными тараканами.

VIII. Кардинальные перемены

С того времени прошел, почитай, полный год. Все, что описано в предыдущих главах, набралось у меня в результате мимолетных воспоминаний, чтения газет, телефонных разговоров, а главным образом в результате воображения, то есть в данном случае домысливания. За несколько дней до текущего момента я натолкнулся на статью в журнале «Форбс». Она называлась Rare Russian. В ней было довольно много путаницы, а то и просто неверной информации. Например, говорилось, что в школьные годы Ген Стратов был культовой фигурой среди советских подростков. Деятельность молодого дипломата Стратова вызывала крайнее недоумение у автора статьи, хорошо мне известного по американской жизни журналиста Роберта Сэдло. Кому мы обязаны тем, что этот типичный советский юнец так глубоко проникся западными идеями, вопрошал автор. Родители Стратовы, оказывается, принадлежали к привилегированной с т р а т е советской бюрократии, именовавшейся нумонкультурой. Бабка Гена Дарья Станицина была членом строго засекреченной группы советских космонавтов, а ее муж Храш Васильев подвизался агентом ЦК по специальным поручениям. В годы перестройки Ген вступил в альтернативную политическую партию, именуемую комсомолом, однако социалистическая ориентация этой партии в конце концов вызвала его активный протест, и он привел комсомол к самороспуску. В результате он стал одним из лидеров нового советского бизнеса, активным участником передела собственности, миллиардером и олигархом в области редкоземельных элементов. Как и следовало ожидать, он вслед за нефтяным магнатом Борисом Одорковским закончил свою карьеру в тюрьме.

Далее, однако, описывая следствие по делу корпорации «Таблица-М», мистер Сэдло проявил завидную осведомленность. Ему знакомы имена сотрудников Прокуренции, задействованных в деле Стратова. Он дает иным из них довольно меткие характеристики, в частности, о генерале Светлане Колоссниченко, которая соблаговолила дать ему интервью, он пишет: «Когда говоришь с этой впечатляющей дамой, напоминающей метательниц диска, которыми когда-то славился Советский Союз, кажется, что она все время думает о чем-то другом». В то же время он перечисляет всех адвокатов, составляющих группу защиты мистера Стратова. С иными из них он встречался во время своей поездки в Москву. Все они утверждают, что в деле Стратова нет состава преступления и что он должен быть оправдан. В составе этой группы есть и один американец, хорошо известный на Манхэттене Стивен Пергамент. Последний ежемесячно ездит в Москву и посещает подследственного в тюрьме «Фортеция». Он говорит, что никогда за свою многолетнюю практику не встречал среди подследственных такого блестящего человека, уверенного в своей правоте, но в то же время исполненного философской грусти (sic!) и готовности ко всему. Большое впечатление на него произвела и супруга обвиняемого, сопрезидент корпорации, известная в бизнес-комьюнити под симпатичной кличкой «Леди Эшки». Она полна энергии и оптимизма и продолжает в одиночку управлять «Таблицей-М». Третий сопрезидент мистер Йаснисуэлли, как известно нашим читателям, попал в теракт, устроенный конкурентами, и после хирургического лечения в клинике «Санта Саманта» укрылся на островах Океании.

Из недавней поездки в Москву мистер Пергамент вернулся, преисполненный надежды на радикальный поворот в деле Гена Стратова...

На этом я прервал чтение «Форбса» и помчался в аэропорт. Мимоходом должен сказать, что помчался на такси, хотя перед воротами, как всегда, стоял «Кангу». Можно было запарковать свой вуатюр возле аэропорта на те три дня, что запланированы были для путешествия, однако в голову почему-то пришла мысль, что нельзя оставить Ника Оризона без транспортного средства, если оно тому вдруг ни с того ни с сего понадобится. За прошедшую после нашей последней встречи неделю он, кажется, по крайней мере один раз воспользовался моим приглашением. Во всяком случае, однажды, когда я допоздна засиделся за компьютером, бесконечный шум Резервуара был на секунду покрыт рычком заводящегося мотора. Выйдя на террасу, я увидел, что улица пуста. Ну что ж, подростку, который выглядит как юноша, иногда среди ночи может все-таки понадобиться т.с. Утром «Кангу» стоял на прежнем месте.

В аэропорту я все-таки догадался, перед тем как купить билет, позвонить Пергаменту, или, как в Америке его называли, Перджаменту. Я с ним познакомился тому лет десять или пятнадцать, ну, в общем, кто считает. Он был активистом одной из бесчисленных американских бук-группс, в которых на досуге читают и обсуждают новые книги. Это было еще в Вашингтоне. Однажды по телефону он пригласил меня выступить на их вечеринке, посвященной переводу моего романа, который критика называла ни больше ни меньше как «Войной и миром XX века». «А вы случайно не родственник ли известного адвоката Перджамента?» — спросил я. «Нет-нет, что вы! — воскликнул он. — Я не родственник, я просто сам и есть адвокат Перджамент». С тех пор мы встречались раз в два-три года, то на каком-нибудь литприеме, то на каких-нибудь русских слушаньях в конгрессе, а однажды, уже в Нью-Йорке, нос к носу столкнулись у витрины «Даблдей». Он всякий раз старался познакомить меня с какими-нибудь шишками: то с чинами из Белого дома, то с командиром линкора «Нью-Джерси». «Базз, эти люди могут тебе пригодиться», — говорил он. Никогда этого не случилось, но сам Стив мне определенно нравился. Мог, например, совершенно самозабвенно расхохотаться посреди серьезной беседы.

Из аэропорта JFK я поехал прямо к нему на улицу Амстердам. За два года моего отсутствия Нью-Йорк мало изменился: не постарел, не помолодел, слегка провис в средне-преклонном возрасте, в марафонском смысле порядочно проэфиопился, курит хором, собираясь на перекрестках, и даже не прячет цигарки в рукав, по-прежнему считает себя столицей мира, хоть и забывает завязать шнурки на ботинках. Подъезжая к дому, я стал слегка волноваться. С чем у меня связан этот двадцатиэтажный пердила, кроме стиля ар-деко? Кажется, принимали здесь какого-то «флагмана перестройки», то ли Губенко, то ли Табаченко, то ли и того и другого, но в обратном порядке? А вдруг Пергамент давно переехал из этого дома? Нет-нет, этого не может быть, ведь я же говорил с ним по телефону. Что ж из этого, может быть, телефон остался тем же, а тело Пергамента куда-то переехало? Такое случается, и нередко, особенно у адвокатов. Особенно у тех из них, кто стал сторонником русских миллиардеров. Теперь не дозвонишься, небось успел уже изменить номер, чтобы увильнуть от встречи...

Оказалось, что все треволнения не стоят и десятки: Пергамент живет все в том же доме, который запомнился, все на том же 18-м этаже, все в той же скромной пятикомнатной квартиренции, заставленной антикварным хламом. Дверь открывает все тот же слуга, выходец из Бирмы, которая сейчас как-то иначе называется, вроде бы Мьянма. Радостно умиляется при виде гостя: «Очен сильно счастлив, глядя на этот господин Окселотл!» Оказывается, узнал! Я его всегда, то есть раза три за десять лет, на выходе угощал сотней, и вот он запомнил щедрого господина с поистине бирманской фамилией. Появляется хозяин в огромном шиншилловом халате. Вот каков этот юридический гений — квартиру не меняет, а на драгоценные меха не скупится! Мы тонем задами в продавленных креслах перед камином, через который вползает в дом гудзонская сырость.

«Ты ведь, кажется, куда-то уехал из Америки, Базз, так, что ли? В Калифорнии, что ли, теперь обретаешься?»

Мой ответ по поводу Калифорнии он пропустил мимо ушей, потому что сразу после вопроса сообщил мне, что часто бывает теперь в Москве, ведет там очень серьезное и важное для российской экономики и в целом для всего общества дело.

«Вот как раз по этому делу я и хочу с тобой поговорить, Стив, — сказал я. Он, кажется, и эту мою фразу хотел пропустить мимо ушей и начал как-то издалека подходить к российской ситуации, но тут я его прервал и уточнил: — Видишь ли, я сейчас развиваю проект о Стратовых и о редкоземельных металлах и хотел тебе задать несколько вопросов, конечно, вполне конфиденциальных, но странным образом и актуальных. Ну, в общем».

Он тут замолчал, что заставило и меня замолчать. Бирманец прикатил столик с дринками и горячим кофе. Мы еще помолчали, пока разбирались, кому что. Потом он спросил, означает ли этот проект, что я тоже у них на payroll? У кого это у них? Ну у Стратовых, то есть, в общем-то, у Леди Эшки. А что это значит — тоже? Ну как все, кто борется за Гена, как твой покорный слуга, например, ну как, скажем, Боб Сэдло из «Форбса». Нет-нет, я ничего от них не получаю. Думаю, что они и не знают ничего о моем проекте. Мне просто интересно, как будут действовать разные силы нашего общества.

«Нашего — это значит какого? Американского?» Перджамент теперь внимательно смотрел на меня поверх стакана со своим странноватым желто-зеленым соком.

«С какой стати американского? Нашего — это значит российского».

«Ну хорошо, задавай теперь свои актуально-конфиденциальные вопросы», — пригласил он.

«Вопрос, собственно говоря, только один. В статье Боба Сэдло ты сказал, что не будешь удивлен, если в деле Стратова произойдет какая-то кардинальная перемена. Чего можно ждать?»

Он стал говорить о том, что в России еще не совсем окончательно сложилось авторитарное общество. Существуют бизнес и частная собственность. Существуют остатки независимой прессы. Даже телевидение еще не совсем задавлено. Существует институт политологов и политтехнологов, и каждый из них жаждет высказать свое особое мнение. Существует гильдия адвокатов, в конце концов. Действия всех этих групп могут привести к каким-нибудь непредсказуемым кардинальным переменам.

Я понял, что ничего кардинального он мне не скажет. В принципе, говорить с адвокатом о его подзащитном — это все равно что интервьюировать дипломата о каких-нибудь похабных действиях его страны; ничего вразумительного никогда от них не дождешься.

«Еще вопросы есть?» — спросил он.

«Нет, вопросов больше нет, а вот так, если по-человечески, Стив... Ты встречаешься с Геном, скажи, в каком он сейчас пребывает состоянии?»

Он несколько минут молчал, потом встал, походил по комнате, сбивая своими шиншиллами маленькие статуэтки со столиков, потом сбросил халат и оказался в шикарнейших подтяжках. «Он очень подавлен. Если хочешь знать, он просто на пределе, и в этом заключается самая главная проблема».

«Спасибо, Стив», — сказал я и тоже встал. Мы смотрели друг на друга из разных углов комнаты.

«Прости, Базз, — усмехнулся он. — Я немного подзабыл, что ты романист. Теперь я понял, что ты просто-напросто затеял новый роман. Наверное, что-то вроде той штуки, из-за которой на тебя разозлилась вся Америка?»

«Вся Америка? На меня? Разозлилась? Да кому я нужен в этой Америке?»

«Ты здесь нужен как раз тем, кто на тебя разозлился».

«Да за что, on Earths, они на меня разозлились?»

«За то, что пишешь на свой манер, Базз, как-то не прогибаешься. Как-то не объясняешь публике, о чем пишешь, заставляешь догадываться. А она любит все сразу понимать, любит жевать разжеванное. А ты плетешь свою метафору и не очень заботишься о публике. Я помню, как ты говорил, что совсем не обязательно всё всем понимать. Вот за это они и злятся на тебя».

«Да ведь я пишу романы самовыражения, Стив».

«А публика не любит такого эгоизма, Базз. Она любит, чтобы ей рассказывали захватывающие истории. Вот если ты пишешь роман про Гена Страто, так ты должен о нем рассказывать, а не о себе. Это понятно?»

Я засмеялся. «Понятно, но не совсем, то есть так, как надо».

Он подошел к своему компьютеру и несколько раз щелкнул мышкой. На плазменном мониторе стали один за другим появляться портреты молодого человека с седыми висками. Странным образом именно эта седина на висках и придавала ему излишней молодости. Тому же способствовали и запавшие щеки, а вместе с ними и лиловатость глазниц. Мелькнувшая на одном из портретов улыбка почему-то ставила эту молодость под знак вопроса.

«Это Ген Страто, — сказал Перджамент. — Неделю назад в тюрьме я исподтишка щелкал его на своей мини-дигиталке».

Я не мог оторвать взгляда от экрана. Почему-то мне стало казаться, что кардинальные изменения действительно приближаются.

«Ты знаешь, Стив, мне иногда кажется, что вместе с Геном в «Фортеции» сидят и другие мои персонажи».

«Кажется, он мне что-то говорил об этом. Как бы вскользь. Он там вроде бы читает твои книги. Я тогда подумал, что это просто какая-то грустная шутка».

На этом мы расстались.

Ашка Стратова, каждый раз посещая мужа в тюрьме, едва справлялась с приступами ярости. Мерзавцы, думала она, как они смеют держать моего гордого мальчика в своем пробздетом узилище! Этого мальчика, прототипа какого-то полуфантастического Геннадия Стратофонтова, который хорошо учился в школе и не растерялся в трудных обстоятельствах, того самого, который в тринадцать лет умудрился навсегда влюбиться в одноклассницу, какую-то чемпионку художественной гимнастики Наташку, что ли, Вертопрахову, что ли, как будто нельзя было ее прямо назвать именем прототипки Ашки Вертолетовой. Этого мальчика, Генчика Страто, которому навсегда исполнилось восемнадцать лет, с которым мы целовались в небе над Талахасси! С которым мы карабкались на вершину нашего вулкана, а потом спускались на канатах в кратер, в нашу-нашу-нашу пещеру, в которой мы зачали сначала нашу красоточку Пашку, а потом нашего неповторимого Никодимчика! Моего вечного мужа-мальчишку, который умудрился одурачить гэбэшников и удрать из окаменевшей со всем населением Москвы! Этого умницу и одновременно сумасброда, в башке которого то и дело рождались всякие утопические проекты процветания его любимой Африки! Этого смельчака, который стал одним из главных заводил самой вдохновенной в российской истории революции-контрреволюции! Зачинателя до сих пор еще непостижимого движения редкоземельных элементов! Собирателя редкоземельных характеров в одну непрогибающуюся группу великолепных друзей! Воздух, солнце, резкие порывы ветра, ослепительный Габон, Елисейские Поля, постоянно возникающая между нами страсть — вот что такое жизнь Гена Страто, а вовсе не тюремная шконка, не камерные тормоза, не вся эта гнусная, претендующая на вечность, на все его оставшиеся годы крытка. Я не могу его там оставить, особенно сейчас, когда начала улавливать в нем первые признаки гниения, сиречь отчаяния.

Ей казалось теперь, что она разгадала причину его моногамии, многолетней влюбленности только в одну, дарованную ему ранней молодостью женщину. Держась за меня, трепеща со мной, он всегда боролся за свою молодость, просто отказывался от другого возраста — вот в чем дело. Значит, и мне не подобает смириться и увядать в стороне от него.

Теперь она очень редко вспоминала своего еще совсем недавно головокружительного пришельца Алмазова. Все мои случайные quickies, то есть в темпе, пересечения с разными мужиками, парнями и пацанами, по сути дела, были ничем иным, как дерзкими приветами Гену, его моногамии. Даже Макс, который с ума сошел от любви ко мне, который что-то перевернул во мне, возбудил желание куда-то с ним смотаться навсегда, даже этот вдребезги несчастный одиночка, не знающий, где и от кого он родился, едва не ставший убийцей наших детей, а теперь готовый за нас всех, включая и Гена, в одно мгновение погибнуть, даже и он теперь, когда Ген начал гнить от тюремных миазмов, уходит все глубже в свое подполье, все дальше от меня. Я + Ген, больше ничего нет, а уж тем более в этой связке, прошу прощения, мистер Ген, полностью отсутствует ваша мимолетная пассия Елена, страстная фурия теннисных кортов, многотысячных сборищ, сверкающая молодостью и красотой Стомескина, которая меркнет рядом с жалкой Ашкой Стратовой, пресловутой Леди Эшки.

Однажды она призвала к себе директора своего

финансового отдела Бразилевича Вадима Мирославовича, который, конечно, был в нее влюблен. Тот явился в одном из своей знаменитой дюжины английских костюмов, а именно в отменном herring bone с абсолютно дисгармоническим платком из нагрудного кармана и в совсем уже вопиющем галстуке, рисунок которого напоминал многоцветного паука компьютерной заставки. Интересно отметить, что еженедельные визиты агентов прокуратуры с их выемками финансовых документов ничуть пока не повлияли на столь элегантную безупречность Вадима Мирославовича. Движения его по-прежнему напоминали послеобеденную прогулку мыслящего дельфина, светился большущий, будто бы полированный лоб, а непомерно крупный и странноватый нос уравновешивался аккуратно подстриженными и слегка подкрашенными усиками. Помнится, он всем понравился, когда впервые по рекомендации банка «Лионский кредит» появился в «Таблице». Ребята старались имитировать его плавные движения, а член триумвирата госпожа Стратова тут же назвала финансиста «Высоколобым Бутылконосом». Все присутствовавшие тогда посыпались со стульев, однако договорились не разглашать это прозвище как один из важнейших секретов корпорации.

Он был полиглотом, и не в шутливом каком-нибудь смысле, а в реальном: успел за свои полсотни годков поглотить не менее семи европейских языков, точнее, английский, французский, германский (с нюансами), испанский, итальянский, шведский, польский, перемешанный с сербско-хорватским, и кроме того японский. Обладал превосходнейшим мировым авторитетом и обширной сетью личных знакомств; своего рода любимчик мировой финансовой тусовки. Поговаривали, что именно благодаря

Бразилевичу власть, проеденная малограмотными миошниками, в который раз начинала буксовать перед идеально прозрачной отчетностью «Таблицы». Поговаривали также, что его, в который уже раз, приглашали занять высокий пост в европейской администрации, однако он уклонялся от почетных позиций. Ну что вы хотите, говорили одни, разве сможет страсбургская бюрократия предложить ему то, что он получает в «Таблице», то есть колоссальный оклад по высшему СЕО-тарифу. Другие, то есть люди близкого круга, загадочно улыбались. Они-то знали, что дело тут не в окладах, что Высоколобый Бутылконос готов трудиться и за ничтожные гроши официальной зарплаты или даже бесплатно, лишь бы не покидать то здание, где на 15-м этаже обретается его мечта по имени Леди Эшки, откуда она то слетает, стуча каблучками по всем этажам и раздавая всем попавшимся поцелуйчики в щечки, иной раз попадая по ошибке и в закрылья иных бутылковидных носищ, то в зловещем беззвучии опускается в лифте на какой-нибудь нацеленный сверху этаж и начинает там кого-нибудь распекать, поднимая голос все выше и выше вплоть до сугубо русского, едва ли не зауральского, повизгивания.

В тот день Бразилевич принес Стратовой немыслимой изысканности пакет, который, быв дернут за золотую нить, раскрывался с демонстрацией нескольких дюжин шейных платков невиданных доселе дизайнов.

«Новая коллекция «Свистократи», — пояснил он. — Похоже, что изготовлена специально для тебя. Увы, у бедной Ашеньки времени нет даже заглянуть в бутик, чтобы случайно натолкнуться на такую красоту. Пришлось проявить инициативу».

«Как ты мил, Вадим». — Она устало подставила

ему щеку, не вставая из своего административного кресла. Верхушка корпорации была приучена говорить друг с другом на «ты». Поцелуйчики на бегу тоже были в ходу, однако Вадим Мирославович при встречах с Ашкой всегда настаивал, что он привык целоваться французским дуплетом.

Едва он уселся в кресло по другую сторону президентского стола, как она включила на очень низких тонах хорошо знакомый в этом помещении бесконечный концерт минималистского композитора Филиппа Гласса. Исполнявшийся черт знает на каких инструментах, он напоминал радиоглушение времен холодной войны. Ту же функцию эта музыка, собственно говоря, выполняла и сейчас, с той только разницей, что прежние глушилки перекрывали от советских ушей вредную информацию, в то время как минималистская музыка перекрывала подслушивание со стороны прежних глушителей. Услышав шумовые каскады Гласса, Бразилевич понял, что разговор предстоит серьезный.

«Сколько тебе времени нужно, Вадим, чтобы подсчитать наши с Геном живые деньги?» — спросила Ашка с некоторой железноватостью в голосе.

«Минут десять, — ответил он, — если ты развернешь ко мне свой компьютер».

«Лучше садись рядом со мной», — предложила она и с помощью редкоземельного магнита тут же подтащила свободное кресло вплотную к своему, президентскому.

Вадим Мирославович ликовал: сидеть рядом с ней да еще иной раз касаться ее локтя своим локтем! Он вынул из бумажника довольно заурядную пластиковую карточку, протащил ее через магнитную полоску, с помощью которой вы расплачиваетесь за корзинку бакалеи, затем ввел в интернетовские дебри текст задачи и стал ждать, когда этот специально им разработанный механизм раскроет один за другим все коды стратовских счетов, вычтет из них все имеющиеся liabilities и сплюсует все assets наличных. Ашка в эти минуты делала вид, что проверяет какие-то бумаги, а он то и дело поглядывал на ее как бы вызывающий профиль. Наконец, минут через восемь машина бибикнула — расчет произведен. Бразилевич торжественно объявил:

«На счетах нашего Узника и его благоверной супруги находится семь миллиардов сто восемьдесят миллионов девятьсот двадцать девять тысяч восемьсот семьдесят пять долларов и 89 центов. В общем, вы можете себе кое-что позволить, как мне кажется».

И тут ее чудесное лицо внезапно исказилось каким-то чрезвычайно сильным и совершенно ему непонятным чувством.

«Что с тобой, Ашка?» — испугался Высоколобый Бутылконос.

Она опустила лицо в ладони и произнесла из глубины глухо: «Да, мне тоже кажется, что я могу себе кое-что позволить».

Он взял ее за запястья и развел ладони. Заглянул в мятущиеся глаза.

«Что ты задумала, дорогая?»

«Пусти!»

Освободив руки, она откинула со лба спутанные волосы, а потом вдруг вырвала из пакета с золотой веревочкой один из ярчайших платков «Свистократи». Прокричала почти неслышным шепотом, яростно, всем лицом артикулируя каждое слово:

«Я хочу взять штурмом тюрьму «Фортеция»!»

Уже несколько месяцев она жила с этой идеей. Какого черта нам сдаваться, что ли, брести на бойню один за другим, думала она, один за другим, а потом все более и более крупными отарами, как наши деды брели в 1937-м, так, что ли? Опять, что ли, этой блядской истории повторяться в виде фарса? Или, вернее, в виде фарша?

Она вспоминала, как в детстве впервые услышала эту зловещую цифру. По радио нередко в «концертах по заявкам» пели миловидную ностальгическую песню:

...И Ленин такой молодой,
И юный Октябрь впереди...

Бабка Станицина смахивала слезу, за ней лицемерно всхлипывал свояк Лев Африканович. А молодые еще родители, Стратовы, Вертолетовы, Ясношвили, бешено хохотали, подхватывали издевательский парафраз:

...И Сталин такой молодой,
И 37-й впереди...

Крики бабки: «Как вам не стыдно?! Ничего святого!» Хохот все пуще. Дети возмущенно стучат по столу: «Проклятые родители! Немедленно объясните! Какой-такой 37-й?» Папаша Ясношвили изображает закавказского зверя: «Трррыыдцат-сссээдмой!»

Да неужели только родители добились свободы, а нас опять огородят зоной? Она вспомнила их дискуссии середины 90-х. Многих пугали непомерные доходы, беснование Мидаса, возникновение могучих капиталистических княжеств. Ген как-то сказал на ужине акционеров: «Нам нечего бояться. На месте тоталитарной казармы мы создаем общество многих альтернатив. Мы вытесняем из сознания граждан государство как единственную возможность жить. Иными словами, мы выполняем наш исторический контракт с Россией».

Так, думает Ашка. Она идет через тюремный двор от омерзительного дома супружеских свиданий до гнусной проходной. Солдат Минюста со стволом на плече смотрит на ее приближение с гадкой улыбкой. У всей этой сволочи только одно на уме. Неожиданно она вспоминает, что у нее в сумочке лежит конверт, а в нем пять тысяч баксов наличными. Еще не продумав происхождение импульса, она протягивает солдату, вернее, сержанту, точнее, старшему сержанту, конверт. Скуластая рожа с порядочной россыпью угрей угрожающе хмурится. «Это что?» Она озаряет его великодушной улыбкой. «Подарок». Он заглядывает в незаклеенный конверт и тут же прячет его в карман штанов, под ствол автомата. Вся коллекция его угрей перемешалась в тотальном изумлении. Он открывает перед ней дверь. «Прошу вас... мадам». Она проходит через турникет и уже на внешнем крыльце передает ему свой пропуск на выход. «Всего хорошего», — слышится за спиной. Так.

Сидя уже в джипе среди своих парней, она старается унять дрожь, пытается думать. Надо всех в этой «Фортеции» подкупить. Всех без исключения. И не такими жалкими суммами, как сейчас. Фанта-сти-ческими суммами! Пусть каждый страж этого большевистского, миошного замка получит настоящую Бонанзу! Пусть он исчезнет в назначенную ночь, чтобы потом потратить свой куш. Никто из них не устоит перед долей в пол-лимона. Перед лимоном! Мой муж, отец Пашки и Никодимчика, великий Ген Страто, выпестованный Ленинским комсомолом и идеями Альбера Швейцера, стоит этих трат! Он стоит всех наших денег и всех редкоземельных элементов!

Потрясенная этой ошеломляющей идеей, она не

могла больше думать ни о чем другом. Самое трудное состояло в том, как уберечь все в секрете. Надо все подготовить тщательно и не торопясь, чтобы потом провести на головокружительном слаломе всю акцию с массовым подкупом, входом передового отряда в тюрьму, падением замков и задвижек, с распахиванием всех дверей настежь, освобождением Гена Страто на фоне массового исхода всех подследственных и приговоренных. Круг посвященных не должен превышать полусотни самых преданных лиц. Сук, Шок и Алмаз формируют передовой отряд. Преданность и вознаграждение нс противоречат друг другу. Каждый боец получает по пять миллионов. Соответствующим образом будут подготовлены транспортные средства и авиагруппа. Командовать парадом, хочешь не хочешь, приказано мне. Распорядителем финансовых операций станет, разумеется, Бразилевич. Все траты будут производиться из наших личных средств. С помощью мистера Перджамента, а также нескольких наших юристов за неделю до акции будет обеспечен стабильный и убаюкивающий поток дезинформации. Кто-то из лидеров мирового бизнеса совершит поездку в Москву с предложением вынести «Таблицу-М» на мировой тендер. Да, в число посвященных придется, конечно, ввести и сочинителя Базза Окселотла.

«Это безумие», — сказал Бразилевич. За стеклянной стеной президентского офиса «Таблицы-М» стоял нечастый гость Москвы, пылающий на все небо закат. Силуэт состоял из нескольких высоток и церковных куполов. Среди темного рельефа крыш пониже светились и мигали рекламные экраны. Солнце казалось просто огненным шаром, а не творцом земной светотени. Финансист на мгновение вообразил себя не созерцателем, а прямым участником заката, находящимся в его центре. Быть может, скоро снова придется прощаться с этой ненаглядной Ква-Ква. «Скажи мне, Ашка-Юшка-Эшки, если все пройдет успешно, ты позволишь своему Высоколобому Бутылконосу поселиться где-нибудь поблизости?»

Она взвизгнула, словно десятиклассница, получившая украденную тему сочинения, пронеслась по всему периметру зала и уселась своими изящными худощавостями на крепкое колено верного казначея. «Вадим Высоколобый, значит, ты знал о своей бутылконосости, значит, ты согласен?!»

Между тем тайный магистр вроде бы несуществующей структуры, промелькнувший перед нами страниц пятьдесят назад под четырьмя фамилиями, принадлежащими вроде бы четырем разным персонам, пребывая под пятой сугубо русской фамилией Комплект, сидел в глубоком кресле перед камином на третьем этаже подмосковного санатория, в котором он числился истопником, но который на самом деле полностью принадлежал ему самому и только уже во вторую очередь руководимой им структуре МИО.

Услужающий хлопец то и дело подносил ему распечатки из Интернета, в коих хоть самым малым образом, хоть намеком упоминалось дело Стратовых и их «Таблицы-М». Сам товарищ Комплект терпеть не мог новой информативной технологии. Эра скоросшивателей и стеллажей с картонными папками, вдоль которых и он сам когда-то скользил в нормативных бахилах, гибкая лоза органической поросли, снилась ему в неспокойных снах, о наличии которых он даже самому себе не отдавал отчета. Открытая власть с подачи своей юной лозы радеет на строительстве открытой и недвусмысленной вертикали, а он между тем с каждой ветви давно существующей невидимой и весьма многосмысленной вертикали взирает в глубины непререкаемым лицом.

Чуть поодаль в таких же глубоких креслах располагаются два ближайших сподвижника товарища Комплекта, чем-то напоминающие уже закомых нам товарищей Чегодаева и Бектабеева, но не они. Разбираясь с печатным материалом и делая кое-где пометки красным карандашом производства фабрики имени Л.Б. Красина, Комплект отбрасывает кое-какие листы сподвижникам. Те подхватывают эти листы и с мнимой вдумчивостью классифицируют пометки диктатора: вв, чв, чм. В ходу также некоторые знаки — вопросительный, восклицательный и крошечный паучок, напоминающий незабвенный серп-и-молот. На самом деле озабочены они в первую очередь не пометками Комплекта, а светотенью его деревянного лица.

В принципе, в таком пристальном наблюдении лиц заключался основной этикет руководящего круга МИО. Суть проблем артикулировалась крайне редко, членораздельно — почти никогда. Понять товарища по оружию надо было прежде всего по мимике, ну по жестикуляции, по национальным междометиям, по хмычкам, чмочкам, пучочкам щелчков. Что же касается самого диктатора, то его приказы можно было уловить только по колебаниям светотени лица, к которым вели карандашные пометки и подчеркивания.

Нынешняя встреча относилась к тому разряду, который именовался «хоцца почаёвничать». На та-

х посиделках могли присутствовать только люди
ımого близкого круга, похожие на товарищей Че-
тодаева и Бектабеева. В результате у сподвижников
то ли в головах, то ли вообще сложилось такое вы-
сказывание диктатора:

«Пора, товарищи, приступить к решительным
действиям по наведению полного порядка в нашей
экономике. Из нее, ну, в общем, из экономики,
должны быть полностью удалены компрадорские
элементы криминальной буржуазии. Все мы пом-
ним, как после крушения вэликой державы стали
возникать преступные олигархии. Еврейские элементы из разложившегося партаппарата, а особенно
из комсомола, ринулись растаскивать созданное народом вэликолепппное хозяйство. Мы упустили тот
момент, когда в ход пошли бесчисленные преступные схемы. Достаточно вспомнить пресловутые «за-
логовые аукционы», с помощью которых на них
пролился, атьихутак, золотой дождь.

Говорят, что они возродили нашу индустрию.
Ложь! (Мрак лица сгущается.) Ложь в квадрате!
(Мрак в квадрате.) Ложь в кубе! (Диагональная ис-
кра лица.) Они не создали ничего нового, ничего
продуктивного. Раздирают на куски созданное пя-
тилетками вдохххновэнного труда! С этой точки
зрения наше хм-хм-хм правительство оставляет же-
лать много лучшего. Воспринимают богачей как
данность. Их в целом, видите ли, устраивает так называемая «наша циркуляция». Притерлись. Мы должны активнее, активнее, активнеее влиять! Поняли,
други сердешные? Вижу, что поняли, отчасти дошло. Вот говорят, что есть среди корпораций и такие,
которые начали с нуля. Дескать, проявляют изна-
чальную креативность. Как пример приводится пре-
словутая «Таблица» с ее редкоземельными элемен-

тами, со всеми этими африканскими аферами, с хитрожопыми консультантами с Мальты, с лондонскими контрактами, так? И вдруг проясняется безобразная история с захватом прииска «Случайный», в которой был уничтожен наш актив; каково?

Теперь переходим к злободневным вопросам дня. И прежде всего эта наглая тварь Ген Стратов. Я специально вызвал его на сессию Академии, чтобы приглядеться, способен ли он понять нынешнюю повестку дня, иными словами — можно ли с этими гавриками иметь дело? Ведь они должны были понимать, кто стоит за всеми этими ритуалами; ведь у них же собственная разведка все-таки работает. Оказалось, что их разведка слишком глубоко копает, отчего и общей наглости у этого так называемого триумвирата прибавляется, и у грузина алкогольного, и у жены-поблядушки, а особенно у редкоземельного Гена. Набраться наглости и выложить на поверхность четыре моих секретных имени! У людей поджилки дрожат, когда кто-нибудь упоминает даже одно имя, а он, видите ли, эдакий рыцарь Ланселот, выкладывает: четыре! Хорошо еще, что пятого не коснулся! Должно быть, не знал, что за пятым следует автоматически выстрел в горло. Если бы знал, наверняка бы дерзнул, я знаю такую сволочь. И неужели он думал, что я ему подобную наглость когда-нибудь прощу?!

Хорошо, что нам удалось посадить его под замок, однако пора уже приступить к завершению этой ваще-то похабной истории. Долой либеральное фиглярство! Стереть с поверхности все эти фонды, гранты, союзы! Закругляться надо, закругляться! Стратов — это умный, хитрый, опасный враг! Устроился в «Фортеции», как в санатории! Питается по высшему тарифу, делает гимнастику, наращивает мускулы, женка к нему на свиданку приезжает, хотя по ней самой женский блок плачет. Однако наши турмы — нэ санатории! Это кто сказал? Помните, кто это сказал? То-то. Что же у нас нет там чудо-богатырей, обуреваемых праведным гневом? Что же, разве в карцер его трудно затолкать и там поучить, как когда-то предателя Алмаза учили? Да и ваще-то почему это уже после приговора такой ярый враг все еще в московской образцово-показательной болтается? Почему не отправляют его на зону, в Республику Саха, в урановые копи? Мне докладывают, что держится все еще на дружках из Совмина, на всяких там аристократишках из Администрации, что вроде бы и Сам колеблется — не скостить ли ему десять лет из одиннадцати? Короче, мне все это надо-ело! Злейший расхититель недр российских подлежит, подлежит...»

Комплект прервал всю свою вереницу междометий, чмоков и кехов, игра светотени на его деревянном лице погасла. Несколько минут он молча сидел в строго вертикальной позиции, положив предплечья на подлокотники, но вдруг в глубине его головы, как в американском хорор-муви, стал возникать и разгораться неумолимый фосфорический свет, и сподвижники сразу поняли, чему подлежит Злейший Расхититель.

За несколько дней до штурма Ашка получила очередное свидание с мужем. Все проходило, как сейчас бы сказали профессионалы МЧС, «в штатном режиме». Ген трепетал бесконечной страстью и только иногда прикрывал правой ладонью глаза, а левой стонущий рот. «Что с тобой?» — спросила она пальцами по спине. «Не знаю», — ответил он тем же манером.

«Потерпи еще несколько дней».

«Ты о чем?»

«Молчок!»

Ничто вроде бы не предвещало крушения тюрьмы. По выходе из «Maison D'Amour» ее, как всегда, ожидала деваха с сержантскими погонами МВД. Повела ее через вымощенный брусчаткой двор к проходной. Тихонько насвистывала какой-то сусальный мотивчик Димы Билана. Интересно, эта телка уже куплена или до нее еще не дошло? Вдруг Ашка поймала на себе какой-то особенный косоватенький взглядик сержантихи. К чему он относится, к супружеским тюремным амурам или к жуткому калыму от имени олигархини?

На полпути к проходной за спиной послышались торопливые, едва ли не бегущие шаги. Она оглянулась. Догонял комендант блока майор Блажной.

«Госпожа Стратова, мне нужно с вами переговорить».

Она давно уже заприметила этого тюремщика с его губастой физиономией, с золотым пенечком, мелькающим во рту при произнесении приказаний. Всякий раз при встречах с ней — тут до нее дошло, что она его встречает только п о с л е свиданий, — он останавливал на ней свой до крайности странный взгляд, в котором, казалось, смешано было что-то вроде насмешки и униженной мольбы.

Со словами «Сихина, свободна» он отпустил деву-сержанта, после чего пригласил супругу зека следовать за ним. Идя за ним, она обратила внимание на его круглый и вроде бы многоговорящий зад. Тебе конец, гадина, как бы говорил ей этот зад. Полный п...ец. Сокрушительная катастрофа.

В кабинете он пригласил ее сесть в кресло, после чего извлек из холодильника коньяк «Наполеон» и блюдце с тонко нарезанными ломтиками лимона. Включил музыкальную систему. Полилось аргентинское танго. Уселся рядом на потертом, ковровой ткани, диванчике. Наполнил рюмки.

«Ну что ж, со свиданьицем, что ли?» Рука его с рюмкой дрожала, глаза подернулись какой-то буроватой ряской и гуляли теперь вверх и вниз, с лица Ашки на обнажившиеся из-под короткой юбки колени. И обратно.

«Что это все значит, товарищ майор?» — холодным, но вполне любезным тоном спросила она.

Он опустил голову и тяжело вздохнул. «Я знаю все о ваших планах, мадам. Намереваетесь похитить вашего мужа из краснознаменной «Фортеции»?»

Впоследствии, вспоминая о начале этого разговора, она поняла, что совершила ошибку, не уловив вопросительной интонации Блажного. Очевидно, он знал далеко не все, а может быть, не знал ничего. Скорее всего только нюхом что-то чувствовал, тюремная крыса, и решился на шантаж. По плану немыслимый гонорар должен был быть предложен майору за день до штурма, когда весь персонал уже получил свои доли и готовился к бегству. Так они решили с Высоколобым: ошеломленный суммой, Блажной не успеет ничего предпринять, чтобы сорвать акцию. Теперь она решила идти ва-банк.

«Насколько я знаю, вчера вам звонил Вадим», — сказала она. Блажной усмехнулся: «Да, звонил. Вежливый такой. Новый адвокат, что ли? Собирался в пятницу пожаловать».

«Он приедет не в пятницу, а завтра. И привезет вам лично и конфиденциально пять миллионов. Баксов».

Блажной вскочил и зашагал по комнате. Хватался за голову. За грудь. Рванул форменный галстук. Сбросил почему-то мундир. Повернул ключи в двух замках. Вытащил из розеток шнуры двух телефонов. Странным образом некоторые его движения совпадали с ритмом бесконечного танго. Несмотря на жутковатость ситуации, ей стало чуть-чуть смешно. Наконец повернулся к ней.

«Меня это не устраивает. Не нужны мне ваши лимоны. Другое мне нужно, моя краса».

Краса звучит почти как крыса. Он, кажется, рехнулся. Все срывается. Все летит к... На всякий случай она встала и одернула юбку.

«Что же вам нужно, майор?»

«Ты! Ты мне нужна, моя краса! Если хочешь отсюда увезти муженька, ты должна мне отдаться. Сделать со мной то, что ты всякий раз делаешь со своим гадом. Иначе ему конец. Ну давай!»

Они стояли в нескольких метрах друг от друга, в жалкой комнатенке, пропитанной запахом дешевого дезодоранта. Вот так несет изо всех углов во французском «Monoprix», подумала она. Меня заставили тут задержаться после работы. Я нелегальная эмигрантка из Польши. Пришел главный хам секции уцененных товаров и сказал, что, если я ему тут же не дам, он вышвырнет меня на панель. Дрожит от похоти. Дома в подвале ждет меня муж, он прячется от полиции и от консьержа, остался без сигарет и без водки. Я снимаю жакетку. Через голову стягиваю копеечное платьице. Он уже стоит без штанов. Член выпирает из-под белья. Я поворачиваюсь к нему спиной. Пусть берет меня со спины, лишь бы только не лез с гнусными поцелуями. Лишь бы не видеть его рожи. Ну давай, давай, давай...

Блажной, трудясь за ее спиной, бормотал свой бред. «Девочка моя... если бы ты знала... мечта всей моей жизни... Еще в подростковщине... на Плющихе... Не помнишь меня, воришку?.. Ты, недотрога, не помнишь, конечно, не помнишь, не помнишь... Такая неприступная, бля... такая гордая... Бывало, крикнешь из-под арки: «Эй ты!»... А она — ноль внимания, фунт презрения... Я твоего Гена, прототипа детгизовского, чуть не зарезал... И вот теперь я тебя, богачку, тяну... трахаю... как дядька когда-то сеструхе говорил, шворю!.. Ну-ка, перевернись! Нет, не хочешь?.. Хочешь все время в позе?.. Ну давай я твои титечки возьму, поласкаю... Звезда моя!»

Все это полубезумное, а может быть, и полностью безумное бормотание — откуда взялась Плющиха, какая еще общая «подростковщина»? — заставило и ее что-то забормотать на псевдопольском: «Проше пана, проше пана, проше пана», — и все это вкупе с запахом дезодоранта привело к неожиданным результатам: она испытала сильнейший оргазм. После этого он перевернул ее обессилевшее тело и тогда уже, навалившись сверху, залепив ей рот своими губищами, завершил свое дело.

Отполз в угол диванчика, сел там, как дурак, нога на ногу, член высовывался из-под пухлого живота. С закрытыми глазами бормотал что-то бессвязное. Слегка рыдал. Должно быть, что-то основное произошло сейчас в жизни этого вульгарнейшего из вульгарных, подумала она. «Краса моя любезная», — изнуренно выдохнул он. Глаза по-прежнему закрыты. Она поднялась, быстро оделась, задернула все молнии и села в кресло. Нужно дождаться, когда он очухается окончательно. Когда вернемся к теме пяти миллионов. Как в том анекдоте, да только наоборот: «А че ты, бабка, про пять миллионов-то говорила?»

Наконец он оделся по форме, сел к столу и хватанул стакан коньяку. Глаза его теперь сияли пацанским плющихинским счастьем. Она черкнула ему на желтой клейкой бумажке номер своего мобильного и отошла к дверям. «Если вы хотите и дальше со мной встречаться, вам придется на три дня исчезнуть отсюда. Возьмите больничный».

«Все будет, как вы скажете, мадам», — сказал он и снова потянулся за бутылкой. Каков фрукт, даже не вспомнил о пяти лимонах, подумала она и выскользнула из кабинета. В коридоре валандалась сержант Сихина. При виде нынешней хозяйки Краснознаменного изолятора она подобралась и взяла под козырек.

IX. Что-то новое начинается? Или старое завершается?

Вадим Мирославович Бразилевич был моложе меня на пару десятков лет, однако мы общались на равных и слыли друзьями. Он нередко прилетал в Биарриц, чаще один, но иногда и в сопровождении очень милых женских персон. Таковой однажды оказалась даже знаменитая теннисистка, «посеянная в первую десятку мира» Лена Стомескина. Обычно он снимал номер в лучшем отеле Франции, Hotel de Palais, то есть «Дворцовый», чьи терракотовые стены с величественными окнами высились прямо над главным городским пляжем. По прибытии он тут же появлялся на эспланаде, весь в белом, не считая кистей рук и розоватых с голубен... жилками колен. Да, забыл упомяну...

ный головенц Вадима Мирославовича с его заметным носом. Водоем всегда отмечал финансиста среди обыкновенных чэллоуэкоу и посылал ему струю с тройным зарядом иодистого содержимого. Финансист ответствовал некоторым твистом головы, однако первые же трусцы джоггинга немедленно приводили в порядок его алчный до атлантических прогулок организм.

Уже на бегу он телефонировал мне:

«Бегу на юг, Базз!»

«В таком случае я поворачиваю на север», — отвечал я.

Мы встречались там, где юг сходится с севером, где-то в районе Старого порта, и там, в круглой бухте, где тон задавали старики и старухи из клуба «Белые медведи», вместе купались, жарились на солнце и бесконечно болтали о Москве. Там же намечали некоторую общую программу: баскет, гольф, поездку в Сан-Себастьян, нынче почти безвозвратно именуемый на баскский манер — Доностией. Самой интересной частью программы, однако, была для нас обоих беседа где-нибудь в уютном баре о современной литературе. Этот Высоколобый Бутылконос — кто его так назвал; ах да, Леди Эшки! — он был настоящим читателем прозы и стихов. Казалось, когда ему читать с его финансовым департаментом «Таблицы», — но он даже представить себе не мог, что какие-то новые книги его избранников «по обе стороны Атлантики» остались им не прочи...

...с ним без конца в полупустых ба... ...и говорили о романах. Послу... ...ты как-то вероломничаешь. ...налах неминуемую де... ...ия, вытеснение его ...а сам все поспешаешь в своем излюбленном жанре, все плодишь галерею наших любимых крезанутых байронитов; как прикажешь это понимать? Я в ответ что-то бормотал маловразумительное о размежевании метафоры и интриги, о возникновении узкого круга читателей-соавторов, к которым, безусловно, относишься и ты, мой Бутылконос. Он отпивал свой скоч из тяжелого стакана. А вот за это прозвище мы с тобой еще разберемся, Окселотл Рязанский. Мы спрячем от тебя все источники наших редкоземельных элементов!

В этот раз Вадим позвонил из Москвы. Он сидел на Чистых прудах в ресторане «Шатер», который, как известно, утвердился там на плоту. Сначала он сообщил, что немного покачивает. Три смуглых девки танцуют танец живота. Потом поведал, о чем болтают в городе. Ходят слухи, что в тюрьме «Фортеция» вместе с Геном Стратовым сидят какие-то герои окселотловских романов.

«Я об этом догадывался», — сказал я.

«То есть как это понять?! — вдруг звонко воскликнул он. — Как ты мог об этом догадываться в безмятежном Биаррице?»

«Вот напиши большой роман, Вадим, и тогда больше поймешь», — сказал я.

«Да, кстати, — сказал он. — Тебе привет от нашей хозяйки».

Я сидел в саду и слышал за спиной, как в фиговом дереве копошатся сороки. Я даже оглянулся: что может тут быть «кстати»? Потом понял, что это я сам кстати по ячейкам мобильной связи.

«От Ашки, что ли?»

«Конечно, от нее. Другой хозяйки у нас нет».

Я давно заметил, что, когда речь заходит об этой вечно юной женщине металлургии, Бразилевич возгорается каким-то легким вдохновением. Так бывает, между прочим, с влюбленными подростками. Так во всем мире проистекает. Даже в мусульманском. Предположим, вы говорите подростку Мохамеду: «Смотри, Мох, там Лэйли два ведра угля несет!» — и он сразу начинает слегка трепетать.

«Знаешь, Базз, она просит тебя приехать».

«Когда?»

«Сегодня. Ты еще успеешь добраться до Де Голля на рейс Эр Франса в шестнадцать ноль пять. Билет для тебя зарезервирован».

«А что там за пожар?» — спросил я. Он хмыкнул: «Да никакого пожара нет. Просто женщина сидит одна, без Гена, без Ясно, впадает иногда в угнетенное состояние. Может быть, просто хочет поговорить с тобой о судьбе байронического романа».

Признаться, я был крайне удивлен. Никогда прежде я не получал таких поспешных приглашений из «Таблицы». Скорее уж наоборот, нередко я слегка навязывался, чтобы поговорить о месторождениях празеодима. И вдруг до меня дошло, что приближается то, что мне мерещилось всю последнюю неделю интенсивного сочинительства и воображения.

«Выезжаю! — четко, то есть по-комсомольски, то есть как в советском фильме «Подвиг разведчика», сказал я. — Вот почищу зубы, дважды почищу зубы, побреюсь, дважды, нарежу диск с недавним текстом и отправлюсь. То есть через полчаса».

Двойная возня с зубами и с усиленно полезшей щетиной помогла мне унять разгулявшийся сразу после звонка мандраж. Изготовление компактного диска вообще приобщило к современности. Хвала тем, кто стал производить эти невесомые штучки, вмещающие многотонные рукописи. Закрыл все свои двадцать три двери и оба окна. Пошел к сильно нагретому на солнечной стороне улицы «Кангу». Оставлю фургончик на аэропортовском паркинге. Нет, это отпадает: вдруг Нику Оризону понадобится транспортное средство? Вдруг среди ночи начнет мигать маячок на его верном сёрфборде? Вдруг кто-то его призовет немедленно куда-нибудь помчаться в рамках байронического романа? Поеду-ка я лучше на такси.

Юный англичанин между тем проводил время в обществе одной из сестер Лакост; конкретно — с Дельфиной. Это не значит, что они только и делали, что ходили вдвоем рука за руку. Просто встречались ежедневно в «стае», то есть в тесном кругу друзей, еще точнее — в группе сёрферов, что промелькнула перед нами в самом начале нашего повествования; их звали: Люк, Лекс, Ксавье, Чанг, Сонжэ, Наган и Салютасьон. Сменяли друг друга их интернациональные подружки, но больше других запомнились Сесиль, Одетта и Фалафель, которые могли прямо на парапете набережной сварить на спиртовках настоящий антиглобалистский обед. Компания обычно встречалась на траверзе пляжа Мирамар, в одном кабельтове от берега, за крутобокой скалой Рон-Пуан. Дни в начале того сезона стояли любому августу на зависть: солнце, легкие бризы, температура воды 21 градус С. Часть ребят приплывала еще по зимней инерции в гидрокостюмах, другая — в купальниках. Покачивались на плоских волнах, кто лежа на животах, а кто оседлав верхом свои доски. Болтали на разные темы, почерпнутые частично из Водоема, но главным образом из Интернета, то есть из мирового сливного коллектора. Наболтавшись до опупения, огибали скалу, и вот там-то, на просторах, и начиналась та часть их жизнедеятельности, за которую их прозвали «тружениками моря».

Ник и Дельфина на этих тусовках только посматривали друг на дружку, однако Водоем, очевидно, давно уже разобрался в их чувствах и всякий раз старался расплескаться именно так, чтобы они оказались рядом. Ник поведал ей несколько секретов из своей техники, в частности, кульбит над волной. Она смотрела на него округленными глазами. «Как это странно, Ник, ведь если бы ты мне не повстречался, я бы никогда не овладела кульбитом!»

Накатавшись до посинения, мальчик и девочка выходили на берег, и тут довольно часто оказывалось, что компания вся рассеялась и они предоставлены друг другу. Немалую роль в их сближении сыграла обоюдная страсть к мороженому. То он, то она бегали к киоску и возвращались с двойными порциями. Потом произошло открытие карусели как театра. Туристов и отдыхающих в городе было пока что мало, и великолепная двухэтажная карусель почти бездействовала. Однажды Ник и Дельфина зарядили этот крутящийся самотеатр на три часа и давай там резвиться: сначала в седлах как всадники лошадей, потом как наездники слонов, угнетатели осликов, укротители тигров, потом, на втором этаже, как обитатели всевозможных итало-арабских лоджий, всевозможных балконов и лестниц. Именно тогда Ник и предположил, что карусель может рассматриваться как крутящийся самотеатр, что привело Дельфину в сущий восторг. Решено было разыграть на английском языке небезызвестный диалог, или, если хотите, дуэт Ромео и Джульетты. Джульеттой, конечно, стал Ник, поскольку роль Ромео без всякого сопротивления со стороны друга захватила Дельфина. Все немного перепуталось, однако после первого поцелуя все немного восстановилось. Потом они там спали, в этой карусели. Спали в положении сидя. А она все крутилась и крутилась.

Перед закатами мальчик и девочка чаще всего приезжали на двухместном Дельфиньином «Пежо» в тамарисковый парк, что раскинул свои серпантины и террасы на пятидесятиградусном склоне с вершин до низин высокого берега Залива Басков; или, наоборот, с низин до вершин. Головы там у них начинали кружиться от смеси запахов, в которой преобладали едва ли не навязчивые ароматы жасмина и пронизывающие намеки тамарисков. Весенняя хвоя этих черных абракадабристых стволов была еще недостаточно густа, чтобы можно было, даже отбежав на пяток метров, скрыть смущение лица. Лучше было, пожалуй, отвлекаться ритмами, как они говорили, «музыки предков», то есть группами «Лед Зеппелин», «Грэйтфул Дэад», «Роллинг Стоунз» и пр.

«Ты знаешь, как раньше ребята говорили на всех этих рок-фестивалях? Так подходили и спрашивали: «Are you square, or you are groovy?» Вот так в старину мальчики и девочки говорили друг другу».

Однажды, а точнее, в ночь наших решающих событий Дельфина спросила у Ника, сколько ему на самом деле лет. Ты такой большой, особенно вот сейчас в полумраке, что не верится, будто тебе тринадцать. Он вздохнул. Почти уже четырнадцать. А мне, вообрази, скоро будет шестнадцать. Она присела на его колено. Мне кажется, что ты за эти две недели основательно подрос. Вот так, в темноте, немного даже страшно присаживаться на твое колено. Оно из бронзы? Ну что ты, Дельфи, ведь мы с тобой еще дети. Давай, пожалуйста, слезай с колена. Ох, мне не хочется, Ник, слезать с твоего колена. Но ты же говоришь, что тебе страшно сидеть на бронзовом колене незнакомого путника. Да, это правда, страшновато, но зато ослепительно приятно. Как это понять, Дельфи, что за странное выражение — dazzlingly nice? Я не знаю, что это такое, однако я тебя почти не вижу, однако ощущаю тебя с ног до головы.

Они сидели на каменной скамье под сводами верхней террасы тамарискового парка, если можно сказать «они сидели» про мальчика, который действительно сидел на каменной скамье, и про девочку, которая сидела на его бронзовом колене. За спиной у Ника на зацементированной стене были начертаны всякие похабные граффити, но ни он их не видел своей спиной, ни Дельфина своими глазами. Зато оба они, он своими глазами, она своей гибкой спиной, видели огромный ночной пейзаж Залива Басков с подлунной вакханалией волн и с дугой побережья (тот самый Бискайский изгиб, переход от Франции к Испании, который можно увидеть на любой карте Европы), с полосой огоньков курортной ривьеры, подводящей к массивной горе, под которой зиждился испанский Онтарабиа.

Ник, у тебя тут есть молния на шортах? Доннер-веттер, конечно, есть. Ага, вот ее язычок! Она, словно балерина, произвела большой батман и перекинула одну из своих ног через оба его колена. А можно я потяну этот язычок вниз? А почему бы нет, Дельфи? Ведь ты уже, можно сказать, меня оседлала. Ах, Ник, я задыхаюсь, у тебя там в шортах появился кто-то второй. О-о-о, Дельфи, я сам не понимаю, что со мной творится. Ник, у тебя есть что-нибудь остренькое, мне нужно от чего-то освободиться. Вот у меня есть маленькая отверточка, я всегда ее ношу с собой. Какой ты предусмотрительный, мой Ник! И вот она разрывает последнюю преграду и, сомкнувшись губами с губами друга, принимает в игру его удивительного Второго.

Ты, конечно, вот так уже сиживала у кого-нибудь на коленях, не так ли? Она склоняет свои кудри, шепчет ему в шею: нет, я первый раз вот так вот сиживаю у кого-нибудь на коленях. И врет. Ничего для Ника нет слаще этой лжи, первой сладостной лжи в его жизни.

Проходит час или два, она засыпает все на тех же коленях, а потом встряхивается, сладостно общеловывает голову своего юного англичанина и убегает к своему двухместному кабриолету, на котором она, между прочим, ездит с документами своей двадцатипятилетней сестры. Ник, моя Джульетта, прощай до утра, потому что мама ждет. Встречаемся в кафе «А-у-у!». А Ник возлегает на той же скамье, которую уже никогда не забудет, хнычет немного от своего постоянного одиночества и от неожиданного счастья любви, открывает свою неразлучную доску и контактирует с e-mail.

The Guardian вышел на связь, просит что-то иметь в виду: «Дорогой Ник, постарайся каждые два часа выходить на связь. Твой Сторожевой». Мальчик отвечает в позитивном ключе. Почему-то он думает, что весь мир, от Москвы до самых до окраин, потрясен его слиянием с Дельфиной. Уверен, что Гардиан каждые два часа будет сообщать названия мазей. Второй почему-то не уходит в кожу, а по-прежнему маячит, словно маяк. Ник внедряет в подвластную ему, несовершеннолетнему мальчику, структуру соответствующую команду и засыпает, обняв свою доску, словно женственного то ли дельфина, то ли Ромео. Почему наши европейские футболисты с их страшными ударами по воротам в случае успеха так страстно демонстрируют ревущим трибунам свою весьма пылкую женственность? Гонятся всем скопом за ускользающим триумфатором. Поймав, целуют его взасос, прижимаются бедрами, а он, уже не притворяясь, обхватывает кого-нибудь из мощных за шею, прыгает тому на грудь и повисает, обхватив торс мощного своими ногами, а набегающие влюбленные друг в друга игроки все напрыгивают и напрыгивают и наконец образовывают дергающуюся кучу тел, напоминающую свальный грех.

В Шереметьеве среди предлагающих свои услуги таксистов я увидел Игоря Суконного, то есть начальника охраны «Таблицы-М», Мастера Сука. Он снял с моего плеча тощеватый рюкзачок и дружески улыбнулся: «Вас ждут».

На паркинге среди обычного бытового добра стояла, словно редкоземельный пришелец, не поймешь, какой марки, машина Сука. «Одну минуточку, Базз, сударь», — попридержал меня мастер охраны и вытащил из зоны заднего левого колеса какую-то электронную козявку с хвостиком. Покачал головой: «Ну что за люди, ведь знают прекрасно, что я выкидываю их дерьмо, и все равно подсовывают!» И выкинул козявку.

Сидя в кресле, которое, казалось, отвечало на любое, даже самое незначительное движение несомого тела каким-то своим как бы улучшающим, подправляющим движением, я поглядывал на Сука. Он был невозмутим и даже вроде бы в несколько приподнятом настроении, а ведь Прокуренция уже который год постоянно висела у него на хвосте. На светящемся экранчике написал жесткой палочкой:

«Через три часа берем тюрьму», — и тут же стер надпись, нажав на кнопку, заведующую смывкой. Вот среди всей этой огромной охранной бражки все-таки появляются люди «без страха и упрека», «преданные без лести», ну и прочие характеристики позапрошлого столетия, и, кроме того, полностью уверенные во всесильности своей корпорации. В данном случае Мастер Сук не сомневается в успехе штурма неприступной «Фортеции».

«Я уже несколько дней предчувствовал что-то в этом роде», — сказал я.

Он улыбнулся: «Ну вот, а говорят, что наши писатели далеки от народа».

«Между прочим, Мастер Сук, я третьего дня читал в какой-то газете, что вас опять в Прокуренцию вызывали. Это правда?»

Он не сразу ответил на этот вопрос. По правой полосе его фиолетовое чудовище обогнал какой-то джип с тонированными стеклами. Обогнал и тут же взял лево руля, подставляя корму. Левую полосу в тот же момент закрыл большой туравтобус. По правой катил городской поток, возглавляемый милицейской машиной. У Сука в эти несколько секунд не оставалось никаких возможностей для маневра. Он, однако, умудрился затормозить так, что темный джип ушел в более или менее отдаленную перспективу. Сзади в этот момент стремительно приближался другой темный джип. В последнюю секунду, оставшуюся до множественной катастрофы, наш экипаж, который, как я потом узнал, назывался «Таблица-М», оказался в левом ряду за кормой автобуса. Еще одна секунда — и мимо нас проскочил задний темный джип, после чего Сук свалил направо, пересек две полосы и спокойно поехал в городском потоке в безопасном отдалении от патрульного мента. Мне ничего не оставалось, как только засунуть за щеку крошку транквилизатора.

«Некомпетентные лица», — проговорил Мастер Сук.

«Вы о ком?» — спросил я.

«Вообще-то о многих, а в частности, о Прокуренции. Навешивают на меня и на Шока черт знает что без всяких доказательств».

Пошло ночное сияние Москвы. Торговый раж вроде бы был в полном разгаре. Огромные лица красавиц и красавцев обещали все тридцать три удовольствия.

«Мы сейчас вообще-то куда, Мастер Сук?»

«В штаб-квартиру, Базз, сударь. Там сейчас, — он ткнул куда-то правым указательным; появилось время 23:10, — сервируют ужин в вашу честь».

Оказалось, что не только в честь меня было затеяно это мясное, в черногорском стиле, пиршество. За несколько часов до меня неизвестно откуда в Москву прибыли супруги Ясношвили. В тот момент, когда мы с Суком вошли, Гурам как раз показывал, как он ловко овладел своей электронной, из тончайших, почти полностью засекреченных сплавов, кистью руки. Она, эта кисть, между прочим, была похожа на удивительное серебристо-смарагдовое макронасекомое. Спокойно держала вилку и в то же время при помощи длинного гибкого щупа подносила зажигалку к сигарете дамы. Создатели этого чуда современной технологии явно обладали эстетическим чутьем, да и чувством юмора их бог не обидел. Все блаженно смеялись, глядя на великолепную кисть вице-президента. Ну а сам он просто хохотал как одержимый. Какова кисть, ребята, а? Вы где-нибудь еще видели такие кисти? Нет, вы нигде, даже в правительственных кругах, не видели такие кисти, господа нувориши! Тут как раз мы и вошли с Мастером Суком.

Хозяйка уважила меня личным эмоциональным подскоком, ее знаменитым пробегом вокруг стола, поцелуем в грубую щеку и даже легким прикосновением бедер. Глаза ее в ту ночь сияли мрачным огнем. Между прочим, я знал ее в далекие времена маленькой крошкой-лолитой с обручем для художественной гимнастики. Встречался и с ее тренером, товарищем Гумбертом. В те времена она звалась Вертолетовой, но мне пришлось заменить гордую русскую фамилию на подозрительную Вертопрахову. Интересно будет отметить, что всем умопомрачительным дизайнам модных кутюрье Ашка Стратова, нынешняя Хозяйка, предпочитала тренировочные байковые костюмы. Вот и сейчас она была в курточке и шароварах.

«Базз, сударь! — с некоторой театральщиной воскликнула она. Так вот кому я обязан этим странным обращением! — Как я рада вас видеть! И все рады! Ведь вы же знаете, как вас почитают в «Редких землях»! — Протянув обе руки к столу — дескать, аплодируйте, аплодируйте, она сумела мне шепнуть: — Через полтора часа выезжаем».

За столом сидело совсем небольшое общество наиболее приближенных: Ясно с женой, Бразилевич, о котором в тусовке иногда проскальзывало — «лучший жених Москвы», Мастер Сук и Мастер Шок со своими японскими женами, ну вот и Леди Эшки вернулась к столу со своим гостем. Ба, как это я сразу не сообразил, кто сидит между Юко-сан и Чиочиеко-сан, то есть между Любашей и Эльвиркой, отличный какой-то малый с отменно подстриженной длинной гривой, с отчетливой такой кирпичного цвета будкой, которую, право, можно было уподобить кирпичу, если бы не светящиеся восторгом глаза, коими он сопровождал движения Хозяйки. Да ведь это же не кто иной, как почти нами позабытый странник, Макс Алмазов, за голову которого структура МИО, по слухам, предлагает скромное, но солидное вознаграждение (сумма не разглашается). В общем, получается десять человек.

«Скажите, Базз, сударь, это правда, что вы затеяли роман о последышах комсомола?» — спросила госпожа Ясношвили.

«Что-то в этом роде, сударыня, — сказал я, устраиваясь за столом, затыкая себе под воротник обширную салфетку, протягивая руку к бокалу с вином, в котором по цвету можно было определить «Бордо Петрюс» по крайней мере двадцатилетней выдержки. — Впрочем, я еще не определил, куда направить, условно говоря, перо: к историческим ли хроникам погубившего партию комсомола или к тамарисковым аллеям юго-запада Франции, в которых бродит молодежь современной Европы, а то, может быть, и расширить сеттинг романа до пространств Африки и Сибири, то есть придать ему, да-да, вот именно, поистине планетарное или, скажем, онтологическое звучание».

«Таков наш классик Базз Окселотл», — тут же сказал Высоколобый Бутылконос, и все по-дружески расхохотались. Я тоже расхохотался вместе со всеми, хотя и заметил, как при слове «Африка» дернулась щека у Ашки, а при слове «Сибирь» у Макса, иными словами, они слегка дернулись в тот же миг.

В общем-то, этот ужин протекал очень симпатично, все хвалили черногорские биточки, мило подшучивали друг над другом, болтали о всяких светских разностях. Кто-то спросил у Ясно, может ли его новая кисть держать теннисную ракетку. Тот пообещал это выяснить в самые ближайшие дни. Заговорили о теннисе. «Наша Стомескина», оказывается, бросает вызов не совсем нашей Маше Шараповой. Ох, Ленка, ну и ну, что за дерзостная девчонка! Потом Мастер Шок провозгласил тост за Гена. Как жаль, что его нет с нами! Будем все-таки надеяться, что президент скостит ему срок. Увы, даже президент, кажется, не может повлиять на Прокуренцию. Может быть, Страсбургский суд на этих пней повлияет. Тут все сразу заговорили: Страсбургский суд может, сможет, если захочет, если кто-нибудь еще на этот Страсбургский суд не повлияет, кто это в мире может на Страсбургский-то на суд-то этот повлиять, а почему же на него нельзя повлиять, ведь это же суд, а не пирог какой-нибудь страсбургский... Вся эта трескотня по поводу Страсбурга, конечно, была специально затеяна на случай подслушивания миошниками нашей родины.

После часа ночи стали расходиться. Отправили сначала супругов Ясношвили, потом самурайских жен. Оставшиеся полдюжины персон вместе спустились на самый низкий уровень подземного паркинга. Там уже ждали несколько джипов и дюжина самых надежных в черных комбинезонах с рюкзаками, сумками и зачехленным оружием. Позднее я узнал, что именно эти парни к о н к р е т но передавали суммы баксов стражам Краснознаменного изолятора и долгосрочного блока. Все инструкции, очевидно, были уже проработаны, и потому все расселись по машинам без лишних слов.

Машины выезжали на поверхность с интервалами то в две минуты, то в пять. Все они двинулись к «Фортеции» по разным маршрутам. Я был в одной машине с Хозяйкой, сидел в углу, на заднем диване «Рэнджровера». Несмотря на поздний час, в центре было полно дорогих экипажей. Перед ярко сияющими входами в ночные клубы они медлительно и бесшумно маневрировали, чтобы достойно выгрузить своих почтенных патронов. Пока мы пробирались сквозь это шевеление, одна такая выгрузка произошла на наших глазах. Кто-то из челяди открыл заднюю дверь «роллса», и оттуда стал возникать один из символов эпохи — длинная девичья нога. Затем выпросталась головенка с хитро накрученным волосяным покровом, шея с бриллиантами, голые плечики, и наконец все это распрямилось в некое мутантное дитя, красавицу XXI века, с надменно-обиженным личиком тела. Вслед за ней появился не особенно рослый господин, весь во всем обычном, не бросающемся в глаза, с нормальным пробором поперек лысеющей головы, с подстриженными усиками, кто-то чем-то кого-то напоминающий. Единственной деталью определенного суперкачества были драгоценные хрустальные очки, из-за которых, казалось, сию минуту могут выпорхнуть два воробья. Услужающий держал над этой парой большой зонт, хотя дождя вроде бы не было. Они двинулись к дверям клуба, она покачиваясь, а он чуть-чуть поддергиваясь. Глядя им вслед, я подумал, что комсомольская традиция ранних 90-х жива. Интересно, что братва во фраках, стоявшая на ступенях, обменивалась ухмылками из той же эпохи.

Наконец мы выбрались из кварталов Бульварного кольца. Москва, однако, и за этими пределами не производила впечатление спящего города. Многие магазины и кафе работали круглосуточно. Молодой народ мелькал то тут, то там. Кое-где влачились бомжи.

«Базз, вы уверены, что вам надо быть с нами? — вдруг спросила молчавшая до этого Ашка. — Если не уверены, вас тут же отвезут домой».

«Нет-нет, что вы, Ашка, в эту ночь я обязательно должен быть со всеми. Ну уж вы-то, должно быть, понимаете, как это все у меня переплелось, правда и вымысел перетекают одно в другое, или, если угодно, одно поджигает другое; уже не существуют друг без дружки. Благодаря этому я приближаюсь к тому, что на самом деле было; и наоборот, понимаете?»

«Да ладно вам! — грубовато хохотнула она. — Так уж вы и знаете все, что было!»

«Ну если и не все знаю, то о многом догадываюсь».

Джип тем временем ушел в туннель, а потом выкатил на эстакаду Третьего кольца. Здесь вдоль дороги тянулась бесконечная линия оранжевых фонарей, они освещали полосы асфальта, улетающие вдаль, а также закругляющиеся на разных уровнях выходы и входы. Машин в этот час было мало, и мы развили приличную или, если угодно, почтенную скорость. Мимо проходили совершенно безлюдные кварталы современных функциональных построек. Разноцветные торцы и фасады создавали хорошо продуманный супраматистский пейзаж. Меньше всего он напоминал Москву, скорее уж какую-нибудь Голландию на перегоне от Гааги до Роттердама, тем более что в глубине застройки то и дело возникали светящиеся вывески: «Фитнес», «Боулинг», «Шиномонтаж». Из-за подголовника правого переднего сидения выглянул профиль Ашки. Он с улыбкой смотрел на меня, словно женский портрет Пикассо.

«В общем, я вас понимаю, Базз, сударь. Потому и пригласила вас приехать. В эту ночь».

Я промолчал.

«Именно потому, что она, Эта Ночь, мало похожа на реальность. Теперь, кажется, все ясно?»

На горизонте среди множества плоских крыш проявились контуры стоящих на холме казематов «Фортеции».

«Ну да, — сказал я. — Спасибо».

На площади перед воротами тюрьмы стояли два больших автобуса, у обоих надписи на бортах — «Труппа театра», внутри в пустых салонах светил тусклый плафон, напоминающий скорее тюрьму, чем театр. Джипы «Таблицы-М» запарковались, как положено, на разлинованном паркинге. Самые Надежные вышли и образовали маленький отряд. Многие из них переговаривались с кем-то по мобилам; похоже, что с тюремщиками. Руководящая группа, а именно Хозяйка, Вадим, Алмаз, оба самурая и примкнувший к ним сочинитель Окселотл, подошли к Самым Надежным, и таким образом отряд увеличился до полутора дюжин.

Внезапно на площадь из боковой улочки выскочил крошечный «BMW Z-3», он описал дугу и остановился на паркинге боком к линейке джипов. «Ёлы-палы, — сказал кто-то из Самых Надежных, — Ленка Стомескина приехала!» Красавица-чемпионка вышла из своей машины и присела на багажник. В своем тренировочном костюме и со спутанной гривой светлых волос, она могла сойти за младшую сестру Хозяйки. Последняя вышла из группы и стремительно приблизилась к первой.

«Ты что здесь делаешь, Ленка?»

«То же, что и ты!» — дерзко выкрикнула девушка.

«Хочешь все испортить? А ну, убирайся прочь!» — потребовала Ашка и тут увидела, что лицо соперницы все целиком покрыто влагой: как видно, рыдала за рулем, пока сюда мчалась; экий сериал!

«Ашка, я тебя умоляю, не гони!» — прошептала королева грунтовых кортов, хотела еще что-то сказать, но зашлась в рыданиях. Супруга Узника тут сжалилась над сентиментальной девчонкой, что несколько лет назад приехала покорять Москву с Урала и вот так влипла в сердечные дела несчастных небожителей.

«Ну чё ты, девка? Ну ты ваще! Давай завязывать рыдать! — вроде бы в шутку, вроде бы подражая своим Самым Надежным, проговорила госпожа Стратова и обняла уралочку за неслабые плечи. — Ну я тебя не гоню! Будешь с нами, Ленка. Ты же знаешь, как у нас в семье к тебе относятся. Ты ведь нам как родная». И девушка просияла, после чего Хозяйка построила ее в один ряд с Самыми Надежными. Интересно тут будет мимоходом отметить, что два других члена семьи, а именно Алмаз и Бутылконос, выказали признаки мимолетного смущения.

После этого отчасти курьезного эпизода вся группа приблизилась к проходной, а Мастер Сук и Мастер Шок поднялись по ступеням и возникли за стеклянной дверью перед четырьмя дежурившими в ту ночь военнослужащими. Непроизвольно, а может быть, и по плану, все Самые Надежные взялись за свое не бросающееся в глаза оружие. Самураи же самым безмятежным образом помахали стражникам: давай, ребята, открывай! Стеклянные двери отъехали в сторону. Три сержанта и старлей вышли из дежурного помещения и взяли под козырек. Первой прошла на территорию Хозяйка Стратова, после чего четверо бывших мрачневецких тюремщиков, а ныне лучезарных, хоть и слегка дрожащих миллионеров вышли на волю и заняли кресла в одном из театральных автобусов.

Старший сержант Сихина взялась быть проводником в тюремных лабиринтах. Она шла чуть впереди Хозяйки, то и дело поворачивая к ней восхищенно-вылупленные глазенции. Как и во всех старых советских тюрьмах, маршрут был запутанный: лестница вверх, лестница вниз, закругленный поворот, тупик, несколько ступенек вниз, железные бугристые двери с облупленной зеленой краской, за ними снова лестницы, повороты и, наконец, большой сводчатый коридор и двери камер. Надзиратели, народ по большой части не ахти какой здоровый на вид, одутловатый и с ноги на ногу переваливающийся, при виде быстрой и ловкой толпы, ведомой прельстительной женщиной Стратовой, вытягивались по стойке «смирно», если можно так сказать о людях с избыточным весом. По правде сказать, хоть все уже было обговорено и бабки отсчитаны по-честному, надзирателям все ж было привычней видеть в такой, типа, публике своих клиентов, но уж никак не начальников. И — вот такая чудная картина — приходится перед таковскими открывать двери и расставаться с ключами.

Самые Надежные рассредоточились по всему коридору, чтобы исключить всякую возможность неадекватного поведения со стороны надзирателей и часовых. Старший надзиратель Ответчиков Олег Спартакович приготовился открыть №130, где томился чуть ли не год наш Узник. За спиной Спартаковича дрожали от волнения Ашка и Ленка, Алмаз и Вадим, дрожал и автор сочинения Базиль Пауль Окселотл, эсквайр (Каким предстанет перед нами этот Ген Стратов и кто предстанет перед нами вместе с ним?), даже и самураи Сук и Шок, выставив челюсти, слегка дрожали, хотя их дрожь в сравнении с нашей была похожа на дрожь полностью отрегулированного «Феррари» в сравнении с дрожью перегретого самосвала.

Ответчиков включил в коридоре подвешенную в камере лампочку. Несколько минут дал ребятам очухаться от этого неслыханного ночного света и наконец открыл дверь. Пришедшие увидели четыре шконки с узниками. Один из них сидел так, как будто и не ложился, в своих джинсах и свитере с надписью «Габон». И в нем был всеми немедленно опознан Стратов Ген Дуардович, олигарх первого ранга, похожий в данную минуту на Булгакова М.А. после переписки заветной рукописи. И Лена тут Стомескина немедленно взревела белугой. «Подъем, товарищи!» — деликатно оповестил Олег Спартакович. Трое остальных, до этого безмятежно посапывавшие в сладких снах, услышав родимый советский голос, стали протирать свои глазенции и садиться в шконках. Потрясенный автор немедленно узнал в них своих героев из предыдущих сочинений, которых нынешний критик Земнер Макар Андреевич предпочел бы забыть, как сон, но не сладкий, а дурной, с его точки зрения: итак — Игорек Велосипедов, полностью тощеватый и потому мальчиковый на вид («Бумажный пейзаж»), преувеличенно раздутый, словно представитель французской шинной промышленности, Фил Фофанофф («Желток яйца») и, наконец, умеренно под стать Стратову мускулистый и зевающий со сна в манере паяца Саша Корбах («Новый сладостный стиль»).

Именно он как раз и спросил старшего надзирателя: «В чем дело, Спартакыч? Где горит?»

«На волю, товарищи, — сказал Спартакыч и попробовал уточнить: — Пришла пора свободы».

«В том смысле, что пора осознанной необходимости?» — еще глубже попытался уточнить ученый Фил.

«В том смысле, что как бы вихрь», — завершил беседу надзиратель и показал на двух дам, с его угла как бы олицетворяющих упомянутый вихрь.

Ашка теперь с наслаждением хохотала. «Ну и амбрэ тут у вас, мальчишки!» — произнесла она и, зажав двумя пальцами нос, вошла внутрь. Тут все повскакали, как были в спальном тряпье, и стали к ней подходить кто с тыла, кто сбоку, кто во фронт, и Стомескина тоже закрутилась меж ненасытных до прикосновений рук, так что и получился, как Ответчиков метко сказал, — вихрь! Хозяйка между тем жестко, как комиссарша Лариса Рейснер, распоряжалась:

«Все на выход, ребята! Пошли, пошли! А ты, Ген, со мной пошли, ведь ты меня, надеюсь, за истекшую неделю не забыл?! Ну давай, Ген родной мой, пошли! Привыкай двигаться без конвоя. Ничего с собой не бери вонючего, кроме дневниковых записей. Ленка, подойди! Поцелуй этого Гена, разрешаю! Заткни ноздри и чмокни этого зека! Вот так! Реветь не надо! Потом на корте поревешь. Все выходим в темпе. Покидаем узилище навсегда!»

Вся команда быстро стала уходить, освобождая главный коридор долгосрочного блока Краснознаменного изолятора. Освобождая от себя и освобождая по пути всех узников, поскольку ключи от камер были теперь полностью в нашем распоряжении. Также на выход шла густая толпа охраны и надзора, их ждали автобусы, что увезут их в головокружительное пространство бегства. Ашка, таща под руку благоверного, все поглядывала вокруг с некоторой опаской. А вдруг откуда-нибудь выскочит безумный майор Блажной, начнет терзаться любовью, разбрасывать пять миллионов, а то еще револьверное выяснение отношений затеет? К счастью, своеобразная эта личность так перед ней и не появилась.

Через двор они уже бежали бегом. Ген задыхался. Две фемины, Любовь и Надежда, а может быть, наоборот, влекли его за обе руки. Что-то новое начинается? Или старое завершается? На сколько тысячелетий хватит жителям Земли редкоземельных элементов? Кому посвятить оставшуюся жизнь, если даже своих детей мы вынуждены прятать от сограждан? Где еще, кроме Земли, процветают Мышь, Игуана и Опоссум? Мага, Ихта, Облом? У меня голова кружится от этой массы воздуха. Интересно, какие молекулы в нем предназначены для ночных из тюрьмы прогулок? Удастся ли нам создать дерзновенное посттюремное постчеловечество?

«Быстрей, быстрей, Ген!» — умоляли женщины. Впереди, словно рысь, поспешал Мастер Сук. Правую руку он держал за пазухой, где притаился на всякий пожарный дорогой «товарищ Маузер». Позади пятками вперед быстро отступали шестеро из Самых Надежных. Проскочив КП, передовая группа попрыгала в джипы и немедленно устремилась в сторону Третьего кольца. Замыкающая группа некоторое время еще оставалась на территории тюрьмы, наблюдая за массовым исходом персонала и заключенных. Среди наблюдавших был и автор сочинения Базз Окселотл. Он сидел на одном из крылец внутреннего двора и пребывал, честно говоря, в полном смятении.

Я пребывал действительно в некотором смятении. Нет, не в полном, все-таки еще владел собой; во всяком случае, так мне кажется сейчас. Приближался ранний рассвет зрелой весны. Небо над восточными башнями «Фортеции» принялось розоветь, а прямо над нами оно уже слегка зазеленело, и в этой зелени сиял юный серп Луны. Что касается внутреннего двора, то здесь еще королевствовала ночь, лишь слегка прорезанная светом фонарей. Зеки в одиночку и цепочками трусили из дверей тюрьмы, а некоторые выщелущивались из лазов подземного карцера. Их становилось все больше, они собирались кучками, обменивались табачком, журчали какими-то мне еще не ясными голосишками. Казалось, они ждут каких-то приказаний — то ли построиться в колонну, то ли привалиться к стене для свального расстрела, во всяком случае, было видно, что они отвыкли двигаться без команд.

Я все вглядывался в густые сумерки, чтобы различить лица. Иногда мне казалось, что я вижу кого-то пронзительно знакомого и даже родного, однако чаще все они сливались в анонимную массу. И вдруг я увидел, как из тьмы вылупился светящийся Вольтер. Парик у него был сдвинут на макушку, обнажив огромную плешь. Из кармана кафтана свисала вязанка лука. Опершись на трость, он протягивал руку в сторону крутой лесенки полуподвала, откуда вместе с полоской света вылезал на поверхность дородный человек его эпохи; ба, да ведь это не кто иной, как генерал-аншеф Афсиомский, конт де Рязань! Еще минута, и они обнялись. Было очевидно, что давно не виделись, хотя и знали, что находятся под одной крышей. Mon ami, regardez la Lune, elle est vivant encore! Bravo, la Lune!

Вслед за этими господами мелькнул передо мной звероподобный, влекущий кое-какое железо на щиколотках и запястьях Казак Эмиль. За ним протащился долговязый и явно недостаточный для государя Двухносый Казус; он что-то клевал из пластиковой коробки, то ли пищу, то ли микробиологическую среду. Тот, кого мы называли когда-то Магнусом Пятым, шествовал рядом, как бы поддерживая монархическую компанию; он был по-прежнему жалок, но непреклонно горделив. Славный командир линейного корабля Ея Величества Фома Вертиго внимательно приглядывался к еще звездному небу, словно старался определиться в пространстве. Следует сказать, что все присутствующие на этом то ли параде, то ли скорбном шествии господа были облачены в обноски своих привычных одеяний: то ли смогли настоять на этом, то ли тюремные бушлаты к ним упорно не прирастали. Вот, в частности, два бравых молодца Миша Земсков, он же Мишель де Террано, и Коля Лесков, он же Николя де Буало; они были в своих видавших всякое камзолах, в ботфортах, из коих торчали пальцы ступней, и постоянно проводили рукой по бедрам, словно ища там эфес шпаги. «Посмотри, друг, здесь немало женщин. Ей-ей, мы можем заново влюбиться!»

И впрямь, из женского блока долгосрочного изолятора без спешки, но с явной жаждой вытекала хоть и слегка чумазая, но все же привлекательная женская процессия. Впереди шествовали главные активистки, московские интеллектуалки-театралки и правозащитницы, три сестры Остроуховы, Мирка, Галка и Вавель. Барон Фон-Фикин в этой женской группе представлял андрогинное меньшинство. Вохра давно уже освободила его/ее от императорских перстней, однако ей не удалось погасить его/ее сверкающего взгляда. Две красавицы из Сцен Пятидесятых, мать и дочь, Ариадна Рюрих и Глика Новотканная, подняв над головами невесть как уцелевшие китайские шелковые платки, сигналили своему уже выбравшемуся на волю папочке Ксаверию Ксаверьевичу, стараясь отвлечь его внимание от новогоднего учебника физики. Вот так же и юные курфюрстиночки XVIII столетия Фио и Клио, вкупе со своей маменькой Валентиной-Леопольдиной сигнализировали, но уже не китайскими платками, а нежными дланями, своему папеньке Магнусу Пятому; неугасаемые Грудеринги! Близость к этой династии, несмотря на тюремные условия, сохранили и кавалерствующие дамы графиня Марилора Эссенмусс-Горковато и баронесса Эвдокия Брамценбергер-Попово-Готторн. Тут все-таки кто-то у нас должен играть роль какой-нибудь Карменситы; а вот и она, не задержалась — Кристина Горская, артистка гордая, шкура из норки, грива волос, попка — две горки. А где же хвост? Конечно, есть в этой толпе и наши «прикольные» современницы, озарившие своим блеском переходный период в Третье тысячелетие, а именно Наташа-Какаша Светлякова, «женщина двух столетий». И представительница предыдущего финдесьекль вечносеребристая Мими Кайсынкайсацкая-Честертон. И чемпионка мира по слалому-гиганту Софа Фамусова. И агент по продаже недвижимости, незабываемая Любка-Любка-Потеряла-Юбку. И специалистка по лабораторным взрывам, профессор мадам Лэтик. И глава Центра по изучению и решению конфликтных ситуаций, профессор госпожа Вибиге Олссон. И сладкозвучная высокодецибельная Бэби Кассандра со своей альбатросовидной мамочкой. А также Маринка, княжна Дикобразова, супруга олигарха Обломского, порешившая на «стрелке» семерых «арбатских», а затем посвятившая жизнь идиллическому деторождению. «Все промелькнули перед нами, все побывали тут»!

А вот вливаются в женское шествие и дамы семейства олигархических Корбахов, мама Марджори, она же чемпионка штата Мериленд по стендовой стрельбе, и дочка Сильви, начавшая беззаботной студенткой бурного Колумбийского университета и продолжившая гениальным брокером биржи, которая ради бизнеса не пожалеет ни отца, ни родного мужа.

А вот и представитель Комитета Советских Женщин, товарищ Анисья Корбах-Пупущина, позднее превратившаяся в гаитянскую баронессу Вендреди, а также в великую мамбу религии Вуду. А вот и великанша женского пола, добродетельная трахальщица пляжа Вэнэс (Калифорния) несравненная Бернадетта Люкс, тяжело, но прельстительно движется вперед, словно большеногая скульптура Зураба Церетели из этнического грузинского цикла. А вот, наконец, и Прекрасная Дама уже промелькнувшего здесь не раз бродячего менестреля, Нора Мансур, археолог Святой земли, женщина-протей всевозможных любовных коллизий, умудрившаяся в сорок лет родить сына по имени Джаз. Кстати, ребенок, благодаря гуманизму российских властей, унаследованному ими от великого-могучего СССР, жил с мамой в тюрьме и сейчас шел с ней рядом.

«Джаз, посмотри, ведь там в отдалении на крыльце сидит с гитарой твой папочка Алекс Корбах!» — радостно удивилась Нора. Мальчик тут же бросился, заюлил в толпе, но потом сердито топнул ножкой и вернулся к Норе: пролезть к Алексу было невозможно — внутренний двор быстро превращался в переполненный накопитель.

Ну и ну, я вижу тут даже тех девушек, о которых почти забыл! Вот, например, идет длинноногая и длинноносая, ба, да ведь это Фенька Огарышева, звезда велосипедовских ночей, художница в гамме желтого и зеленого. А вот, к примеру, другой вариант — звезда Кубани и Политбюро ЦК КПСС, опереточная дива, вечно юная мамаша все того же Игоря Велосипедова! А вот и еще один пример из той же оперы, или, точнее, оперетты — армянская красавица Ханук, сотрудник советских внутренних органов. Вот она идет, на верхней губе красуются отчетливые усики, говорящие, конечно, о некоторой необузданности плоти, глаз ее жарок, как Севилья. Потертый в тюремных условиях замшевый жакет все еще обтягивает статный стан, а в вырез жакета настойчиво рвутся два безусловно сахарных Арарата. Или вот еще один пример — две внешне захудалые, но с большой душой сестрицы Аделаида и Агриппина, обе Евлампиевны, одна заправляла секретариатом в райкоме партии, другая перепечатывала диссидентскую литературу. А рядом с ними прихрамывает восхитительная Анастасия, в которой когда-то некто Огородников разбудил трепетную женщину, а потом они вместе попали в автомобильную катастрофу. Похоже на то, что все эти девушки коротали свои сроки, дарованные все той же нашей зловещей Прокуренцией, в одной большой женской камере.

Теперь вернемся к мужскому контингенту. Только что упомянутый Ого бродил среди соузников и все вроде бы что-то искал: то, что утратил за все истекшие годы. Он все не верил: как можно забрать человеческий орган тела, он не привык к мысли, что еще в самом начале хождения по мукам его любимая камера «Хассельбладт» была конфискована с целью пресечения искаженческой деятельности, а потом обменена по делу на три бутылки «Коленвала» и два батона «Любительской». Сейчас он думал: «Нет, нет, свобода не может быть отделена от камеры «Хассельбладт»! Нет, нет, лучше вернуться на шконку и увидеть ее во сне».

И все целиком, вся компания «новофокусовцев», Олеха Охотников и Мастер Цу, Веня Пробкин и Слава Герман, Андрей Древесный и Шуз Жеребятников, а также на правах родоначальника не вполне еще забытый Кянукук, а также Моше Фишер и Васюша Штурмин, два Гоши, Чавчавадзе и Трубецкой, все растерянно бродили за своим вождем и удивлялись наивно: куда же наша аппаратура делась и где наши художественно-ценные архивы? Возле них крутится высокопоставленный Фотий Фёклович Клезмецов, предатель родины Фотографии, заглядывает преданно прежним друзилищам в лица; никто не видит собственного его лица. Даже и два самых близких по самоотверженности, генерал Планщин и майор Сканщин, у которых кипит их разум возмущенный, кипит холодными фосфорическими пузырями, а сердца тарахтят, как поспевший чайник, даже в ночь блаженного исхода не замечают Фотия Фёкловича.

Кажется, они успешно перестукивались с соседней камерой, и теперь можно соседей похлопать по их жестоковыйности, «с освобожденьицем!», и особенно, конечно, родственную душу, которого по Москве все знали как «Булыгу, орудие пролетариата», а вместе с ним и Женьку Гжатского, патриота власти, и майора московской милиции Густаво Орландо, и Пашку Пешко-Пешковского, певца городских восстаний, и Спартачка Гизатуллина, лучшего специалиста по продуванию энергетических систем, и Валюшу Стюрина, род ведущего от шотландских Стюардов, и Сашу Калашникова, чемпиона по прыжкам в высоту «Лебединого озера», ну и Яшу Протуберанца, филозофа постпродакшн, под чьими знаменами, собственно, все это и проходило, сначала на Соколе, а потом на Манхэттене.

Теперь о Корбахах, уже упомянутых, но еще не представленных. Возглавлял их отряд мифический старче сродни Гераклу, Стенли Корбах, с вашего разрешения, глава корпорации и царь оторвавшегося от Земли племени американских иудеев, к которому в меньшей степени, но достаточно плотно принадлежал и его зять Арт Даппертут, отказавшийся даже ради любви предать своего тестя. С ним рядом тащился жулик-дружок, похожий слегка на российскую птицу, только с одной головою — извольте, Тих Буревятников, склонный к трансмутации в перелетного орла. Эх ма, сейчас нажраться бы пива с маком и заракетиться в отключке к нереальностям неопределенным! Многие выражали полную готовность — и в первую очередь патроны бара «Последнее дно», которые в конце концов так и оказались в виртуале Краснознаменного специзолятора: вьетнамский генерал, ныне водопроводчик мистер Пью, яркий представитель поколения йаппи Мэл О'Масси, Бруно Касторциус, в прошлом юридическая звезда взбаламученного Будапешта, а затем популярный бомж Малибу, Санта-Моники и Вэнэс, ну и, наконец, друг Бернадетты Люкс, шофер-дальнобойщик и патриот морской пехоты Матт Шурофф.

Ну наконец-то появляются и те, кого я все время выискивал дрожащими от волнения глазами, герои итоговой книжки небезызвестного сочинителя Стаса Ваксино, кесаревы дети матушки-Земли и ушедшего века Ха-Ха: Гера Обломский и Телескопов-Незаконный, бандюган Налим, он же глава безграничной финансовой империи Артемий Горизонтов, профессор-конфликтолог Эйб Шум-мэйкер, с которым его страсти к девушке Какаше и к баскетболу сыграли достаточно бестактные шутки, барон Фамю, от же Павел Фамусов, банкир и поэт, что на закате дней воспылал достаточно неуместными страстями жизни, князь Колян Олада, водопроводчик из русского городка Березань (штат Нью-Хэмпшир), разделивший один из предметов запоздавшей страсти с бароном, но также с ближайшим другом графом Жекой Воронцофф, электриком из той же местности, а также с классиком циклопического реализма старцем Ильичем Гватемалой, задолго до появления на наших страницах убитым в бою с федералами на окраине Чикаго. Отдельно пройдет трясущийся интеллектуальный революционер Урия Мак-Честный, увы, заблудившийся в достаточно миазматических тупиках алкоголизма.

И наконец... как жаль, что нет оркестра!.. хороший биг-бенд, конечно бы, не помешал в презентации главной жемчужины Краснознаменной тюрьмы «Фортеция»!.. И вдруг, верьте не верьте, оркестр, ведомый нашим славным сакс-тенором Самсиком Саблером (четвертый ярус долгосрочного блока, секция «Ожог»), нашелся в среде заключенных и грянул «Звездную пыль» в честь человека, который подвел черту XX века, начав от голодноватого до всяческой зарубежной информации юнца-комсомольца, продолжив в активе полудиссидентского полуподполья, уж и в те времена отбухавшего полный трешник в «колыбели революции», очертя голову, то есть очертенев, ринувшийся в российский бизнес, то есть с водкой и с сонетом, но чаще с пистолетом, он, типа, приговоренный ошметками комсомола, типа, к смерти, типа, убитый ими, типа, ставший международным авантюристом с рюкзаком, в котором носил все, что награбил, типа 14 бильярдов, а потом, типа, основавший ООО «Природа» по части, типа, очищения воздуха от бздёжа, за что и был, типа, избран генсеком ООН — и вот он выскакивает из карцера, где прикован был к стене, он самый, Славка Горелик!

Пусть представят себя на моем месте все те писатели, кого тянет в тюрьму просто-напросто поприсутствовать в момент похищения женой своего несправедливо осужденного мужа, и вдруг по моему примеру находят, что все узилище от башен до глубочайших подвалов забито персонажами их романов, — ну не абсурд ли это, не булгаковщина ли? Признаться, я даже не знал, какую позу мне сейчас принять, будучи на крыльце, то есть на некотором естественном возвышении. Ну не завернуться ли в шинель, не высунуть ли нос, не поразить ли дикостью взгляда на манер роденовского Бальзака, что зиждится на бульваре Распай? Боюсь, что в таких потугах может промелькнуть какая-то мегаломания, тем более что над толпой, покачиваясь, струясь, а порой и пересекаясь, парят те демиургические образы, что не воплотились еще в телесность: тот Настоящий Бенни Менделл, что норовит всю публику хлыстиком организовать в «немую сцену», те духи дельты Нила Хнум и Птах, что так преобразили наши лиссабонские сцены, и наш московский вполне респектабельный Вадим Раскладушкин, умудрившийся снять одним кадром все население СССР, в своем джентльменском прикиде висит на крыльях пальто и фотиком сверху чирикает фотки, чтоб, где положено, ему еще раз отчитаться, а также вездесущий дух Прозрачный, постоянно принимающий то желеобразные, то кристаллические, а то и попросту литературно отвлеченные, ну, скажем, на манер кота, образы, а также звездочка Микроскопического, которая в бесконечном своем движении принимает формы то бесконечно малого, то бесконечно большого, а также и боевой корабль Федерации, известный нынче в мировом океане как «Аврора Горелика», то поворачивающийся суровым ликом с насупленными бровями ракет, то демонстрирующий свою достаточно женственную корму, но всякий раз возносящий в пустыню небес свои трепетные лучи в ожидании прибытия одушевляющего Овала.

Можно представить, как наши правоохранительные органы вылавливали на перехватах вот эти ныне парящие над нами демиургические образы, как они запихивали их в свои «обезьянники» и «накопители» и как они приходили в ярость, не находя там на следующий день ни капли, ни звука от этих вольных фантазий. Стража, конечно, обвинялась тогда в том, что получила «на лапу» и подвергалась достаточно суровому взысканию, и никому даже в голову не приходило, что демиурги могут свободно проходить через любую преграду человеческого гения, будь то бетон или даже железобетон.

А толпа осовобожденных между тем все прибывала. Из секции «Ожог» явились слегка уже заиндевевшие от забвения Аполлинариевичи. Соединившись хвостами и крендельками влюбленных рук, проплыли чуть-чуть повыше земли Лиса Алиса и Кот Базилио. Посыпая главу свою пеплом, прохлюпал расхититель людей генерал-полковник юстиции Чебрецов, что ли, иль как его там звали. Со скрежетом выскочил на булыжные торцы ледовый рыцарь Алик Неяркий. Прошелестела, завернувшись в трехцветную шаль и направляя полеты соломенной гривы, босая дева Мариан Кулаго. Протащились жители магаданских тепловых ям. Вместе с ними проковыляла клиентура ялтинского медвытрезвителя. Прошествовал адмирал Брудпейстер.

В составе 284 персонажей колонной, как и полагается в эпосе, прошло население трилогии. Примечательно будет отметить, что и члены большевистского политбюро вместе со своим генаралиссимусом, и князья войны, маршалы СССР, и мальчики-диверсанты, и страшные урки из команды «По уходу за территорией», и женщины, полные любви и грусти, а иногда и отчаяния, и гэбисты, и гвардейцы, и марксисты, и новообращенные христиане, и русские, и евреи, и грузины, и убийцы, и жертвы, и врачи, и страждущие — все они шли, смешавшись, на равных.

Там и сям теперь во внутреннем дворе долгосрочного изолятора мелькали и физики-лирики, обитатели Золотой Железки, и дерзостные герои любовной драмы «Андрей и Татьяна» (подзаголовок «Остров Крым»), и все мои любимые олухи, сидящие в бочках диогены Рязанщины...

Тут я увидел Сашу Корбаха прямо у себя под ногами. Он пристроился на нижней ступеньке крыльца и там перебирал струны гитары. Через несколько аккордов он начал петь. Пел очень тихо, но все присутствующие, похоже, слышали — иначе зачем они поворачивались лицами к нашему крыльцу, а многие усаживались на асфальт, будто на концерте? Он пел:

Бредут толпою персонажи
На долгий, но неправый суд.
Их ждут допросов пассатижи
И очных ставок жуть и суть.

Прощай, наследственность метафор,
Сравнимая с блаженным сном.
Прощай, последний дом «Метрополь»,
Где жил гурман и гастроном,

Чудило грешное Фофанофф,
Безгрешное мудило дней,
Кентавр, Геракл и монстр фонтанов,
Ты арестован, и блядей

Не привлечешь для показаний,
И не смягчишь толпы укор:
Присяжные сидят козлами,
И их свидетель — прокурор.

Он выступает споро, бойко,
Из кодексов своих речет.
Таков юрист. Казак с нагайкой.
Он правду хилую сечет.

Сокамерник Велосипедов,
Из книги ты шагнул в тюрьму
И затерялся здесь бесследно
В литературной кутерьме.

Тебя забыли. Генчик Стратов,
Я чуял твой ночной кошмар,
Твои недюжинные страсти,
Твоих душителей кошму.

Народ «Фортеции» вонючей
Забыл магический кристалл.
Майор Блажной, всесильный дуче,
Забил священные кресты.

И вдруг пропала крытки грыжа,
Замки упали, ветр проник,
Внезапно испарилась стража,
И вместе с ней исчез порок.

Что это? Чудо? Озаренье?
Стихий души девятый вал?
А может, к нам, слепцам за-зренья,
Из тьмы башки приблизился Святой Овал?
Тот, кого и не ждали?
Без надежды?
Тари-вари-нари, пошли на причал!

Тари-вари-нари,
Помните, невежды,
Сальвадора Дали?
Тари-вари-нари, вот оригинал!
Он чувствовал, что близится Овал!
Овал! Овал! Овал!
Ведь он к нам шел сто тысяч концов
И сто тысяч начал!
И вот не подкачал!
Овал! Овал! Овал!

Едва ли не все освобожденные чудом подхватили припев и синкопы Саши, и все, уже без всяких «едва ли», подняли глаза к небесам. Их восточные своды за контурами тюремных башен уже обещали приближающийся рассвет, однако в зените еще стояла прозрачная ночь. Месяц сиял, а за ним в непостижимых пространствах сияло только что возникшее крохотное пятнышко. Смотрите, смотрите, оно похоже на рисовое зернышко! Сколько лет или веков оно еще там простоит, прежде чем предстать перед вами, перед трепещущими прототипами человеческих тварей в завершенном образе непостижимого Овала? Всех охватило волшебное вдохновение. Воспоем же первый дар рисового зернышка, новоявленную Свободу!

Никто из освобожденных сразу и не заметил, как распахнулось одно из окон комендантского блока. Что касается освободителей, то есть оставшейся части Самых Надежных, а вместе с ними и автора сочинения, они немедленно увидели стоящего за окном дородного офицера. Он точно соответствовал сложившемуся у меня еще в биаррицевских записях образу майора Блажного: большие надбровные дуги, мрачноватые зенки и в странном контрасте — красиво очерченный похотливый рот. Пошарив левой рукой по стене близ окна, он включил сирену.

Надо сказать, что, услышав сирену «Фортеции», всякий узник неизменно думал: все сирены как сирены, а эта, как курва макроутробная. Так или иначе, но она привлекала к себе всеобщее внимание, и данный момент не стал исключением. Весь двор отвлекся от вдохновенного созерцания небес и припялся взглядами к вибрирующему в унисон с сиреной тулову коменданта. Добившись желаемого результата, майор выключил свой вой со свистом и произнес: «Ша!» Оказалось, что он намерен произнести речь.

«Ша вам всем, выродки рода человепческого, недоноски и переноски несанкционированных мантифестаций! — начал он. — Особенно ты, зачинтщик, проникший в ятчейку будущего! Я знаю тебя, как и весь соответствующий отдел. Весь компетентный орган невидимой группировки! Пусть все разбегаются, но ты будешь посажен на цепь! Или на крупнокалиберную пулю! Может быть, до тебя еще не дошло, что крупнокалиберные пули МИО выворачивают наизнанку? Встань среди масс недоделанного человепчества и скажи — дошло или нет? Что, смелости не хватает?»

Он полез в глубокую боковину своих галифе и извлек оттуда пока еще никому, даже команде «Альфа», неведомый ствол-с-прибором «Шкворенко-Плюс». Затем продолжил:

«Зачинтщик, я знаю тебя, но пока что не вижу. Ну выходи из толпы, разве не ты прясягал страшным клятвам Ленинского комсомола? Разве не тебя попросили в Сусуманском райкоме рассказать об успехах Народной армии Китая? Разве не ты закукарекал с восторгом почти по-китайски? Разве забыл ты, кто тебя спросил — а это был как раз мой юный отец — и этим дал тебе шанс не загреметь в урановый штрек? Разве не юные сталинцы дали тебе шанс проникнуть в советскую экологически чистую литературу, чтобы опохабить ее изнутри? Натовский выкормыш, вставай, я хочу перед тем, как закрыть тебя в нашем Краснознаменном изоляторе живым или мертвым, принести тебе глубокую благодарность от себя лично. Понял?

Не от глубоких миошных как бы структур, а от одинокого как бы мужчины с его вечно сосущей как бы мечтой. У тебя все ш таки хватило чего-то как бы человепческого, чтобы отдать мне, пусть хоть и не навсегда, ошеломляющее тело моей как бы мечты. Ты дал мне возможность отвергнуть как бы презренные миллионы баксов и предстать перед ней с достоинством как бы мечтателя, так сказать. Ты дал и ей как бы возможность пожертвовать как бы своей гордыней-горыничной и как бы вызволить из неволи своего как бы коррумпированного и осужденного нами навеки как бы супруга.

Однако и здесь, господин профессиональный как бы зачинтщик, ты показал себя не патриотическим реалистом как бы жизни, а зловещим бармалеем своих как бы вымыслов. Ты обрушил все мои замки и отбросил все мои как бы задвижки. Ты превратил наш укомплектованный долгосрочный изолятор, где нам удалось вывести всех крыс и подобраться к жилым расселинам тараканов, в опустевшие пещеры, где одна лишь плесень еще живет. Позор тебе, очумевший зачинтщик, а также окончательное опсуждение от имени Матери-И-Отца всех советских людей и устройств!» И на этом закончил, после чего упал спиной внутрь своего кабинета.

Кому-то, кажется, показалось, что этому падению предшествовал выстрел, однако я эту версию не приветствую. Акция была задумана как бескров-

ная манифестация на самом деле несанкциониро-
ванной литературы, и мне хотелось бы думать, что
майор Блажной не подвергся насилию, а просто сам
куда-нибудь отполз, чтобы протрезветь в одиночестве. Не желая дальше распространяться на эту тему, я все-таки должен сказать, что вскоре после не-
значительного мини-грохота в комендантском кабинете из тюрьмы вышли Макс Алмазов и Вадим
Бразилевич. Они несли несколько пластиковых су-
мочек супермаркета «Копейка», до отказа набитых
офисными папками и видеокассетами.

«Операция закончена, Базз! — весело сказали
они. — Присоединяйтесь к нам и немедленно от-
правимся!»

Оставшиеся Самые Надежные немедленно рас-
тянулись цепью и стали отступать из «Фортеции» на
всякий случай пятками вперед.

На площади перед воротами тюрьмы кем-то было уже расставлено несколько раскладных столиков. За одним из них сидел товарищ Хрящ Лев Африканович. Он руководил выдачей документов ос-
вобожденным представителям романного жанра.
Оказывается, стратовского свояка давно уже волно-
вала проблема неправомочного задержания наших
персонажей. Он держал по этому поводу постоянную закрытую связь с Мировым Пен-центром. Вчера пополудни электронное сообщение о готовящей-
ся акции застало нестареющего генерала в его вилле
на острове Мальта. Личный самолет для перелета в
Москву был ему предоставлен по старой дружбе генсеком габонского комсомола королем Ранисом Ан-
чосом Сковой Жаромшобой. К сожалению, слегка
припозднились и прибыли к воротам «Фортеции»
как раз, когда все ворота и КПП были открыты и
исход начался. К счастью, удалось организовать свое-

временную выдачу документов. Приносим большую благодарность московским правозащитникам и в первую очередь родителям основного узника Гена Двардовича Стратова.

Ну хватит уж об этом, обо всех этих паравиртуальных, то есть параллельных событиях. Пора вернуться к сугубому реализму, в рамках которого люди занимаются своими регулярными житейскими делами: сидят за компьютерами, копошатся в садах, поддерживают организмы питанием, физическими культурами, горизонтальными возлежаниями в одиночестве или с кем-нибудь, добычей редкоземельных элементов, обработкой оных и дальнейшей продажей, необходимой для уплаты государственных налогов, меланхолическими прогулками в тамарисковых рощах, над коими витает неизбежное в таких обстоятельствах стремление к переоценке комсомола, посещениями близких людей, томящихся в тюрьмах, устройствами похищений родных узников и побегами из страны.

В тех же рамках мы оставили толпу персонажей 25 романов, которые без всякой спешки расходились по окрестным улицам, подзывая такси или догоняя ранние трамваи, и помчались в аэропорт корпоративных и частных джетов, что располагается вблизи подмосковной деревни Аппетитово и носит то же привлекательное название.

Там уже нас ждали под парами два «Боинга» «Таблицы-М». В первом находились супруги Стратовы. Супруги Ясношвили в последний момент отказались им сопутствовать. Во-первых, заявили они, мы только что вернулись на родину и было бы нелепо снова удирать. Во-вторых, дорогие друзья, мы чувствуем себя основательно обиженными в связи с тем, что нас не привлекли к участию в основной акции этой ночи. Ссылки на нашу неполную полноценность неправомерны, ибо наши электронные протезы обладают большей гибкостью и хваткой, чем природные конечности титульного этноса. В-третьих, корпорация «Таблица-М» пока еще существует, и мы намерены возглавить ее руководство, особенно в связи с недавними открытиями Алмазом месторождений лантанидов, которые нуждаются либо в разработках, либо в тотальной, на будущее, консервации. Вот что сказали нам супруги Ясношвили или, вернее, показали нам колебанием своих ресниц.

Итак, мы, то есть Макс, Вадим, Базз и Мастер Сук, вместе с полудюжиной Самых Надежных, вбежали в первый самолет, где нас уже ждали Ашка, Ген, Елена, Мастер Шок и первая полудюжина СН. Второй самолет был уже полностью укомплектован резервным отрядом СН, мальчиков и девочек, великолепно обученных иностранным языкам; там же был и багаж. Он, этот второй самолет, оказался, собственно говоря, первым. Едва в светлеющем небе растворились его огни, как и мы стартовали. Мы сидели на круглых диванах в салоне и смотрели на Гена, а тот, развалив свои руки и ноги в стороны, сидел один с закрытыми глазами, то есть ни на кого не смотрел.

Обгоняя нас в скорости и в наборе высоты, мимо прошел патруль ВВС, двойка «МиГов». «Эй, Ген, открой глаза, мимо нас пролетела десятка наших лимонов!» — задорно, как комсомолочка, воскликнула Ашка. «Открыть глаза не могу: у нас еще не было подъема», — механическим голосом ответил глава корпорации. «У меня почему-то аппетит опять разыгрался, — сказал Бутылконос. — А этот борт, насколько я помню, сервирует великолепный андалузский салат». Все присутствующие слегка засмущались: по тем или другим причинам каждый помнил андалузский салат на этом борту. Стюардессы начали накрывать столы. Все чин по чину: салфетки в кольцах, приборы от Тиффани. Ну что за безобразие: почему все комсомольские бунтовщики, разбогатев, погрязают в роскоши?

Не успели все рассесться, как прозвучал голос Гена: «Подъем!» У всех на часах было 5:30. Теперь он стоял с открытыми глазами. Левая нога двинулась вперед, за ней пошла правая рука. «Ты куда?» — спросила благоверная не без тревоги. «Отлить», — ответил Ген. Лена Стомескина сияла на него откровенно влюбленным взглядом, но он ее не замечал. Вообще никого не видел, как будто двигался в темноте. «Ген, от тебя несет!» — с некоторым ожесточением произнесла Ашка. Он с удивлением приостановился: «Чем?» Она бросилась к нему. «Ты что, не понимаешь чем? Тюрьмой! Двигайся в ванную! Я тебя вымою сейчас! Всего! С ног до головы!»

Стомескина, конечно, как дурочка, разрыдалась. Уронила лицо в ладони, плечи ее сотряслись. Эта поза однажды уже разошлась по мировому гламуру, после того как она продула матчбол Маше Шараповой. Трудно было тогда поверить, что эта девчонка уже выигрывала с пребольшущим нахальством у сестер Уильямс и Моресмо. Леди Эшки на минуту вернулась и взяла «соперницу» за пучок волос. «Ну-ка, Ленка, пошли со мной, поможешь отмыть вонючку. В конце концов у нас с тобой есть некоторые обязательства по отношению к данному телу».

Теннисистка тут же встала и произнесла фразу, которая на продолжительное время стала ключевой в разборках на высшем уровне «Таблицы-М». «А также по отношению к его большой душе», — вот что сказала она; запомни, читатель!

Пока мы уписывали салат, сдабривая его вином «Петрюс» двадцатилетней выдержки, вышеназванная троица отсутствовала. Сквозь гул моторов не доносилось ни плеска, ни вибрации. Мы поднимали тосты за удивительное спасение Гена. А также за «Редкие земли». За «Таблицу-М». За ее мужчин и женщин. За первую женщину мирового бизнеса, за Леди Эшки! За нее как за символ Новой России! За Россию без миошки. Без «Мыши-Игуаны-и-Опоссума». Без Маги, Ихты и Облома!

«А между прочим, джентльмены, вы уловили, что Блажной в своей блажи раскрыл зловещую аббревиатуру? — спросил кто-то из Самых Надежных. — Она читается как «Мать-И-Отец». России, ей-ей, не сдобровать с такими родителями».

Все замолчали на несколько минут. Стюрдессы заново наполнили бокалы. Мастер Шок взял гитару и запел из Галича «Когда я вернусь». Всем стало грустно. И тут вышел Ген в ослепительной новой рубашке и в клетчатых штанах гольфиста. За ним, весело подпрыгивая, возникли две нечужих ему дамы. Ашка захлопала над головой в ладоши. «Господа братишки, представляем вам новую версию Гена. Теперь он называется господин Страто-Новодомский, то есть Казанова. Разливайте шампанское, а вы, месье Окселотл, сочиняйте экспромт!»

*Экспромт. **Подражание Васе Каменскому.***

В полете на аэростате
Свободу свою замерь.
Да здравствует Узник Стратов,
Редчайший из всех «земель»!

И так далее в духе «колумбов далеких сфер».

Едва мы успели опорожнить бокалы с «Клико», как из кокпита вышел пилот. Он сказал, что мы пересекли западную границу братской Белоруссии и теперь углубляемся в пространства небратской Польши.

X. Что из этого вытекает?

Несколько слов нужно сказать о Сторожевом Хранителе, которому Ник Оризон всегда посылает ответные электронки с обращением Dear Guardy. Уже давно мальчику стало казаться, что Хранитель бродит всегда где-то поблизости. В рутинной школьной жизни Западного Корнуэлла присутствие этого ментора хоть и ощущалось, но не так уж сильно, а вот во время путешествий Нику едва ли не мерещилось, что этот человек следует за ним буквально по пятам. В школьные дни Хранитель обычно интересовался отношениями внутри класса. Он знал всех учеников по имени и по интересам, но особенно интересовался теми ребятами, с кем Ник, как это бывает в школах, временно сближался то по спортивной линии, то по музыкальным пристрастиям, по коллекционированию виниловых пластинок, по культу древних Flower Kids или, скажем, по толкованию Толкиена. Иногда он давал юнцу некоторые ненавязчивые советы. Ну, например, пишет что-то вроде следующего: «Мне кажется, старина, что ты слишком много времени отдаешь футболу. Почему бы тебе не перестроиться на крикет? Футбол все-таки — это утеха плебса, которая все больше и больше по всему миру становится глобальным бизнесом, а вот крикет как был, так и остается истинно британским джентльменским видом спорта. Все же, дружище, если ты соберешься с приятелями на стадион, ну, скажем, на матч с непобедимым «Челси», обязательно дай мне знать, на каком стадионе этот матч состоится, чтобы я смог вовремя разработать твой маршрут в обход автомобильных пробок». Этим, в общем-то, забота и ограничивалась, если не считать того, что впоследствии выяснялось. Оказывается, он успел за несколько дней узнать, какие клики воинствующих фанатов собираются посетить данный матч. Нику иногда даже казалось, что были предприняты какие-то меры по отсечению группы корнуэльских мальчиков от сгущения хулиганствующих пьянчуг; иначе чем можно было бы объяснить присутствие по соседству на трибунах каких-то мощных парней с невозмутимыми физиономиями?

Что касается путешествий, то тут активность Сторожевого приобретала совсем иной размах. Едва лишь Ник сообщал ему, что собирается, скажем, в Южно-Африканскую Республику, а точнее, в Дёрбан, чьи пляжи отличаются особенной устойчивостью океанского наката, как Хранитель начинал развивать такую серьезную активность, что ее нельзя было считать ничем иным, как выстраиванием настоящей системы безопасности. В аэропорту его будет ждать большой такси-кэб с вмятиной на правом фендере и с рекламой турецких бань на крыше. За рулем там будет сидеть симпатичный феллоу средних лет с короткой стрижкой, покрашенной в зеленый цвет, а в левой ноздре у него будет медное кольцо времен Англо-бурской войны. Запомни: зеленые волосы и кольцо в л е в о й ноздре. Ты подойдешь к нему и скажешь: «А вы, мой друг, кажется, из Свазиленда?» — на что тот ответит долгим приступом смеха, переходящим в икоту. В конце концов он скажет: «Вы правы, сэр, я восемьдесят седьмой племянник короля».

Он привезет тебя в отель «Рокпорт», что в десяти милях к востоку от города, прямо на пляже. В этом комфортабельном заведении девяносто процентов служащих принадлежат к нашей системе. Остальные десять — неграмотные. Будь осторожен с уборщицами; ты понимаешь, что я имею в виду, а если не понимаешь, перечитай роман Набокова «Ада». Категорически не заказывай капучино и вообще держись подальше от молока. На следующий день после твоего прибытия в отель к ланчу заявится большое мальгашское семейство Дурадананганвладехов. Они скажутся твоими близкими родственниками, что ни у кого на этом пляже не вызовет удивления, несмотря на этническое различие. Можешь для простоты называть их Влахами; никто не обидится. Они только что переехали в новый большой дом в непосредственной близости от «Рокпорта». Так же, как и ты, они являются страстными поклонниками музыки барокко и старых фильмов итальянского неореализма. Я был бы очень рад, если бы ты с ними сошелся и вечерами проводил время у них на террасах. Влахи принадлежат к удивительному поколению мальгашской интеллигенции. Ну а лучше товарищей, чем дети твоего возраста, Джесси и Кензи, вообще не найдешь ни в южном, ни в восточном полушариях. (Ник в этом убедился, когда заметил, как Джесси и Кензи обшаривают биноклями окрестные дюны. Их отцы и дядья между тем прогуливались вдоль пляжа с чем-то продолговатым в чехлах.)

Пожалуйста, выходи со мной на связь не реже двух раз в день и сообщай по возможности больше подробностей. Твой Гуарди.

Приблизительно такой же сценарий был разработан и для путешествия в Биарриц, однако здесь Ник Оризон не считал себя обязанным выполнять все сюжетные ходы Гуарди: все-таки он был здесь не в первый раз, знал всю округу, да к тому же находился под опекой своего учителя, всемогущего старче Винсента Лярокка. Хранитель, очевидно, все это учитывал и не особенно давил на мальчугана, за исключением одного престраннейшего обстоятельства.

Однажды вскоре после прибытия в Страну Басков маячок его суперсовременной доски замелькал и запищал в тревожном режиме. Сторожевой в категорических, если не в грубых, тонах рекомендовал юнцу ни в коем случае не пользоваться прошлогодним мотоскутером, оставленным в самодельном гараже на пляже Бидар. Ник был поражен странным совпадением: ведь именно такое же наставление он получил от какого-то русского писателя с американским именем, с которым совсем недавно его познакомил Лярокк. Он вспомнил, с какой настойчивостью мистер Окселотл увещевал его забыть тот отменный скутер, который и сейчас мог бы стать здесь великолепным средством передвижения, невзирая на то, что его владелец действительно увеличился за истекший год. Интересно отметить, что, когда он вернулся с пляжа к гаражу в предвкушении веселого, под общий восторг, проезда на спине этого глазастого жука, двери гаража оказались наглухо закрыты, а пульт дистанционного управления начисто исчез с места их пикника. А мистер Окселотл, судя по следам его шин, отправился восвояси. Не исключается вероятность того, что писатель перед отъездом закрыл двери гаража, а пульт забросил далеко в заросли бамбука. Ник был уверен, что найти этот инструмент будет нетрудно, если прочесать тамарисковую или бамбуковую рощу, но дел на пляжах было так много, что он никак не мог взяться за этот поиск.

Однако нарастающая дружба с Дельфиной требовала все большей автономности в передвижениях. Несколько дней назад Ник все-таки отправился на пляж Бидар, надеясь отыскать там свой пульт, и стало быть, и обрести своего быстроходного монстрика. То, что он увидел, потрясло его до глубины... до глубины чего?.. может ли быть у души глубина?.. может ли душа трястись от увиденного? Ник Оризон в буквальном смысле основательно сотрясался, даже зубы постукивали. Может ли душа стучать зубами — вот в чем вопрос. Перед ним вместо аккуратненького гаража зиял отвратительный кратер. Зона взрыва была окружена желтой ленточкой. Внутри зоны работали полицейские эксперты. Вынимали из еще слегка дымящегося кратера мелкие искореженные штучки металла, весьма напоминающие, между прочим, обгоревшие куриные косточки. Кто-то из проходящих мимо сёрферов предположил, что в гараж сунулся жадный до металла тяжелоногий динозавр. Их движения намного быстрее человеческих поползновений. Вполне возможно, он успел схватить своими челюстями вожделенный скутер, после чего и погиб вместе со своей добычей. Но дело совсем не в том, кто действует быстрее, завр или хомо, дело тут в том, что гараж был заминирован, и с тем же успехом мог бы погибнуть и хомо с его спокойными движениями, а этим хомо мог оказаться не кто иной, как любимец всего побережья Ник Оризон.

В тот вечер Хранитель прислал ему e-mail message следующего содержания: «Ник, ты видишь, что я был прав. Хочу тебе напомнить, что до меня тебя предупреждал об опасности сочинитель романов Базз Окселотл, а эти люди нередко в своих предположениях опережают даже профессионалов охраны и разведки. Должен тебе также сообщить, что автором дурацкой шутки о голодном динозавре был твой друг из устья Амазонки Вальехо Наган. Если бы ты не был так растерян, ты мог бы заметить устремленный на тебя его недобрый взгляд. Категорически прошу тебя сообщать мне о всех странностях в его поведении. Можешь рассказать о нашей переписке великому Лярокку и твоей чудесной Дельфинии».

Упоминание девушки, которая пленила его сердце, наполнило душу трепетом совсем другого сорта. Гуарди прав: надо рассказать ей о всех преткновениях моей судьбы. Что может быть лучше, чем полностью доверительные отношения между влюбленными! Гнусная дымящаяся яма на месте гаража очень быстро выветрилась из сознания. После этого произошло и важнейшее в масштабах нашей Галактики соитие двух юных тел. Ночь в тамарисковом парке, витающие в воздухе ароматы, память о ее поцелуях заполнили все его естество. Всевозможные попискивания XXI столетия кружили ему голову. На экранчике селлфона он нашел ее послание: «Мы с тобой только что побывали в космическом пространстве. Твоя Дельф». Он тут же отправил ей свое: «Жажду новой встречи в Стожарах. Твой Ник». К этому добавлялись послания Хранителя, предполагающие какой-то новый поворот в судьбе. Последнее гласило: «Возьми фургончик мистера Окселотла и немедленно поезжай в аэропорт Парми. Ночной бармен по имени Уазо проведет тебя на летное поле. Там произойдет наша встреча».

Улица Жан-Жака О'Дессю, несмотря на свою кривизну, а может быть, благодаря ей, была неплохо освещена галогеновыми фонарями. В их свете стоящий на холме за ветвями магнолии и пальмы белый домик казался сущим привидением, если так можно сказать о чем-нибудь несуществующем. Бросив на него беглый взгляд, Ник подумал, что Базза, по всей вероятности, нет дома. Мысль о том, что писатель может просто-напросто мирно почивать в этот час даже не пришла ему в голову. Спали тут несколько автомобилей, оставленных на ночь вдоль тротуара, и среди них самым сонным казался фургончик «Рено Кангу».

Он потянул переднюю левую дверцу. Она открылась. Приподнял коврик; связка ключей в свете фонаря казалась гибридом устрицы с осьминогом. Самый острый щуп, явная смесь титаниума с латанидом, легко вошел в створ зажигания; все сразу вздулось в машине, зазвучало пиано; любовь андрогинов, ноктюрн. Не дожидаясь полного прогрева масла, они тронулись в путь. Жан-Жак, превратившись на несколько минут в подобие горной дороги, выкатился на авеню Президента Кеннеди. Здесь тоже было пусто. Кроме фонарей светились вывеска магазина свежемороженой пищи «Пикар» да банкомат «Сосьете Женераль», уличный термометр показывал 19 градусов. Встречным курсом медленно проехал автомобиль жандармерии. Ник, заметив его, немедленно надул щеки и нахмурил брови, чтобы не приняли за несовершеннолетнего. Жандармы хохотнули, один из них, высунув из окна ладонь, изобразил сёрфинг; дескать, знаем, знаем, кто вы такой, молодой мсье.

Проехав несколько круговых разворотов, Ник выскочил на автобан №10. Пространство широко ракрылось на юг. Там, под звездами и луной, отчетливо обозначились отроги Пиренеев. Какая ночь, думал Ник, сколько удивительных мгновений проскальзывают мимо, сменяя друг друга, как будто давая мне знать, что я дружелюбно опознан.

Большой, наполовину стеклянный зал был совершенно пуст, если не считать какой-то студенточки, что дремала в кресле, положив ноги на рюкзачок, да одинокого бартендера Уазо, который смотрел футбольный матч — Аргентина против Сербии и Черногории, записанный на кассету его предшественником.

Ник присел на высокую табуретку у бара и вежливо обратился к болельщику: «Какой счет, мсье Уазо?» Лысоватый парень внимательно на него посмотрел и ответил по существу: «Шесть ноль, мон ами. Аргентинцы показывают чудеса футбола. Только что забили мяч после пяти передач в одно касание». После этого он, не отрываясь от экрана, приготовил для Ника большую чашку кофе и продолжил: «Ваш друг прибудет сюда примерно через полчаса, так что можно не спешить».

Прошло минут десять, прежде чем с экрана исчезли трагические фигуры славян и развеселые аргентинцы. Уазо пригласил юношу зайти за стойку и открыл маленькую дверь в стене. Вдвоем они прошли по узкому коридору, открыли еще одну дверь и оказались прямо на летном поле. Занимался рассвет. Вокруг не было ни души. Смутно виднелись контуры двух аэробусов и нескольких маленьких самолетов. Ник подумал, что Хранитель, очевидно, прилетит на какой-нибудь крохотной «Сессне» в полном одиночестве. Это было бы логично для завершения таинственности. Впервые он ощутил некоторое беспокойство. Зачем понадобилось выводить его на летное поле? Чего доброго его тут увидит охрана и примет за какого-нибудь террориста. Беспокойство усилилось, когда он ощутил полнейшую оторванность от своей доски. Она лежит там, в «Кангу», включает свой маячок, но от него не видит ни ответа ни привета. «Послушайте, мсье Уазо...» — начал было он, но бартендер тут показал ему на пирамиду каких-то контейнеров и предложил забраться на вершину. «Ни о чем не беспокойтесь, Ник. Я сейчас сообщу вашему другу, где вы находитесь. Все будет тип-топ». Он принес раскладную лестницу и попросил Ника втащить ее за собой наверх. После чего спокойно удалился, вернее, исчез, еще вернее — упорхнул, если уж говорить о птицах. Таким образом наш юный герой оказался один в самом темном углу ночного аэродрома.

Он растянулся на верхнем контейнере и прикрылся куском брезента. Грубая ткань была довольно влажной, однако вскоре высохла от соприкосновения с его горячим телом. Теперь она его защищала от остренького ветерка, то и дело долетавшего сюда из пиренейских расселин. Накрывшись с головой, он в щелку наблюдал восточные своды небес, где все яснее проступало свечение рассвета. Вот оттуда, должно быть, появится одинокий летун Сторожевой. Если он не зайдет на посадку из все еще темных глубин Запада. Кто он такой, этот человек, столь активно вмешивающийся в его жизнь с помощью электронной почты? Гендерная недостаточность английского языка в первом лице мешает даже предположить, что это мужчина. Также невозможно предположить его/ее возраст. Он/она, безусловно, умудрен/а богатым житейским опытом. Он/она также располагает широко раскинутой сетью связей в мировом бизнесе отдыха и туризма, а также с чинами администрации всевозможных регионов. В этой роли может легко оказаться кто-то вроде всемирно известной миссис Робинсон, осуществляющей контакт между ООН и ЕС. С другой стороны, настороженность и пытливость электронной персоны отошлет нас к кому-нибудь вроде мистера Беарбага, этого засекреченного специалиста по нанесению точечных ударов по гнездовьям экстремистов. Кто-то вроде Брюса Уиллиса, если не он сам. Узнав о том, что мальчик из Корнуэлла вместе с его скутером попадает в список намеченных экстремистами жертв, Брюс Беарбаг вместе со своей партнершей Робинсон, временами выступающей под маской Сигурни Вивер, принимают соответствующие меры в регионе Земли Басков. Как вдруг выясняется, что вся эта каша заварена не кем иным, как сочинителем Баззом Окселотлом, потому что именно этот старче как раз и является Хранителем мальчика из Корнуэлла.

Этот последний поворот в многоступенчатом «сне преследования» пробудил Ника. С вершины своей погрузо-разгрузочной пирамиды он увидел, что над восточными предгорьями уже разгорелась широкая полоса медного свечения и в этой полосе появилась черная точка приближающегося самолета. Через несколько минут на носу увеличивающейся точки загорелся огонек направляющего прожектора. Еще через несколько минут Нику показалось, что черный объект с ярким свечением на носу намного превышает «Сессну» вместе с возможным у нее на носу фонарем. Прошло еще несколько минут, и огромный «Боинг-756» приземлился и покатил по отдаленной от здания аэропорта посадочной полосе. В тот же миг в небе на низкой высоте возникли два «Миража», одно из патрульных звеньев

Пятой республики. Ник не успел досчитать до пяти, как эта двойка, качнув крыльями, заракетилась в высоту и исчезла.

Двери открылись, из здания аэропорта вышла значительная толпа таможенников, полиции и чинов префектуры, мужчин и женщин. Над этой толпой важных персон, между прочим, покачивалась голова Лярокка. Приземлившийся лайнер теперь не спеша, словно выставочный автомобиль, катил по бетону и с каждой минутой приближался. Он остановился метрах в ста от пирамиды контейнеров. Тут же к нему подъехали два высоких трапа. Открылись два люка. Из «Боинга» вышла дюжина парней в отменно сшитых костюмах; преобладали светлые тона. Тут же они рассредоточились вокруг трапов. За ними выскочила на трап какая-то девчонка в тренировочном костюме. Она откинула назад растрепанные волосы и воссияла своей лучшей из улыбок, которую Ник никогда, невзирая на долгие разлуки, не мог позабыть.

«Мамка!» — завопил он по-русски и, забыв про все меры предосторожности, сиганул с вершины контейнерной пирамиды.

Они не виделись больше года, потому что Ашка не могла себе представить встречи с сыном в то время, когда его отец сидит в тюрьме. Теперь, когда так ловко подстроенная встреча состоялась, у нее прервалось дыхание и заплясали колени. «Димка! Димка! — кричала она, как будто случайно увидела его в толпе. — Посмотрите, это же мой Никодимчик!» Пляска колен не давала ей спуститься по трапу. Он, прыгая через три ступени, достиг своей возлюбленной матушки и прижал ее к себе. «Боже мой! — бормотала она. — Как ты вырос! Эдакая Большуха! — И закричала через плечо из сыновьих объятий: — Ген, посмотри, кто нас встречает! Это наш сын Никодимчик по прозвищу Огромная Большуха!» Он целовал мамулю то в одну щеку, то в другую, а то и в ближайшее ухо, запускал свою пятерню в ее волосы. «Димка, родной мой!» — услышал он голос отца. Ген на трясущихся ногах спускался к ним по трапу. Как странно выглядит этот главный Стратов, подумал сын. Мощные бицепсы распирают короткие рукава тенниски, а щеки ввалились, в глазах лихорадка, по серой коже струится пот.

Достигнув двух своих самых близких, Ген окружил их объятием и, не в силах больше держать равновесие, съехал на трап. Теперь они трое сидели на ступеньке и бормотали что-то любовное и бессвязное. Никто из них, конечно, не видел, как за спинами официальных представителей из здания аэропорта вышел бартендер Уазо вместе с девушкой-студенткой, которую мы мельком заметили в пустом зале. Теперь ее тощий рюкзачок висел у нее на спине, придавая ее тоненькой фигурке дополнительную прямкость. Читатель наверняка уже догадался, что это была не кто иная, как четвертый член многострадальной семьи олигархов, 19-летняя Парасковья. Уазо показал ей галантной ладонью на трап самолета. Девчонка взвизгнула и понеслась, расталкивая габаритные спины истеблишмента департамента Пиреней-Атлантик. Через минуту она уже была в центре семьи. В дверях самолета запричитали на бабский русский манер стюрдессы корпорации «Таблица-М», а вместе с ними и самая голосистая от переизбытка эмоций Стомескина Елена, посеянная в этом сезоне в первую десятку почти непобедимых игрочих. Пашка врезалась в сердцевину семьи, прыгнула на колени к отцу, головкой бодала мамку, щипала и тыркала Огромную Большуху.

Неожиданно подрулил грузовичок СМИ. На открытой платформе работала камера Шестого канала и несколько фотографов из «Фигаро», «Лё Монд» и «Юго-Запада». В тот же день снимки воссоединившейся семьи российских миллиардеров обошли весь мир и сравнились по своей изобразительной силе, ну не знаю уж с чем, разве что с прыжком балетного гения Рудольфа Нуриева. Пожилые мальчики и девочки еще помнят тот снимок, он назывался «Прыжок к свободе». Драматизм стратовского момента потряс западную публику. Пресса писала: «Организованный мадам Стратовой невероятный побег ее мужа, короля редкоземельных элементов Гена Стратова из мрачной московской твердыни, тюрьмы «Фортеция», становится вдвойне или втройне более значительным событием благодаря тому, что на сцене как раз к прибытию самолета появились их очаровательные дети, 19-летняя Парасковиа и 13-летний Никодим. Дети выросли практически без родителей, поскольку в течение ряда лет их приходилось прятать в неустановленных местах, чтобы избежать их захвата в качестве заложников могущественной теневой структурой, поставившей своей задачей уничтожение стратовской корпорации «Таблица-М». Вот в таких непростых условиях приходится существовать предпринимателям новой России. За развитием этой темы следите в наших следующих выпусках».

Представители официальных кругов старались избегать слова «побег». Ни для кого не было секретом, что франко-российские отношения претерпевали в этот период весьма суровые испытания. Стратовская корпорация была основным поставщиком очищенных редкоземельных металлов и элементов для военной и космической технологии Пятой республики. Новые сплавы к тому же сулили колоссальный толчок в развитии потребительской индустрии. Используя все возможные открытые и закрытые каналы, правительство старалось воздействовать на Кремль, чтобы добиться освобождения Стратова. Увы, аристократы из администрации российского президента, прибегая к всевозможным эвфемизмам, давали понять, что на данный момент они ничего не могут поделать с МИО, этой опутавшей все общество псевдопатриотической паутиной. Французское правительство тогда отстранилось от этого скандального дела, однако по каким-то неясным каналам — мы можем здесь вообразить, что по некоторым финансовым, а может быть, и по литературным каналам, — довело до сведения Леди Эшки, что в каких-нибудь форс-мажорных обстоятельствах оно не будет возражать против прибытия в страну семьи Стратовых; напротив, предоставит им надежное политическое убежище.

Между тем, пока мы уточняли для себя политику Франции, официальные лица образовали возле трапа полукруг, внутри которого оказался штатив с микрофоном. Стратовы, а вслед за ними господа Бразилевич, Алмазов, Окселотл, Мастер Сук и Мастер Шок и все присутствующие Самые Надежные, похожие на богатых спортивных грандов Европы, образовали второй полукруг, и таким образом, стало быть, возник полный круг, расцветший сдержанными, но вполне приязненными улыбками. В центр круга вышел супрефект Густав Тарталь и предоставил слово представителю спортивной комиссии при мэрии города Биаррица Винсенту Лярокку. Великий старче был краток:

«Госпожа и господин Стратовы, члены семьи, друзья семьи и сотрудники всемирно известной корпорации «Таблица-М», от имени собравшихся здесь представителей общественности я хочу вам сказать: «Добро пожаловать!» Желаю вам на скалах Биаррица благополучно отдохнуть от политических бурь и набраться сил от бурь океанских. Тамарисковые парки Земли Басков к вашим услугам. Спортивная комиссия при мэрии от всей души желает вам приобщиться к нашим усилиям по развитию излюбленных в нашем краю видов спорта, а именно к гольфу, теннису — прежде всего это касается великолепной мадемуазель Элен Стомескин, финалистки прошлогоднего турнира Ролан Гаросс, — а также к регби, в котором наша команда стяжала немало национальных и международных призов — надеюсь, это привлечет внимание ваших молодых атлетов, — и особенно к нашему главному, ставшему в последние годы поистине массовому виду спорта, к сёрфингу, тем более что одной из самых заметных фигур на волне является юный англичанин Ник Оризон, оказавшийся на поверку русским мальчиком Никодимом Стратовым. Иными словами, allez-y donc!»

Краткая речь великана произвела весьма благоприятное впечатление на членов администрации: двусмысленное политическое событие превращалось в спортивное мероприятие. Строгие лица разулыбались. Начались рукопожатия, переходящие временами в полуобъятия, а Леди Эшки и Ленка Стомескина получили немало французских двойных поцелуйчиков. Еще до начала церемонии приземлился второй самолет корпорации, и к ее завершению подошла еще одна толпа русских, среди которой было немало дополнительных молодцов, похожих на профессионалов регби. Хорошо подготовленные к встрече, они пели «Марсельезу» на языке, напоминающем смесь французского с нижегородским. Словом, триумф!

Далее началось выполнение формальностей. В зале таможни был сервирован пти-дежоне, после чего пошло заполнение десятков, если не сотен всевозможных анкет и составление различных заявлений, связанных с временным размещением и последующей покупкой намеченных заранее домов и земельных участков.

Семья Стратовых сидела за отдельным столом. Изо всех сил они старались преодолеть огромнейшую эйфорию и не разразиться рыданиями. Обменивались шутками, вообще юмором, как будто разлучены были ненадолго лишь в связи со школьными каникулами. Пашка, например, рассказывала о ежедневных о б я з а т е л ь н ы х велосипедных прогулках, которые практикуются в ее колледже, в кантоне Гельвеция. Если, например, какая-нибудь девочка старается от этой процедуры увильнуть, тут же сбегаются бонны, грозят ей пальцами и говорят: «тю-тю-тю». Зато потом, когда удается отправить всех девиц на колесную променаду, бонны аплодируют и звонкими от счастья голосами поют что-то вроде: «Едут леди на велосипеде, клетчатые юбочки, белые чулки». Папочка, мамочка и ты, огромное чудовище, признаюсь, после выхода из колледжа не могу смотреть на велики, мутит.

А вот у нас, тут же подхватывал Никодимчик и начинал, как водится у подростков, рассказывать совершенно не связанную с предыдущей историю о своем друге, бразильском юнце, которого зовут

Вальехо Наган. У него очень короткие ноги, но зато очень длинные мускулистые до жути руки. Крокодилы в дельте Амазонки тут же прячутся, когда видят, как Наган скользит на доске, стоя на руках. Любопытно, что в их племени, которое в условиях Интернета стало называть себя йаху, существует древняя традиция ненавидящего взгляда. Таким взглядом обладает и Вальехо Наган. Всем мужчинам полагается владеть ненавидящим прожигающим взглядом, что они и делают, а вот женщины там милы. Иной раз даже становится не по себе под такой концентрацией ненависти, однако всем нашим, то есть сёрферам, известно, что для друга этот парень готов на все. Однажды он на моих глазах перехватил атакующего крокодила и порвал его вдоль на две части.

Мама Ашка тут довольно смешно, немного как-то по-волчьи взвыла, уронила личико на поверхность стола, чуть не попав носиком в вазочку с джемом, и застучала по столу кулачками; прошу прощения за избыток уменьшительных. Она сказала, что руки у человека теперь бывают разные, и стала рассказывать о кисти левой руки общего любимого друга Гурама Ясношвили. Очень ловко показывала эту кисть — как прихватывает то одно, то другое. Скажем, вилку. Скажем, салфетку. Скажем, нос собутыльника. Скажем, нос Бутылконоса. Может ласкательно, может терзательно. Все пять пальцев плюс дополнительные, самые неожиданные, сделаны из уникальных сплавов титана с редкоземельными элементами. Как по силе, так и по чувствительности они превосходят наши. Какие наши? Что, разве непонятно — человеческие!

В этот момент в зале запели сигналы не менее дюжины мобильников: у кого «Хабанера» Бизе, у

кого «Рэгтайм» Джоплина, у кого «Шествие» Прокофьева, ну и так далее. Послышался голос Ясно:

«Извините, ребята, подслушал ваш треп. Вношу
небольшую поправку. Моя левая — это кисть будущего, а ваши пока что влачатся в прошлом. Теперь
по делу. В Москве сущая паника. Публика вся перемешалась. Бросаются друг к другу с сумасшедшими
гипотезами. «Эхо» утверждает, что получает какие-
то странные сигналы из космоса. Будто бы приблизился НЛО из зазведности. Есть, однако, и достоверные неожиданности. Звонил Белосельский-Бе-
лозерский из президентской администрации. Надеюсь, говорит, что хоть вы нас не бросите, Гурам
Ушангович. Убедительно просим сохранять спокойствие, не ломать графика. Большой привет семье Стратовых. Уверены, что в близком будущем...»
Тут, пардон, связь была прервана каким-то воем
юрского периода. Только что пронесся слух, что по
всей стране восстанавливаются сталинские глушилки. Голос исчез, послышалось у-у-у-у-у. Что это
было: Ясно дурачился или действительно машины
взвыли? Так или иначе стратовские дети, а заодно с
ними Ленка Стомескина прям-таки грохнулись со
стульев от смеха. Ген Стратов, все еще исполнен-
ный некоторой деревянности, взял своей правой
левую благоверной и постучал ее косточками по
столу.

Те, кто думает, что в крытке не смешно, уве-
ряю — ошибаются. У нас там главный был громила
по части юмора, майор Блажной, комендант долгосрочного блока. У него там такая была «комната
смеха» с кольцом в стене. Бывало, заходил к нам в
камеру, вроде бы оттянуться на интеллигентские темы — ну там шорт-лист Русского Букера или итоги
Московского кинофестиваля. Часами сидит и буб-

нит и на каждого по очереди смотрит: дескать, я с вами, у меня, мол, такие же вкусы, как у вас, даже в смысле женского пола, я такой же узник, как и вы, хоть и комендант. А потом начинал кого-нибудь прихватывать, чаще всего Игоря Велосипедова. Ох, Игорек, нравится мне твоя Фенька Огарышева, ты даже одной ягодицы ее не стоишь...

«Ну что ты такое несешь, Ген?! — вскричала тут Ашка. — Ну что за бред?»

Муж строго ее пресек. Помолчи, Ашка, ты тюремного юмора не понимаешь. В общем, Игорь тут нервно вскакивал, пытался там бегать, но места для бега не хватало, тогда он отсаживался от компании на стульчак. Ну разве это не смешно? Блажной интересовался, что бы тот сделал, если бы он с Фенькой Огарышевой побаловался. Я бы вас задушил, товарищ майор, ответствовал тот. А за такую диссидентщину, товарищ Велосипедов, придется вам на цепи посидеть в «комнате смеха», а вы, товарищ интеллигенция, следуйте за нами, чтобы полюбоваться на товарища. Все отправлялись тогда за майором, но по дороге Фил Фофанофф притирал его своим пузом к стене, а Сашка Корбах хохотал, как бешеный. Он эту цепь, ребята, для себя самого придумал, а ведь в советских тюрьмах такие цепи вроде бы не предполагаются. Майор хихикал, как будто к чему-то сокровенному приближался, а мне все время шепотком: мы, мол, пацаны с одного двора. Не знаю уж, как я удержался, чтобы не...

«Замолчи, Ген! Прекрати! Я знаю этого майора, он сумасшедший, но не гад!» Ашка с досадой отвернулась от освобожденного мужа.

Тут к их столу подошли Вадим Бразилевич и Макс Алмазов. За ними помощники несли немалые стопки французских деловых бумаг. Известно, что французская бюрократия по числу и по сложности таких бумаг занимает неоспоримое первое место в мире.

«Ну вот, пока все идет как по маслу, — сказал горделиво Вадим. — Скажите спасибо вашему Высоколобому Бутылконосу!»

Юный Никодимчик ахнул и уставился на него. «Так это были вы, сэр? Вот уж никак не предполагал, что мой виртуальный Хранитель в жизни так похож на Высоколобого Бутылконоса!»

Все переглянулись, а матушка потянула детище за ухо. «Ты, Димка, кажется, растерял свои прежние манеры среди кукурузных полей?»

ВБ похлопал мальчика по могучему плечу. «На самом деле я был всего лишь помощником твоего настоящего Хранителя, мой мальчик. Вот кто твой настоящий наставник и организатор оптимального пространства», — и с этими словами он показал на Макса Алмазова.

Никодимчик снова ахнул. Перед ним сидел длинноволосый, в стиле аргентинского футболиста, вполне еще молодой, то есть слегка нестарый красавец в серебристом свитере, оттенявшем кирпичного цвета будку лица, то ли атлантического яхтсмена, то ли сибирского землепроходца. Он улыбнулся юнцу. «Hi, Nik! It's me, your Guardy, Max Almazov, at your service». И протянул мальчугану свою тяжелую руку, чтобы «потрясти» в прямом переводе с английского тоже не легкую руку опекуемого. Получился своего рода космический захват, своеобразная стыковка. Оба сияли друг на друга своей сигнализацией, то есть глазами, которые помогли им не разойтись в пространстве, чреватом полным и навсегда исчезновением; без дальнейших встреч. Теперь сияли, чувствуя какую-то удивительную, хоть и неизреченную близость.

Макс Алмазов! До ареста отца тайными большевиками Земли мальчик не раз слышал это имя во время законспирированных встреч с родителями. Как-то мало вязались с этим именем электронная почта и английский язык. Речь вроде бы шла о каком-то таежном старателе с особым нюхом на редкоземельные элементы. Будто бы ходит там с группой таких же, как он, косолапых-бородатых в регионе всех трех Тунгусок, равном по площади десятку Франций с весомым довеском Англии. И вдруг сидит перед ним эдакий плейбой из секции Fashion какого-нибудь самого гламуристого гламура! Но как — скажите, джентльмены, и вы, гламурные леди, включая юную мамочку, — как мог этот сибиряк так быстро приближаться к своему подопечному во всевозможных регионах мира, будь это родная Англия или Южная Африка, не говоря уже об устье Амазонки, где обитают мужички с ненавидящими взглядами? Конечно, электронная паутина обеспечивает мгновенный контакт по всему миру, однако Хранителю удавалось возникать не только в виртуальном мире, а вроде бы как бы в мире непосредственной близости, создавать эффект непосредственного присутствия. Впрочем, если этому человеку удавалось годами ускользать от скрытно-большевизма, то ему ничего не стоило в третьем тысячелетии появляться там, где надо, особенно с помощью могущественной «Таблицы-М» с ее высокомудрым, хотя и не лишенным британского юмора Высоколобым Бутылконосом.

Тем временем вновь обретенная дочь Парасковия Стратова тоже не без интереса поглядывала на Максима Алмазова, также известного в корпорации под именем Пришелец. Ее вовсе не удивила ударная внешность этого молодца, поскольку, в отличие от братца, она немало о нем знала от Стомескиной. Теннисистка до того плотно слилась с людьми «Таблицы» и особенно с семьей Стратовых, что никогда не отказывалась от предложения совершить связное путешествие к запрятанной в горной Швейцарии Пэрасси Стрейт. Больше того, она с удовольствием общалась с милой девочкой, которая была всего на четыре года ее моложе и души в ней не чаяла. Девушки помоложе довольно часто ищут общения с девушками постарше, чтобы стать лицом посвященным, ну и, наоборот, девушки постарше любят посвящать тех, что помоложе; короче говоря, они стали закадычными подругами. Странное выражение, не правда ли? Можно ли так сказать о персонах, не снабженных мужиковатыми кадыками?

Так или иначе, но Пашка узнала от Ленки, что у мамочки были романтические контакты с Алмазом, в связи с чем вечный обожатель мамочки, то есть папочка, завел романтические контакты с самой Ленкой, которая давно уже была влюблена в этого данного папика, несмотря на то что временами позволяла себе некоторые вихри в отношениях с другими классными папиками «Таблицы». Словом, у игрочихи, посеянной — напоминаем — в первой десятке, был порядочный внеспортивный опыт, которым она могла увлечь тихую девчушку и вдохновить ее на будущее.

Ленка нередко посылала Пашке в аттачментах фотографии, сделанные в основном на пляжах или в бассейнах. Внешность Алмаза с его фигурой десятиборца производила на юницу весьма серьезное впечатление, но даже больше, чем фигура, действовали на нее его лицо и глаза, исполненные какой-то странной смеси очарования и страдания. Ленка иной раз намекала, что за плечами у этого парня стоит нечто страшное. Будто бы он иной раз впадает в ужас при виде собственной тени. Будто бы прежде, когда вы с Никодимчиком были маленькими, эта тень упала на детей, которых он должен был по приказу миошников либо похитить, либо убить. Что это были ли за дети, уж не мы ли сами с Никодимчиком? Ленка на этот вопрос не отвечала. Она говорила только, что с тех пор Алмаз поклялся вырваться из дьявольского круга. С тех пор он стал беззаветным редкоземельцем. В любую минуту готов жизнь отдать за своих друзей. И за их детей. Вот такой появился там у нас Пришелец, еще тогда, когда я в юношеской группе стала в теннис играть под их патронажем. Вот так получилось, Пашка-кошка, но для тебя он уже староват.

Через пару часов все предварительные дела были завершены, все бумаги подписаны. Для начала корпорация брала в аренду весь третий этаж гостиницы «Отель дю Пале» с его высоченными императорскими окнами, открывающимися в необозримый бискайский простор. Также в аренду с возможной покупкой в близком будущем пошел комплекс великолепных резидансов на холме, над Пляжем Илбарриц и обширным полем для гольфа. Семиэтажный резиданс попроще на Пляже Миледи, предназначенный в основном для будущих регбистов, был с ходу закуплен, как говорится, flat. В дальнейшем вступал в силу обширный план закупок земли и недвижимости, разработанный в Москве всезнающим Бутылконосом.

По дороге в отель Ген, с отсутствующим видом

следящий за проплывающими пейзажами шикарного курортного города, вдруг задал всем присутствующим, то есть в основном своему семейству, череду отчасти ошеломляющих вопросов: «Что все это значит? Что из этого вытекает? Что с нами произойдет?»

Несколько минут в плавно скользящем лимузине королевствовало молчание. Потом растворила свои пламенные уста Хозяйка, Леди Эшки, Ашка Стратова, в девичестве Вертолетова: «Я не знаю. Никто не знает. Быть может, лишь летописец Базз Окселотл немного знает или предполагает. Кстати, где он?»

XI. Сомнения автора в обществе осла

Должен признаться, что я покинул эту триумфальную компанию сразу по завершении церемонии прибытия. Взял такси. Мог, конечно, уехать на собственном «Кангу», который как-то странно выделялся на паркинге среди темных деловых машин, однако благородная мысль помешала: ведь там внутри лежит чудо-доска Ника Оризона, сиречь Никодимчика Стратова, а он не любит расставаться с подругой.

Приехали. Дистанционным управлением открываю ворота, вхожу в свой сад. Читатель, очевидно, заметил, что на составленных уже страницах я не раз кряхтел, ну, вернее, покряхтывал, по поводу одиночества. Остался, дескать, совсем один, если не считать двух воровок-сорок. Должен сознаться, что слегка, но существенно погрешил против истины. В саду меня часто приветствует передвигающаяся часть живой природы, ослик Дуран Мароззо. Это как на детской картинке-задачке «Найдите в саду осла». И вдруг он, осел, почти растворенный в листьях и цветах, выходит вам навстречу и приветствует оглушительным иа-иа-иа.

Я наткнулся на него в испанском Сан-Себастьяне, который нынче все чаще называется по-баскски — Доностия. Стояла патологическая жара. Я шел под вечер вдоль высохшего русла городской реки. Под скукоженными листьями платанов на набережной меланхолично стоял одинокий ослик. При виде осликов мне на память всегда приходит стихотворение из русского перевода «Саги о Форсайтах»:

> В час, когда к Божьей стекутся маслине
> Ослики Греции, Турции, Корсики,
> Если случайно проснется Всесильный,
> Снова заснуть не дают ему ослики.

Чудо из чудес, на спине у ослика красовалось хорошо притороченное седло. В кармашке седла я нашел записку: «Буэнос диас, меня зовут Дуран Мароззо. По причине сложных взаимоотношений в семье моих хозяев меня оставили в Доностии, чтобы вы меня нашли. Можете садиться мне на спину и отправляться в любую сторону света. Надеюсь, мы будем относиться друг к другу по-джентльменски». Ничего не оставалось, как взгромоздиться в седло и подтолкнуть пятками крепенькое пузо. Дуран Мароззо тут же затрусил прочь из города в сторону французской границы. Сорок километров до дома мы преодолели за пять часов; неплохая скорость для осла с изрядной поклажей в виде неумелого всадника, учитывая еще передышку, когда Дуран свернул с обочины в поле, чтобы пожевать свежей травы.

> И, уложив их на райской соломе,
> Полуживых от забот и усталости,
> Вспомнит Всевышний, и если он вспомнит,
> Сердце его преисполнится жалости.

Всю дорогу публика из прощелкивающих мимо автомобилей, хохоча, нам что-то кричала. Особенно старались, даже чуть-чуть притормаживали, обычно полусонные от скуки водители-дальнобойщики. Эко диво, ослик на обочине! Надеюсь, что среди этих зубоскалов не было ни одного моего читателя.

Ослики эти — мое же творение,
Ослики Персии, Грузии, Крита...
И средь маслин водрузит объявление:
«Стойло блаженства для Богом забытых».

Вообще-то нет более подходящего любимца в домашнем обиходе, чем серенький ослик. Весь день он бродит по твоему саду, а когда проголодается, сам находит себе пропитание в виде травы или листьев. Спит, стоя на задах участка. Можно оставить его одного на сколько угодно дней, и он не пропадет. Надо только припасти ему корыто с водой, а в случае засухи сосед Жан-Мари подольет H_2O из шланга. Конечно, он какает, это верно, никто не отрицает, что он срет. Однако со временем ты замечаешь, что он выбирает для этой процедуры самую верхнюю сотку моего пологого сада. Собравшиеся там яблоки быстро засыхают под солнцем, а если начнутся дожди, растекаются в ручейки, обеспечивающие нижние растения первостатейным ослиным удобрением.

Возвращаясь из поездок, я закатываю своему ослу то, что называется «пир взаимных симпатий». Скребу его скребком, хотя он, собственно говоря, и сам это делает у ствола старого дуба, поливаю из шланга, то есть становлюсь чем-то вроде атлантического ливня, а он вопит мне иа-иа-иа на высоких нотах, уподобляясь колтрейновскому саксофону. Из лакомств я вначале подсовывал ему склеенные какой-то сластью твердые тюбики мюсли, но потом заметил, что он предпочитает им крепко посоленные салаты, а то и просто чистую соль. Так или иначе мы с ним целый день ходим друг за другом, пока не падает ночь и наступает апофеоз «пира взаимных симпатий». Ночью я выезжаю на нем верхом на почти пустые улицы Биаррица. Он обожает эти прогулки, бойко стучит копытцами, покручивает хвостом. Те, кто по ночам не спит, шарахаются от нас, как от привидения. Однажды жандармы нас остановили. Это куда же вы направляетесь, мсье? Из дома, отвечаю я по-французски.

Есть такое выражение в этом языке: «Он говорит по-французски, как испанская корова». А почему ослов это не касается? Потому что они выше коров, несравненно выше. По уровню близки французской жандармерии. У вас документы, мсье, есть на это животное? Озадаченный, смотрю на славных парней. Дуран поворачивается к правоохранительным органам тем боком, на котором у него бумажка лежит в кожаном карманчике. Органы с уважением читают. Значит, он зарегистрирован в Португалии? В этом духе, офицеры, он там родился. Сказано то ли по-русски, то ли по-английски. Жандармы отмахиваются. А сертификат по прививкам имеется? Тут уже я вынимаю свой собственный аналогичный сертификат. Ну счастливого пути, господа иностранцы, говорят менты. Хорошо бы вам колокольчик подвесить, чтобы не пугать людей. Так, во всяком случае, я перевожу их маловнятное бормотание. Иа-иа-иа — как труба под сурдинку, проговаривает Дуран и устремляется, счастливый, домой к своим муравьям. Он их жрет, между прочим.

Так обычно бывает после длительных путешествий, но в этот раз скребка и поливка затягиваются.

Весь день после отрыва от триумфальной группы персонажей я сидел с лэптопом на террасе и думал о романе, а не об осле. Разрастающееся сочинение пронизывало дни и ночи, и, наоборот, налетающие друг на дружку события дней и ночей то и дело резко встряхивали роман. В принципе, меня ничто не заставляет тащиться вслед за реальными событиями. Следовало бы уходить подальше от событий, полагаться на чистое воображение или, как говорят моряки, «забирать мористее». С другой стороны, я все чаще ловлю на себе вопросительные взгляды основных персонажей. Похоже, что они всерьез считают меня участником событий, а мое воображение полагают существенным фактором в их развитии. Роман — это открытая форма, говорит Бахтин, он не поддается завершению. Я как автор всей дюжиной своих ладоней аплодирую этому смелому заявлению. Мне трудно даже представить роман, написанный по плану завершения. Не представляю даже того, что произойдет вслед за этой подглавкой, которую можно было бы назвать «Сомнениями автора в обществе осла». Да ведь и осла-то самого здесь не предполагалось в течение 240 компьютерных страниц, хотя, по всей вероятности, он уже бродил с прежними хозяевами вдоль неохраняемой государственной границы, даже не представляя, что он может оказаться каким-то болтиком в композиции. А также в метафоре. Чем в конце концов является роман, если не развернутой метафорой, куском свободной стихии сродни нашему Водоему, Резервуару или, без всякого уже ёрничества, безостановочному Океану?

Кто больше тут жаждет свободы — автор или персонажи? Становится не по себе, когда думаешь об этическом смысле этого движения. Возьмем, например, тотальное и одномоментное освобождение всех предыдущих моих персонажей, томившихся в скрытно-большевистской московской тюрьме. Кто их туда упек: я сам или режим? И за какие грехи? Единственное, что им можно вменить, — это приверженность свободе. За те грехи, что они натворили на своих страницах, не сажают. В худшем случае секут блудливой критикой. Приверженность свободе — вот за это пожалуйте в крытку! Однако ведь и приверженность сия слагается из суммы грехов, не так ли? Не следует ли из этого, что все эти личности или, вернее, псевдоличности обречены на долгосрочное или, скорее, вечное заключение? Тогда пошто пошто для них для всех в одну хрустальную ночь пришла свобода? Почему они все устремились в исход из «Фортеции», где им все-таки были гарантированы ежедневные суп-и-хлеб? Куда они уйдут теперь, да и приживутся ли вообще к тайно-большевистскому обществу? Или им уготована судьба стать кочующими персонажами? Думают ли они о такой чепухе, как честолюбие или тщеславие автора? Не ошибусь, если скажу, что большинство даже и не подозревало о присутствии автора в толпе исхода. Лишь один, безумный и блажной, угрожал зачинщику.

Не завершится ли все это возвратом? Почему редкоземельцы не могли себе даже представить своей столь дерзновенной операции без Базза Окселотла? Не потому ли, что в их побеге, в их столь великолепном нуриевском прыжке, кроется все равно скрытно-большевистская крытка будущего? Чего больше в романе, телесности или открытости?

И так весь день я бродил по своему саду, иа-иа-иа, и осёл таскался за мной, намекая на ночную прогулку верхом. И так весь день я вытаскивал из-

284

за пазухи вопросительные знаки, их там была целая куча. И ни одного не попалось наглого и гордого, фаллического восклицательного. На самом-то деле, именно восклицательный, раздвигая сонмы крючков, вдруг начинает вопить, как восторженный осел, что он не боится пафоса, и именно знак пафоса дает автору право и на честь, и на тщеславие и завершает дело выспренной лужей.

Интересно, что в наших приморских кварталах большинство утр начинаются с прозябания серого цвета. Пополудни частенько зачинается разгуляй. К вечеру все уточняется, все высвечивается на розовеющих с зеленью горизонтах и человеческие чудовища начинают себя воображать. Самое блаженное время у моря — это ранняя ночь: чеканка крупной луны, мелочишка восторженных планет, дальнейшая пыль, ни счесть, ни понять — все на местах. Вот именно на ночь глядя Дуран Мароззо притащил мне в зубах свое любимое седло. Давай, седлай, старче! Простучим копытцами по ночному пустынному граду, проверим, как колышутся флаги наций и ассоциаций. Я подвязал ему пластиковый мешок под хвост, чтобы не попасть в здешнюю, пусть европейскую, но все-таки тоже крытку.

Иногда спрашивают: на чем Иисус въехал в Иерусалим? Вопрос поставлен не совсем гуманитарно, надо спрашивать — на ком? И тут же просвещать невежд — на ослице! Нет-нет, он недаром взял ослицу — в ней он увидел долготерпимость и жестоковыйность. И всем людям сказал — не избегайте ослов! Отсюда и английские стихи.

Мы процокали нашими копытами по променаде от Рыбацкого порта до чугунных кружев Дворцовой гостиницы. Напротив ограды в двух заведениях, «Гавана» и «Ибица», мучительно выдыхалась молодежная дискотека. Трудно было вообразить более безобразную утробную караоку. Я привязал осла к молодому тамариску и сел рядом на лавочку. Весь третий этаж отеля, зафрахтованный беглой российской корпорацией, сиял, словно на дворцовом балу. Наверное, не менее ста пятидесяти тысяч свечей зажгли, как у Потемкина в Таврическом. Чем они там занимаются в этот час: танцуют или распаковывают багаж? Все поддали, носятся с полнейшей бестолковостью, налетают друг на дружку. Ашка, небось, как Ленин в Смольном, летает из двери в дверь, кричит своим соратникам по государственному преступлению: «А где наш летописец? Куда, черт подери, подевался мсье Окселотл? Домой, говорите, смылся, спит? Да как он мог смыться, когда такое вокруг творится? У меня на мобильном записан его мобильный. Где мой мобильный? Не найдете, расстреляю!»

Я отвязал Дурана Мароззо, сел в седло и медленно стал удаляться по променаде Шарля де Голля. Удаляюсь. За спиной в открытом окне третьего этажа кто-то переговаривается мужскими голосами: «Да вон, кажись, наш летописец удаляется. Верхом на осле. На осле? А на чем же еще, не на собаке же! Товарищ писатель, куда же вы удаляетесь на осле? Возвращайтесь, без вас тут все вверх дном!» Молчу. Не оборачиваюсь. Не понимаю по-русски.

Перед тем как углубиться в городские кварталы, выезжаю на площадь Святой Эжени. Почти все кафе там уже закрыты. Переворачивают стулья. В центре площади возле газебо идет режимная съемка. Слышится привычная кинематографическая матерьщинская. Куда деваться? В ночном Биаррице сни-

286

мают «Остров Крым». Из вагончика выскакивает Танька Лунина. Что вы тут намерены делать, моя дорогая? Я намерррена вдрrребезги ррразррругаться с ррережиссеррром! Хрррен! Эксплуататоррр! Смиррритесь, моя доррррогая, — последний пррроход. Что за издевательство? Перррестаньте имитиррровать мой гррррасс! Пррокатите меня на своем Дурране Маррроззо? Как куда? К вам, конечно! То есть к тебе, конечно, мой сюррррреалист!

Черт его знает, то ли сидим, то ли лежим среди множества цветных одеял и цветастых подушек. В окне, как спиртовка, пылает вполне утвердившаяся теперь Луна. Под ней на холме фигурирует осел. Насмотревшись в окно, он стоит теперь на пяти ногах. Удивительно, что в эту ночь все обошлось без треугольных таблеток. Танька почесывает мне затылок.

«Послушай, старче неугомонный, я уже не знаю, где твой вымысел и где реальность».

«Я тоже не знаю. В этом деле мы с тобой полностью совпадаем».

«Ты знаешь, что произошло вчера в Москве? Неужели без тебя обошлось? Ашка Стратова штурмовала «Фортецию» и освободила своего мужа».

«Вот это да! Ну и ну!» — присвистнул я и немножко пожевал ее ухо.

Она в ответ запустила пальцы в мою седину.

«Послушай, Базз, события углубляются. Перламуттер немедленно задумал новый мега-проект. Звонит из Малибу во все концы. Как ты думаешь, есть у меня шанс получить эту роль?»

«Какую роль, моя дорогая?»

«Как какую? Роль Леди Эшки, конечно. Если

меня взяли на роль Тани Луниной, почему бы мне не сыграть Леди Эшки?»

«Прости меня, сладчайшая, но ты ведь на самом деле Таня Лунина, не так ли? Однако ты ведь не Ашка-Эшки, не так ли? Может быть, Перламуттер прочит саму Ашку на эту роль?»

Она откатилась и шлепнула меня по голове одной из цветастых подушек. Точнее, подушкой с персидскими мотивами.

«Ты думаешь, олигархиня будет играть олигархиню? Такого, право, еще не было в кинематографе».

«Мало ли чего не было, мало ли что еще будет», — промямлил я.

Она еще раз долбанула меня подушкой, на этот раз с физиономией Пола Маккартни.

«Ты опять что-то придумываешь, как придумал когда-то «Остров Крым»! Ты и меня саму для себя придумал, пользуясь тем, что мое имя совпадает с персонажем. А что если я совпаду в чем-то с Леди Эшки?»

«Мммм», — ответил я.

«Ну отвечай, старый жулик! — Она прыгнула на меня вполне по-хулигански. — Уверена, что ты темнишь, что ты все-таки замешан в эту авантюру!»

Я притворился, что сплю, а вскоре заснул на самом деле. Во сне мне снился мой осел, или по-узбекски — ишак.

XII. Наследники династии

По прошествии некоторого числа месяцев Стратовы переехали в свой новый дом, вернее, в старый дворец. Старый-то старый, но вообще-то не очень, всего лишь столетней давности. К тому же отделанный заново. Дом назывался «Шато Стратосфер», вот почему и был избран из многих замков получше. Произрастал он прямо из прибрежных скал, и при соответствующем освещении его профиль напоминал какой-то сказочный чертог. Впрочем, когда там на всех пяти этажах зажигались окна, большие в гостиных и залах и маленькие в сторожевых башнях, всякий демонизм пропадал, и у путника возникало желание войти под эти своды и присоединиться к воображаемому веселью. Воображаемая романтика тоже там по лестницам и альковам плутовала. Вадим Бразилевич однажды напомнил Ашке стих Игоря Северянина:

Это было у моря, где лазурная пена,
Где встречается редко городской экипаж.
Королева играла в башне замка Шопена,
И, внимая Шопену, полюбил ее паж.

Ашка расхохоталась в северянинском нервном духе и стала всем объявлять, что теперь у нее в пажах Высоколобый Бутылконос.

На самом деле замок и впрямь напоминал незабвенный Серебряный век, когда каждой весной половина аристократического Санкт-Петербурга собиралась в далекий железнодорожный путь к скалам Биаррица. Созидателем замка был некий Крутояр, спортсмен и воздухоплаватель из семьи князей Юсуповых. Именно он придумал себе и своей возлюбленной Валентине эту обитель в стиле популярной в Санкте той поры «скандинавщины». К семидесятым годом прошлого века «Шато Стратосфер» окончательно распрощался с наследниками Крутояра и был переоборудован шустрыми дельцами в «резиданс», то есть в дом с отдельными и довольно шикарными квартирами. С тех пор там и месяц не проходил без въездов и выездов: никто слишком долго не засиживался в замке, где стоял постоянный гул от неспокойного Водоема. О жильцах из отдаленной империи давно позабыли, пока в начале 90-х все хозяйство целиком не попало в руки так называемой «русской мафии».

Интересно было бы проследить, как возникают и как долго держатся русские стереотипы. До революции на бискайских курортах всех русских считали богатыми людьми со сдержанными аристократическими манерами. После революции все русские разделились на белых и красных, причем «белые» были до чрезвычайности бедны, а «красные» богаты, поскольку они состояли из «комиссаров», «большевиков», «чекистов» и получали солидные суммы из секретных фондов Кремля. Потом и вообще русские как-то исчезли, точнее, превратились на десятилетия в каких-то «советских», малоприятных и жалких. Без денег. И вдруг где-то там Советский Союз развалился и вместо всех перечисленных появились «новые русские» с тугими кошельками, а то и без оных, но в пиджаках, набитых валютной массой. Вот их-то и стали величать, не без причины, «русской мафией». На их лицах, казалось французам, метались тени преступлений и убийств. Впрочем, здесь, на Кот Д'Аржан, они вели себя прилично. Говорят, проституцией торгуют? Не знаю, не видел. В основном на пляже лелеют плебейские пуза. В песке яйца пекут, а водку в заводях меж скал охлаждают.

С тех времен тоже уже прошло немало кругов вокруг Солнца, по крайней мере не меньше дюжины. В XXI веке русские вроде бы стали иными. Фигуры улучшились. Денжищ с собой больше не таскают, отщелкивают пластиковые карточки своих банков. Носят малозаметные драгоценные очки. Разбираются в винах, понимают, как отличить «Шато Тальбо» от «Эрмитажа». Однако по-прежнему в обиходе их всех чохом называют «русской мафией». Так упорствует публика Запада. Даже в дружественном Биаррице после прибытия вполне приятной на вид небольшой толпы русских, ученых-геологов, менеджеров, финансистов и специалистов охраны, бросивших вызов скрытно-большевистской структуре своей страны и освободивших из страшной «Фортеции» своего президента, стали иной раз поговаривать: «Вот, посмотрите, явилась «русская мафия» и скупила половину нашей недвижимости». А почему бы не заметить, что эти приобретения никакого вреда не приносят департаменту Пиреней-Атлантик, а, напротив, улучшают циркуляцию средств и повышают налоговые платежи?

Стратовы купили свой «Шато Стратосфер» за изрядное число миллионов. Предоставили работу многим местным трудящимся. Заплатили все налоги. Достройка еще шла своим ходом, когда они переехали из отеля в свои жилые этажи. В принципе, этот дом, окруженный на девяносто процентов бурлящим океаном, становился штаб-квартирой взбунтовавшейся корпорации «Таблица-М», которая сама становилась как бы частью стихии.

Ген, освободившись от тюремного режима, полюбил спать в свое удовольствие. Его никто не будил, и он блаженствовал в своей спальне с открытыми окнами, через которые большими потоками входил океанский воздух, насыщенный йодом и микроскопическими частицами редкоземельных элементов. Вони никакой, равно как и дезодорантов полный ноль. Он чувствовал, что прежняя комсомольская бодрость ежедневно возвращается к нему. Возвращается прежний, тридцати-с-чем-то-летний возраст.

Как-то раз в те времена, когда он был непогрешимым олигархом, он решил пересечь Атлантику не по воздуху, а on surface, то есть по поверхности, еще точнее — по морю. Купили президентский suit на верхнем деке Queen Elizabeth II, единственного оставшегося суперлайнера, который иногда еще курсировал по прежде великому морскому пути XX века. Ген спал там всегда со всеми окнами настежь, а дни проводил за чтением «Ньюйоркера», лежа на балконе под великолепным морским одеялом. Пять дней и пять ночей «Элизабет» шла совершенно одна в необозримом пространстве. За все пять дней он не видел за бортом ничего, кроме неба и воды. Первичные элементы бытия. Ни один самолет не пролетел над ними, ни одна чайка. Он понял тогда, что его вовсе не любопытство отвернуло от воздушных путей, а жажда чистого воздуха. Вот он и получил его на пять дней посреди океана. С открытыми окнами. На балконе каюты. Ноль загрязнения. В Москве несколько дней все ахали: нет-нет, это не Ген, это молодая тень Гена! Ашка повисла на плече и хвалилась: каков мальчонка? Через несколько дней все это улетучилось. Москва пожирает как молодость, так и вообще всякий возраст; всех подравнивает под свой единый бизнес-день в чаду Садового кольца. Общая тюряга, форпост, фортеция. Да что Москва, такого воздуха, как в Биаррице, не найдешь и за тысячу русских верст, хоть сбоку и пыхтит деловая Франция.

Ген вылезал из-под пухового одеяла и сразу, еще в пижаме, приступал к своей йоге; начинал с сирхасаны. Окна его спальни выходили на северо-запад, и, стоя на голове, он видел символический белый маяк Биаррица в перевернутом виде, как будто и тот стоял на голове. Завершив сирхасану, то есть как бы спрыгнув с самого себя, он переходил на систему всяческих растяжек и балансировок, которую его дети со смехом называли «системой сдержек и противовесов». Потом, в состоянии полнейшей бодрости, просил принести завтрак и газету. Обслуга «Шато Стратосфера» уже приноровилась выпекать здесь круассаны и бриоши. Может быть, они и «Financial Times» сами тут стряпают?

Он пьет кофе, похрустывает булочками и читает эту розоватую, как пипифакс, газету. Вот извольте: статья из внутренней, но чрезвычайно важной для делового человека тетрадки. Заголовок: «Бискайский вариант таежного бизнеса». Из текста: «Совершив баснословный прыжок из заточения в свободу, супруги Стратовы открыли новую страницу в развитии российского бизнеса... Российская администрация отнюдь не считает, что «Таблице-М» пришел конец... Уникальная российская корпорация редкоземельных элементов переживает кризис, но не катастрофу. Хорошим показателем является тот факт, что ее акции на бирже, резко покатившись вниз, вопреки прогнозам остановили свое падение на неожиданно благоприятном уровне, а сейчас, несколько недель спустя после дерзновенного штурма долгосрочного изолятора тюрьмы «Фортеция», медленно, но уверенно поползли вверх... Руководство «Таблицы» не развалилось. Уехала семья Стратовых в сопровождении своих самых близких друзей. В некотором смысле, несмотря на возмутительность стратовских действий, их можно понять. Могущественная организация, которую многие в Москве цинично называют «Прокуренция», держит в своих руках всю юридическую систему и не допускает никаких либеральных отклонений от своих драконовских акций... Оставшаяся часть руководства «Таблицы» сплотилась вокруг третьего члена триумвирата, Гурама Ясношвили, который вернулся после длительного лечения из Калифорнии и сейчас полон решимости сохранить их творение, возникшее на волне неокомсомольского романтизма... При желании можно увидеть в расколе некий позитивный смысл. Несмотря на нынешнее расположение в юго-западном углу Франции, стратовцы, а вместе с ними и их огромные деньги продолжают оставаться частью «Таблицы-М». По всей вероятности, люди Ясношвили будут по-прежнему разрабатывать свои засекреченные жилы в Сибири, в то время как стратовцы склоняются к своим ассетам в Африке и особенно на «острове сокровищ», именуемом Габон... В том случае, если администрация Кремля сделает безучастную мину, у «Таблицы» появится серьезный шанс пополнить собой семью многонациональных корпораций, разрабатывающих недра. Гип-гип-ура комсомольцам последнего призыва!»

В последнее время Ген стал замечать за собой, что, несмотря на свободу и новый воздух, малейшая неприятность повергает его в гипертрофированное раздражение. Вот и сейчас, прочитав за мирным завтраком явно провокационную статейку в «Файненшл», он завелся до дрожи. Гады какие, еще позволяют себе ёрничать! Ура, видите ли, комсомолу! Всякий здравомыслящий увидит тут проплаченный заказ. Хотел бы я знать, кто на Западе помнит этот гребаный комсомол, да еще с приставкой «нео»? Ясно, что свое, домашнее, крокодилище борзописущее старалось; засекреченные у нас, оказывается, есть жилы в Сибири! Такой проводится зондаж на предательство в стиле комитетской дезинформации. И кремлевцы упоминаются походя, и Гурама подталкивают на ссору. Вот кто-нибудь ему ввернет, что Ген, мол, сам проплачивает такие публикации, и взорвется наш несдержанный, проткнет своим девятым пальцем левой.

Упоминание девятого пальца левой электронно-металлической кисти Гурама слегка отвлекло от международных провокаций. Эта тема стала едва ли не обязательной в теплых компаниях «Таблицы», тем более что и сам Гурам постоянно по телефону рассказывал о проделках своей левой, словно она была его славным чудаковатым другом. Он где-то научился на израильский манер начинать всякую фразу со слова «смотрите». «Смотрите, сидим мы в «Ностальжи» на дне рождения Игоря Бухарова, и тут моя левая берет сразу три рюмочки и опрокидывает их одну за другой в вашего покорного слугу; каково?» Воцаряется смех, дружеское веселье проносится по системе сотовой связи, однако самые близкие люди, то есть Ген и Ашка, стараются не развивать этот «юмор взорванного». Они, он и она, улыбаются и молчат. Прекрасно понимают, каково Гураму прикидываться неувечным. С некоторым неприметным содроганием думают, что друг может в любую минуту расплакаться. Брось эти бесконечные хохмы о «своей левой», генацвале, дружище!

В общем, завтрак над океаном испорчен. Он отшвыривает розовую газету в угол офиса. Между прочим, несколько слов насчет этого великолепного офиса, отделанного с таким вкусом в английском стиле. Он всегда пуст. Люди «Таблицы» отвыкли от Гена за время его отсутствия. Вот из Ашкиных покоев ни свет ни заря уже доносятся энергичные голоса, телефонные звонки, попискивание факсов, сканеров и компьютеров. Слышится ее резкий голос, то отдающий распоряжения, то поднимающий дух каким-нибудь бессмертным анекдотом. Смех там настолько обосновался, что иногда кажется: он и по ночам бродит по замку, будто крутояровский призрак. Ашку тут давно уже называют Хозяйкой. Такие бабы, как она, когда-нибудь начнут новый женский век правления в России, то есть спасут эту родину — идиотку.

А вы, Ген Дуардович, можете не беспокоиться, никто не собирается вас свергать, душить подушкой или отравлять. К вам со всем уважением, а многие — да-да, немалое число — с истинным сочувствием. Ведь травмы, подобные той, что вы перенесли, легко не проходят. Наша Хозяйка после своего исторического, а пожалуй, даже и поистине библейского подвига теперь всех призывает к вам относиться с товарищеским комсомольским тактом. Все знают, что вашу травму надо уважать, однако не пестовать ее, а постепенно, день за днем, изживать. С этой точки зрения ваша дружба с Ленкой Стомескиной вызывает у всех вокруг просто истинный восторг. Вы здорово гармонируете друг с другом, Ген. Даже разница в возрасте, сейчас, с началом рекон-ва-лес-цен-ции, не ощущается. Конечно, Ленка частенько отбывает по своим турнирным делам, однако это ведь совсем не мешает вашим взаимным чувствам, а, наоборот, оживляет какую-то советскую песню вашего возраста.

> Через годы, через расстоянья
> На любой дороге, в стороне любой
> Песня вам не скажет «до свиданья»,
> Песня не прощается с тобой...

Все в порядке, Ген, отправляйся плавать, готовь себя к новым боям.

Все уже знали, что он сейчас в большом махровом халате пройдет мимо офиса Ашки, где уже порядочно набралось народу для уточнения задач ВЭЦ, то есть Временно Эвакуированного Центра. Проследует с псевдобеспечным видом — дескать, не зовете, ну и не надо. И все сделают вид, что за спорами не заметили президента. Пусть набирает сил Великий Ген после шока тюрьмы. Придет в себя и сам вгрызется в самую сердцевину. И все продолжат споры, делая вид, что не заметили и грустного взгляда Ашки, обращенного к удаляющейся стройной спине и мощным икроножным мускулам.

На первом этаже замка был обширный бассейн, в это время года напрямую соединяющийся с океаном. Вода покачивалась, создавая даже некоторое подобие прибоя. Ген сбросил халат, прыгнул и сразу ушел в глубину ко входу в тоннель, соединяющий бассейн с океаном. Через минуту он вынырнул уже в бухте, среди скал, среди большого наката, бьющего в эти скалы и создающего пену и ворохи брызг. Проплыл под естественной аркой и вышел в открытое море. Здесь на сломе сёрфа он увидел несколько знакомых физиономий: верхом на своих бордах раскачивалась юношеская компания — его сын Никодим, никодимская подружка с подходящим именем Дельфина, никодимский дружок Вальехо Наган и никодимская сестрица, то есть генская дочь Парасковья. Трое из этой четверки, хохоча, помахали ему своими лапами, четвертый обжег ненавидящим взглядом. Уплывая все дальше от них в сторону одинокой скалы, он вспомнил, что ребята готовятся к событию, перед которым, должно быть, бледнеет даже побег корпорации «Таблица-М» из Москвы.

Через неделю в Заливе Басков открывался «Лярокк», всемирный фестиваль по сёрфингу вне возрастных групп. Неоспоримым фаворитом считался бразильский индеец Наган. Никодимчику прочили второе или третье место. Впрочем, среди фанатов носились шепотки, что англичанин Оризон, на поверку оказавшийся русским Стратовым, в последние дни так сильно прибавил, что как бы не лопухнул вислоухий Вальехо. Тут может разыграться настоящая юношеская трагедия, тем более что оба мальчишки, кажется, неравнодушны к Дельфине Лакост. Наган очевидно зол на соперника, недаром обжигает всех вокруг ненавидящим взглядом, говорили те, кто был полностью несведущ в культуре индейцев Амазонки. В спор обязательно вмешивался какой-нибудь сторонник политической корректности. Дело тут не в девчонке, говорил он. И не в славе. Вопрос гораздо проще и трагичней. Ник оказался сыном миллиардеров, так? Что ему этот приз за первое место, какой-то несчастный лимон. О заработках на рекламе бордов и гидрокостюмов он даже и не думает. А для Нагана между тем эти деньги означают все! На них он может обеспечить своему племени настоящее процветание; понимаете? Нужно поговорить с Ником, он должен уступить пальму первенства своему другу. Тринадцатилетний мальчик растет не по дням, а по часам, в нем бурлит мощь античных героев. Забавляясь в воде, он может опрокинуть мечту маленького народа.

Уплывая все дальше и приближаясь к скале, похожей на рубку всплывающей подлодки, Ген Стратов думал о своем сыне. Проклятая смертоносная война с «Сиб-Минералом», а главное, со скрытыми большевиками МИО, заставила нас упрятать на годы наших детей. Мы могли бы давно бросить бешеный российский бизнес и уехать все вместе куда-нибудь в Австралию. Тщеславие и мегаломания, погоня за миллиардами и комсомольский нахрап украли у нас с Ашкой подростковые годы Пашки и детство Никодимчика. Мы жаждали всенародной демократии и упустили своих детей. Слава Богу, что они хоть остались живы. Ты помнишь первые слова нашего крошки, произнесенные на площади Дзержинского? Ашка, ты помнишь? «Позор», «долой», — повторял он за толпой, обводя пальчиком дождливые своды бунтующей Москвы. Сейчас он скорее скажет disgrace, down. Впрочем, он явно не любитель таких радикальных слов, в революцию его не тянет. Эти аптекари из Корнуэлла оказались чудесными людьми, они дали нашему мальчику мягкий, гуманитарный взгляд на мир и природу людей. Теперь моя очередь. Я, настоящий отец, должен заменить ему его псевдородителей. Мне надо выйти из бизнеса и жить интересами своих детей. Пашка по возрасту и нраву уже готова замуж, и я буду дедом. Это здорово — быть дедом! В этом смысле можно сказать спасибо скрытно-большевистской сволочи: без них я не попал бы в крытку, не выпал бы из бесконечной шакальей пляски. Теперь я стал одиноким, как лайнер QE II, в одиночку пересекающий Атлантический океан. Плыву сейчас к своей вынырнувшей субмарине. Принадлежу к стихии чистейших воды и воздуха. И растворенных в них 17 элементов, предсказанных лохматым бородачом, отцом Прекрасной Дамы. Я мало знаю о редких землях, хотя и сделал на них миллиарды. В принципе, я неуч. Еще есть время, мне нужно вникнуть в этот предмет и проникнуть как можно глубже в его основы. Вот если уж и оставаться в редких землях, то нужно стать специалистом. Забыть об игре биржи и думать об основе основ. Вообще я готов к тому, чтобы сделать какие-то реальные шаги в жизни. В реальной жизни, куда приходят ниоткуда и вроде бы уходят никуда. Нужно окончательно уйти из комсомола и войти в церковь. Попытаться понять, действительно ли Бог — это преодоление Смерти. Если я уже почти постиг всю глубину отчаяния, быть может, Всевышний дарует мне и торжество?

Как мне преодолеть отчуждение Ашки? Она стала Хозяйкой и с этого престола, по всей вероятности, не уйдет. Пусть там сидит со своими мужиками, у меня нет уже никаких претензий. Понимает ли она, что у меня нет никого ближе? Что она как была моей единственной любовью, так и осталась? Да и она, наверное, любит только меня, если уж уволокла из советской крытки. Нам нужно обрести другой вид отношений, оставить прежний бешеный секс. Нужно открываться друг другу, договаривать все до конца. Нужно сказать друг другу, что нам страшно за Димку. Вспомни, что было семь лет назад, когда он вдруг изуродовался у всех на глазах без всякой причины. Страшно вспомнить ту нашу встречу с ним в Габоне, вернее, с тем, во что он превратился. Нелегко вспомнить и то, как он на наших глазах преодолел это превращение и стал опять цветущим мальчиком семи лет. Чем еще это можно объяснить, если не космическим излучением вулкана, где он был зачат нами с тобой, моя Ашка? Почему с тех пор я так и не рассказал ей о нашей беседе с Алмазом? Не зря мы называли этого парня Пришельцем. Быть может, он был ближе к отгадке, чем все врачи. Он сказал мне тогда, что он связан с тобой, но это меня не особенно удивило. Самое страшное надвинулось на меня, когда он сказал, что был зачат в зоне космического излучения в Сибири, на

Подкаменной Тунгуске. Все это было похоже на тотальную исповедь. Он рассказал, что в возрасте семи лет он прошел через что-то страшное и непостижимое. Его спас шаман, вытянул назад из неживого мира в живой. Тот шаман ему открыл, что через каждые семь лет он будет проходить через что-то подобное, хотя и не обязательно в той же степени жестокое.

И вот теперь, Ашка, наш Димка приближается к концу второго семилетнего срока. Я знаю, что ты с ума от этого сходишь, но мне почему-то ты этого не говоришь. Ты, конечно, видишь, что Огромная Большуха продолжает у в е л и ч и в а т ь с я. Мы видим перед собой не тинейджера в его early teens, а какого-то несусветного красавца двадцати лет. Что будет дальше? Остановится ли этот рост или он станет каким-нибудь супергигантом, вроде Дирка Новицки? Говорят, что этот Дирк очень крут, у него глаза белокурой бестии. Наш хотя бы в душе остается ребенком. Не удивлюсь, если он уступит чемпионат этому Вальехо с его жалящим взглядом.

Ген плыл все быстрее и быстрее. Тело его звенело от наслаждения ритмом, мощными мерными гребками рук и толчками ног, но в душе царил хаос, мысли перескакивали от одного предмета к другому. Что будет со всеми нами? Мы бросили вызов России. Если мы не клюнем на приманки, вроде сегодняшней, они нас объявят предателями, злейшими врагами, растерзают, раздербанят всю «Таблицу», посадят или убьют Ясно, заставят Интерпол подписать ордера на арест, потребуют у Франции экстрадиции преступников, ограбивших многострадальную Россию, начнут подсылать и вживлять агентуру, продажных девок, сеять рознь внутри ВЭЦ, провоцировать потасовки во всех смыслах, включая мордобой и пистолетчину, подсылать каких-нибудь арабов для взрыва «Шато Стратосфер»; ну, словом, все эти дела, до которых скрытно-большевики горазды...

Он доплыл до своей скалы. Вблизи она ничем не напоминала рубку всплывшей подлодки, скорее уж хребет окаменевшего тиранозавра. Взялся обеми руками за какую-то шишку, подтянулся, вскарабкался и уселся на скале, как это делал каждое утро. Теперь перед ним открылась большая дуга Биаррица со ступенчатым конгломератом отелей, резидансов, казино и выставочных залов. По правую руку, в далеком, но видимом пространстве, сквозь утреннее марево проступала гористая полоса Испании; к вечеру она станет отчетливой и манящей — Доностия, Бильбао, Памплона с ее неизгладимой хемингуэевщиной... Этот мир создан для восхищения. А восхищение создано для пресыщенности, так, что ли?

В полукилометре от скалы кружили три водных скутера. Три парня там делали вид, что катаются для собственного удовольствия, но на самом деле это была личная охрана Гена — Шварц, Кварц и Волков. Они повсюду сопровождают босса, как делали это и в Москве до ареста, но там он их вроде и не замечал, подсознательно полагая себя не только охраняемой личностью, но как бы частью отряда. Здесь, среди курортного парадиза, вечный хвост из жующих чуингам атлетов казался неуместным. Он попытался было освободиться от них, однако Ашка-Хозяйка категорическим баском потребовала: не дури! Он отстоял лишь право утреннего одиночного заплыва и все-таки каждый раз чувствовал затылком, что и требовалось доказать, — выплывают расписные.

Ну что ж, пора возвращаться. Сейчас он спрыгнет со скалы и начнет долгий шикарный день, который почти наверняка обойдется без выстрела в упор. И вдруг его пронзило острейшее и паскуднейшее чувство — захотелось назад, в тюрьму. Не знаю, доплыву ли я с этим чувством до замка? С таким чувством лучше утонуть. С этим чувствишком я не буду живым среди живых. Если я еще жив с этим чувством.

В это время с высокого берега два только что приехавших мордоворота наблюдали за ним в бинокли. Этот вид отдыха не вызывает в Биаррице никакого удивления. Публика мимо таких проходит, не вглядываясь. А зря. Вглядевшись, она, то есть публика, могла бы и подумать: на кой черт бинокли эдаким преступным мордоворотам?

К осени все работы в «Шато Стратосфер» закончились и был назначен большой прием для местной элиты. К этому времени завершены были и соревнования по сёрфингу, на которых безоговорочным чемпионом был объявлен Никодим Стратов, also known as Nick Horisont.

Вальехо Наган не вышел на старт. Просто исчез. Никто из сёрферов не знал, куда он подевался, даже девушка Дельфина. Просто исчез из поля зрения. Что такое, не утонул же? Ну как же мог такой малый, с такими ножищами и ручищами, утонуть в прибрежных водах? Может быть, сам себя укусил своим взглядом, как это делает амазонский скорпион? Так или иначе вдруг выпал из контекста, как сказала бы московская критикесса Земфира. Журналисты, освещающие скользящий по водам мондиаль[1], поначалу бросились стаей найти отсутст-

---

[1] М о н д и а л ь — чемпионат.

вующий след, но потом выдохлись и забыли о Валье-хо. Sic transit gloria mundi! Так говорят во всех многочисленных аптеках по побережью.

Между тем история была проста и вполне есте-ственна, если только ее не выдумал местный рус-ский сочинитель, который появляется то там, то сям, вместе со своим личным местоимением. Инде-ец кого-то выслеживал ночью, весьма лунной, в та-марисковом парке, крутизна которого составляет 57 процентов. Держа в кармане револьвер системы «смит-вессон», он был уверен, что вот-вот найдет свои мишени, Его и Ее у Него на коленях. Увы, ни-кого не нашел. Он и Она засиделись в кафе, где по-дают жидкий, то есть пузырящийся кислород; там они голосили караоке. Потом наконец поскакали в свой парк, в свою нишу, из которой прямой вы-ход — в безмерные небеса. Увы, они разошлись с Наганом: тот несся в это кафе по набережной, сви-репый, припадающий к земле, роняющий виногра-дины пота, а Тот и Та беспечно скакали в свой парк по авеню Клемансо; ничего не роняли, все оставля-ли при себе до поры. Словом, разминулись с канди-датом в убийцы, что тут будешь делать.

Не застав своих почти родных жертв в кафе, Вальехо в еще большей ярости выскочил назад, на ночную Клемансо, и тут сразу попал под патруль местной жандармерии; кажется, на тех же ребят, что спрашивали у нашего сочинителя документы на осла. Что тут скажешь: если у вас внешность эква-ториальной национальности, вам лучше с пистоле-том по ночам в Биаррице не ходить и уж тем более не натыкаться впрямую на патруль местной жан-дармерии. Они привезли индейца в участок, и туда тут же пришел местный Пинкертон; очевидно, ему тоже в ту ночь нечего было делать. Он тут же поинтересовался: «Между прочим, господин Наган, это не ваши уникальные следы были нами найдены в дюнах Бидара, где месяца три назад был произведен странный взрыв мотоциклетного гаража?» Вальехо ответил на этот вопрос молчаливым качанием головы, то ли в отрицательном, а может быть, и в положительном ключе. Чтобы не растягивать эту историю в истории, нужно сказать, что почти состоявшийся чемпион сёрфинга был в обстановке строжайшей секретности отправлен в тюрьму, которая еще совсем недавно была построена для приема боевиков ЭТА[1] и с той поры пустовала.

Однако вернемся к большому светскому событию. В пригласительных билетах значилось: «В связи с завершением работ по реставрации шедевра российской архитектуры начала XX века «Шато Стратосфер» (1913, арх. Шехтель) господин и госпожа Стратовы совместно с руководством Временного Эвакуационного Центра Всероссийской корпорации редкоземельных элементов «Таблица-М», а также Общества русских семей Страны Басков любезно просят Вас принять участие в ужине и развлекательном вечере под сводами «Стратосфер». Играют специально прибывшие музыкальные коллективы — Камерный оркестр имени Стравинского (Екатеринбург) и биг-бенд Свинг де ля Русси (Ростов-на-Дону). Танцевальный пол открыт до утра. Замок как таковой может рассматриваться как динамическая художественная инсталляция Третьего тысячелетия. Vive la France!»

Основные события приема должны были проходить в одном из крыльев замка, которое зиждилось на выдвинутом в океан молу и называлось «Ангар».

---

[1] ЭТА — боевая организация баскских сепаратистов.

Когда-то Микки Крутояр в этом ангаре готовил к полетам свои летательные аппараты: шары, дирижабли и многопланы. Теперь останки этих чудоустройств были вытащены из кладовых и использованы в виде деталей для праздничной инсталляции. Огромные окна «Ангара» были открыты в стороны заката и восхода. Столики гостей расположились на разных уровнях, от танцевального пола до сводов потолка. Гости стекались через парадные ворота имения и растекались по нижним этажам, чтобы в конце концов протечь через «Ангар» на обширные террасы над океаном и там вооружиться первыми коктейлями. «Имени Стравинского» уже играл различные модификации Генри Парсела. «Свинг де ля Русси» должен был грянуть в районе полуночи.

Кто приехал? Да черт их знает, всех не назовешь. Будем без всякого порядка выкликать разных из тех, что попадаются на глаза по мере продвижения, кирянии и тусования. Ну вот какие-то болееменее известные чувихи появились во главе со Стомескиной, Бритни Спирс и Ксюшей Собчак; экие походочки накрученные! Явились кое-какие французские последыши белого воинства. Ну вот, например, целое семейство Шкуро во главе с почтенным господином Шкуро-Дальбац, праправнуком повешенного в Москве после ВОВ кавалериста. Глядя на их отглаженные костюмчики, трудно было вообразить этих докторов и адвокатов с волчьими хвостами на плечах. Из Америки прилетел первым классом князь Алеша Оболенский с женой Селеной, бывшей оперной дивой. Сам согбенный Алеша тоже был не прост: когда-то в молодости, бросая вызов итальянскому фашизму, играл американский джаз вместе с сыном Муссолини. Вообще из Америки первым классом прибыло немало аристократических гостей: корпорация не скупилась на транспортные расходы. Прибыли с внуками князь Гагарин, граф Владимир Толстой, князь Давид Чавчавадзе, а также некоторые суперличности почившей в бозе «холодной войны», в частности, генерал КГБ Калугин, летчик-перелетчик Беленко, диссиденты Орлов и Литвинов. Из южного Прованса по призыву нашего предводителя дворянства, наследника казачьего атамана и андалузских королей Родиона Веллера Де ля Гард прикатили своим ходом издатель Пален, чей предок участвовал в удушении подушками императора Павла, а также наследники екатерининских Орловых, нынс прогремевшие как исполнители цыганских песен. Кто еще там мелькает в этой все более сгущающейся толпе? Широко известный в области редких металлов Дэйна Уотерпруф Одом, с которым когда-то в далекой Кении наш будущий президент планировал атаку на лубянский замок. Тут следует отметить одну характерную черту людей науки и бизнеса. Оказавшись в такой шикарной тусовке, они непроизвольно тянутся друг к другу. Так вот и король мировой металлургии Лакшми Миттал вместе со своим миловидным сыном (оба похожи на Бориса Пастернака) тут же сориентировались и подгребли к д-ру Одому с его двумя друзьями, специалистами и лауреатами НП из университета «Джордж Мейсон», штат Вирджиния, хотя юному Митталу вроде бы больше пристало схороводиться с юностью, с неотразимой, например, Дельфиной Лакост и столь же неотразимым ее другом, гигантическим ребенком Никодимчиком Стратовым, свежайшим чемпионом вечно вздымающихся волн, впервые надевшим вечерний смокинг, правда, на голое тело, и сопровождаемым целым табунком загорелых и ясноглазых поклонников лозунга «Sun, Fun, Sex», в котором замешалась и сестра чемпиона, милейшая и не отмеченная ни единым пирсингом и ни малейшим пятнышком тату Парасковья, а также влекущаяся за ней группа «тружеников моря», в которой главенствовали выпускники «Школы Лярокка» Люк, Лекс, Ксавье, Чанг, Сонже и Салютасьон; ну что за безобразная фраза тянется без конца; впрочем, в толпе всегда так. Ба, а это-то кто, такой старый и такой цветущий? Да ведь все тот же, хоть и несправедливо нами забытый товарищ Хрящ Лев Африканович, он же генконсультант Лео Картеланц с острова Мальта, свояк всех времен и народов. Любопытно посмотреть на этого человека: вот вроде просто стоит с рюмочкой аквавита, стоит себе, улыбается, а люди тянутся к нему; возникают даже некоторые завихрения. А есть ведь и другие персоны, которых люди спокойно обтекают. Вот, например, горделивый, хоть и мало кому известный фабрикант детского питания из Лиможа господин Ранже. Публика о таком господине как личности никогда не слышала, а между тем нет во всей Франции семейства, которое не употребляло бы для произрастания детей протертых супов с витаминизированной составляющей фирмы «Ранже». Все вот именно так читают название фирмы, опуская первую букву W, превращая G в «ж» и проглатывая вместе с супом конечную L, как будто ее и совсем там не было. А между тем этот достойный и гордящийся каждой буквой своей специфики фабрикант является не кем иным, как праправнучатым племянником последнего Главнокомандующего Вооруженными Силами Юга России, генерала Врангеля. Что же еще? Вернее, кто же еще? Трудно не заметить видного представителя кремлевской администрации и одновременно РАО ЕЭС, господина Нардин-Нащокина, хоть он делает все усилия, чтобы уменьшить свою «видность» и показать свою как бы случайность, как бы полнейшую необязательность своего появления в этом страннейшем сборище: дескать, приехал в курортный город только лишь для принятия ванн знаменитой талассотерапии и вот совершенно случайно натолкнулся на старого приятеля по московскому бриджу Вадима Бразилевича, известного также под шутливой кличкой Высоколобый Бутылконос. Как и в случае с людьми бизнеса, людей администрации влечет друг к другу, и вот господин Нардин-Нащокин как-то случайно присоединяется к кружку местных слуг народа, мэров Биаррица, Байона, Англета и Сен-Жан-де-Люса, супрефекта и префекта, а также главного врача медицинского центра в наваррской столице, городе По, от которых, между прочим, зависит правильное оформление бесчисленных бумаг для получения вида на жительство всей этой нахлынувшей волны богатых русских. Администраторы уже не раз бывали в Москве и были приняты там на отнюдь не низком уровне. Иными словами, господин Нардин-Нащокин, а также два его заместителя Путятин и Витте, пребывающие в этих краях в рамках мотоциклетного пробега молодежного движения «Ваши» и случайно натолкнувшиеся на променаде на случайно там встретившихся Нардин-Нащокина и Бразилевича, опять же случайно были знакомы с наваррской администрацией и даже с членами ее, администрации, семей. Ну что же дальше? Вернее, кто, кто? Ну вот, наконец, с присущим для них опозданием входит парочка субъектов, от которых все это повествование и началось, сочинитель из рязанских глубин Базз Окселотл и кавалер ее сиятельства Франции по делам физкультуры и спорта Винсент Лярокк. Каждый из двух ветеранов держит под руку женскую персону, расширяя таким образом одну парочку до двух. Винсент шествует с матерью своего ребенка Франсуазой Лакост, ну а наш-то, наш-то, заклеил, видите ли, форменную красотку из кинокругов, ту, что, будучи Татьяной Луниной по рождению, вскоре прославится на все СНГ в роли Тани Луниной из кинопроекта «Остров Крым», а потом и в роли Леди Эшки из кинопроекта «Редкие земли»; пока эта особа никому не известна, у тех, кому бросилась в глаза ее внешность, естественно возникает вопрос, кем она приходится столь пожилому господину, то ли просто вертихвосткой, то ли настоящим детищем. Ну вот, и наконец, чтобы не запутаться окончательно в этой нарядной толпе, нам следует напоследок упомянуть представителей элитных кругов так называемых «биарро», а именно банкира Контекса, тренера местных регбистов Люка Фузилье, госпожу Дэнекен де Колша, бессменную председательницу дамского общества «Белые медведицы», куда недавно с большой помпой была принята хозяйка нынешнего приема Ашка Стратова. Выбираемся из толпы.

Выбравшись из толпы, мы — кто это мы, ведь не автор же, право, он ведь среди действующих лиц, мы — это читатели, только что прошелестевшие через описание толпы гостей, — итак, выбравшись из этих страниц, мы приближаемся к руководству корпорации «Таблица-М». Там стояли далеко не худшего вида и вполне терпимого возраста господа, обязанные хотя бы в начале торжества приветствовать гостей, одаривать их рукопожатиями или поцелуями в ручку-щечку, а именно финансовый директор Вадим Бразилевич, структурные руководители Мастер Сук и Мастер Шок, их преданные жены, руководитель Сибирского филиала Максим Алмазов и наконец наш главный герой, член триумвирата и президент Ген Стратов, сдержанный московский денди в белом костюме, без галстука, удивительно здоровый и сбалансированный; не скажешь, что просидел больше года в тюрьме. Что касается Хозяйки, она была, как всякий из нас, конечно, догадывается, неотразима в своем, прямо скажем, минимальном платье на бретельках и без единого ювелирного украшения, кроме иллурового браслета, подсказывающего Хозяйке, как нужно приветствовать приближающегося гостя — с симпатией, с сердечной симпатией или просто с позитивным дружелюбием; негативных характеров вроде бы не предполагалось.

Вокруг с ненавязчивой бдительностью располагались Самые Надежные. Они умудрялись без всякого французского, а лишь с помощью улыбок, жестов и деликатнейших прикосновений направлять поток прибывающих и останавливать тех, что, пройдя, пытались вернуться — ну, братва, вы же знаете таких, э м о ц и о н а л ь н ы х, — чтобы еще раз признаться Хозяйке в том, что она действительно о ч а р о в а т е л ь н а! То есть в том смысле, что он, эмоциональный, на самом деле нашей Хозяйкой очарован; в этом смысле.

Вдруг Леди Эшки заметила того, кого с помощью иллурового браслета немедленно окрестила безупречным господином. Он приближался медленно, вроде бы не решаясь приблизиться быстрее, этот не очень высокий, но очень стройный джентльмен западно-африканской этнической группы. Он явно вроде бы волновался, шаг делал с потупленными глазами, следующий шаг с глазами, или, лучше сказать, очами, подъятыми для неограниченного восторга, и третий шаг вновь с глазами, опущенными долу.

Ба, да ведь мы не виделись почти семь лет! Уж думали, что вы не прибудете, батенька! Хозяйка хохотала в слегка вульгарноватой, чтобы скрыть смущение, манере и, взяв узкую руку безупречного господина, свободной рукой, локотком, слегка на нем повисла, как будто в вихре вальса. Господа, да ведь это не кто иной, как генеральный секретарь Ленинской Комсомольской партии Реформ и Откровений, спикер Сената Республики Габон, король Ранис Анчос Скова Жаромшоба. Посмотрите, как он сияет, как он счастлив снова увидеться со своими любимыми мсье Жи и мадам Аш! Тут и впрямь «Имени Стравинского» заиграл какой-то изысканный, хотя и немного совдепский вальс Шостаковича, и мадам Аш заскользила, ведомая королем РАСЖ, сначала на небольшом пятаке паркета, а потом и во все расширяющемся с помощью молодцов из СН пространстве. Ген Стратов тогда пригласил одну из секретариата габонских королев, молодуху пудиков на восемь, и заскользил с нею, стараясь уберечь свои совсем не плохие ноги. Публика при виде скользящих царственных пар последовала их примеру, и вечер, вместо того чтобы приступить к торжественной церемонии открытия, превратился в беззаботный, хотя и немного иронический дансинг.

После этого программа съехала с рельс. Вечер, задуманный как строгий, изящный, высокохудожественный феномен возрождения Серебряного века, с каждым получасом превращался в сущий балаган. Тому способствовало многочисленное, чтобы не сказать, чрезмерное, присутствие ошалевшей от солнца и волн молодежи. В толпе то и дело возникали какие-то странные поветрия. Все вдруг стали, например, обмениваться памятными подарками. Бритни Спирс подарила банкиру Контексу одну из своих чудовищно красивых клипсов, а тот отдарился своей популярной в финансовых кругах трубкой. Дельфина Лакост подарила Никодимчику значок семейного крокодила, а тот ей ответил парой штиблет из крокодиловой кожи, что мамка вчера ему впопыхах купила в магазине Hermes по 12200 евро каждый, то есть 25500 за пару. Обмен этот для чемпиона оказался как нельзя кстати: перед приемом он обнаружил, что туфли ему жмут, так что он вовремя от них освободился и теперь разгуливал босиком, ну а Дельфинка, та ведь сюда прямо с пляжа босая приперлась, так что ей-то штиблеты вполне пришлись, чтобы уберечь узкие стопы от не всегда ловких ухажеров.

Ну что ж, ради правдоподобия приведем еще один пример неадекватного обмена. Король Ранис, до чрезвычайности растроганный вальсом с его мечтой Ашкой, подарил на лету во время кружения золотые булавки «Комсомолка Габона» следующим аттрактивным персонам: Ксюше Собчак, Ленке Стомескиной, Пашке Стратовой, Таньке Луниной и мадам Дэнекен де Колша — и получил от них соответственно следующие предметы: косынку «Стиль», пару носков с портретом Че Гевары, миниатюрное издание стихов Микки Крутояра, очки-лупоглазы, случайно оброненные парой сорок в саду Окселотла во время нападения на зрелый инжир, ну и наконец китайский веер русской дамы, недавно приобретенный на аукционе Кристи. Нужно ли говорить о том, что золотые булавки продолжали кружить в круговерти обменов, пока не сосредоточились все на лацкане пиджака завзятого коллекционера Высоколобого Бутылконоса.

Теперь давайте поговорим об угощениях. Начиналось все, разумеется, с шампанского, доставленного прямо из подвалов Реймса. Хозяйка воображала, что гости будут изящно стоять или деликатно перемещаться с бокалами божественного напитка. Возникнет великолепное вечернее настроение. Кто-нибудь под тихую музыку барокко прочтет что-нибудь из Северянина; ну, скажем:

> У Ингрид Стерлинг лицо бескровно,
> Она шатенка, глаза лиловы
> И скорбен рот.
> Таится в Ингрид под лесо-феей
> Деми-монденка.
> Играет Ингрид, она поэзит,
> Она поет...

И все, конечно, тут же поймут, о ком идет речь. Увы, так не получилось, а, наоборот, все смешалось, и в этом был повинен вальс Хозяйки с комсомольским королем Габона. Все как-то разволновались и сами закружились. Публика из нашего отечества стала то и дело подходить к бару и брать чего покрепче, в основном, конечно, водочку, но частенько и коньячку, и арманьячку, и ликерчику-с, то есть то, что французы называют дижестивами, то есть пищеварителями, что подаются уже в самом конце ужина. Группа сибиряков-геологов во главе со своим бригадиром, тщательно законспирированным на нашей родине Пришельцем и совершенно легальным на нашей не-родине месье Алмазо, за разговорами на темы своей жизни и труда, то есть о церии, самарии, неодиме, иттрии, европии, тербии, лантане, скандии, гадолинии, диспрозии, празеодиме, гольмии, эрбии, тулии, иттербии, лютеции и миш-металле, давно уже начала глотать популярнейший еще с советских времен напиток «Северное сияние», производимый самим пьющим народом при помощи равномерного слияния шампанского с водкой. Слух о том, что пьют сибиряки, быстро прошел по всему «Ангару», и возникло следующее поветрие — «Северное сияние»!!! Все бросились туда, сюда, где дают, столкнулись, смешались, возликовали и в конечном счете полностью накирялись.

Посреди этого поветрия, конечно, не так уж много нашлось гостей, способных по достоинству оценить дары моря, представленные в виде грандиозной клумбы в юго-западном углу помещения и источавшие аромат удивительной свежести сродни тому, что возникает в ноздрях любого ребенка по прочтении «Детей капитана Гранта»; и вкупе с бебилимончиками, бьен антандю, вкупе с ними. В общем, кто-то омара тянул без всякой разделки, кто-то нагружал себе полное блюдо лангустинами, кто-то урча вычерпывал гигантиссимо краба, нечего уж и говорить о потреблении моллюсков, скопом востребованных под словечком «афродизиак»; и все это в вихрях «Северного сияния», этого движителя идущей в последнее наступление, перед развалом, пролетарской империи.

Нужно еще упомянуть о дополнительной анархии, возникшей после раздербанивания даров моря. Перед началом собственно ужина горячих блюд, в частности, седла барашка, волжско-каспийских стерлядей, пожарских котлет имени Лжедмитрия, далее, господа, в манере изыска перечисляйте сами, гости должны были рассесться вокруг круглых столов в соответствии с именными карточками. Этого не произошло. Под влиянием разных поветрий, а именно вальса, обменов и «Северного сияния», стремительно возникали непредсказуемые компании, так что за одним столом вдруг собиралась теснотища, а за другим никого не наблюдалось, ну кроме, может быть, каких-нибудь специалистов еды.

К десерту, словно неожиданный прибой, возникло еще одно поветрие, которое мы можем грубо назвать «Ностальгическая слеза». Вольно или случайно каждый начинал вспоминать свою «малую родину», и даже командир пожарников, родом из департамента Юра, закручинившись, вспомнил все, что сгорело. Вполне естественно предположить, что и мисс Собчак, даже окруженная блистательными выпускниками «Школы Лярокка», могла поймать чью-то летучую слезинку: «Где ты родина моя, Горбушка, Рублевка, Куршевель?» Интересно отметить, что дети Стратовы при слове «родина» вспоминали не только безмятежное российское детство, но и годы конспирации: Никодимчик в Корнуэлле, где он воспитывался в семье сельских фармацевтов, таких внимательных и ласковых мистера и миссис Горизонт, а Пашенька в кантоне Гельвеция, где можно в добавление к русскому инглишу одновременно получить немецкое, французское, итальянское и реторомановское образование.

Теперь о десерте, он, право, заслужил хотя бы несколько строк восхищенного упоминания. Слегка чуть-чуть основательно задерганные официанты этого вечера умудрились все-таки утвердить в сердцевине «Ангара» огромный круглый торт «Стратосфер». Под сводами помещения появился медленно вращающийся многогранник с названиями всевозможных сластей, содержащихся в кондитерском шедевре. Гости при помощи специальных пультов дистанционного управления делали заказы, которые немедленно начинали пульсировать на многогранном мониторе. Когда все заказы были сделаны, прозвучала мощная музыкальная фраза и торт раскрылся, как цветок. Каждый сегмент с заказанной сластью осветился тонким лазерным лучом, посланным с монитора. Наступил апофеоз. Гости устремились к торту. Увы, мало кто из них был в достаточной степени сдержанным, и все как-то аляповато перемазались. Восторгу тем не менее не было конца.

Вслед за этим на всем пространстве возникло завершающее поветрие, которое можно было бы на классический манер назвать «атмосферой всеобщей влюбленности». Всеобщий свет был притушен, но повсюду засветились огоньки интимных бесед. Народ теперь ходил от огонька к огоньку и объяснялся в любви. Не обязательно мальчик девочке или наоборот; могли произойти и внутригендерные излияния. Старик Лярокк, например, признался своему корешу Баззу Окселотлу в том, что он его уважает, и тут же получил ответ взаимности.

Ашка и Ранис сидели вдвоем за маленьким столиком под самой крышей. Тут в присутствии короля королевствовал сумрак, позволяющий вообразить себя где-нибудь в американском клубе. Посвечивали белки глаз высокой персоны, посвечивала также с некоторой голубизной его фрачная рубашка, а темные зрачки персоны, лежащие на столике длинные пальцы, наклон плеч, ну и прочее говорили о его глубокой и нежной влюбленности. К этому времени он уже отослал весь свой секретариат в отель и теперь сидел перед дамой сердца в своем королевском одиночестве, если не считать рассредоточенной по разным уровням «Ангара» охраны. Что касается Ашки, то она то и дело бросала на его марксистское величество заинтересованные бойкие взгляды.

«Мадам Аш, — сказал он, — это ужасно, что мы встречаемся с вами так редко в масштабах жизни».

«Абсолютно согласна с вами, дружище Ранис», — кивнула она. При этом дружеском, без этикета, обращении король вздрогнул. Она продолжала:

«Знаете, я давно уже собиралась в Габон, чтобы поговорить с вами. О чем? Ну сначала о бизнесе. Вы, конечно, понимаете, как резко сейчас изменилась ситуация для нашей корпорации. Я сейчас постоянно думаю о возможности разместить некоторые наши проекты в Габоне. Речь идет в первую очередь о производстве каталитических фильтров на основе церия, а также о магнитах на самарии и неодиме, конденсаторов на лантане, оптического стекла на лантане и церии, высокотехнологических абразивных материалов, рентгеновских пленок на гандолинии и дискрозии, пигментов на основе сульфидов и окиси серия. Что касается неразделенных элементов, я бы хотела наладить в дружественной стране производство катализаторов для нефтяной промышленности, а также перезаряжаемых аккумуляторов и стекла. Надеюсь, вы с пониманием отнесетесь к этим моим неуемным планам».

Белки его глаз и голубоватость рубашки еще более засветились, и он положил свою длинную ладонь на маленькую кисть Ашки, создав впечатление двух изысканных беби-игуан, готовых порскнуть.

«Моя милая Аш, мы без ума от вашей неуемности, и мы с пониманием относимся к вашим планам. Велкам всегда и размещайте, пожалуйста, на нашей территории производство ваших каталитических фильтров, магнитов, конденсаторов, оптического стекла, абразивных материалов, рентгеновских пленок, катализаторов, а также перезаряжаемых аккумуляторов. Со всем нашим уважением и восхищением к вашим редкоземельным элементам».

При этих словах Его комсомольского высочества Ашка радостно вскочила, поцеловала монарха в щеку и даже слегка вроде бы присела на его колено; впрочем, тотчас вспорхнула.

«Милая и несравненная Аш, вы, надеюсь, помните, как мы выглядели, когда вы вместе с Жи впервые появились у нас в Порт-Жантиле. Какой у нас был великолепный висящий живот и другие отложения жира, которые так нравились нашим комсомолкам из секретариата. Однако, познакомившись с вами и почувствовав непреодолимое к вам влечение, мы поняли, что должны для более гармонических отношений кардинально изменить свою внешность. На те деньги, которые вы тогда мне передали в обмен на вулкан, мы сделали себе кардинальную операцию удаления жира с полным усекновением висящего живота. Мы помолодели тогда на несколько десятков лет и начали заниматься атлетической подготовкой. Вы спрашиваете, к чему, наша ласка Аш? К встрече с вами, любезнейшая. И она состоялась ровно через семь лет на нашей, габонской земле, когда вы вальсировали с нами, отмечая чудесное выздоровление вашего благородного сына Димы...»

Ашка, давно уже сидя у короля на колене, безмерно хохотала от его излияний и иногда награждала его прикосновением своего языка к его уху.

«С тех пор прошло еще семь лет, — констатировал король. — Получив ваше приглашение и одобрение народа, мы немедленно прибыли на ваше торжество, и что же мы нашли? Вы стали еще краше и сразу напомнили мне о нашем габонском вальсе. Мы узнали, что вы освободили вашего мужа, достойного комсомольца Жи, из большевистского узилища, что вы полны неуемных планов развития вашей корпорации. Как постичь нам вашу тайну, родная Аш? Можем ли мы мечтать об интимном свидании в стороне от суетного мира? Прошу вас подумать и дать нам знать. Мы готовы ждать, ждать и ждать!»

«Не нужно ждать, — хохотнула она. — Пошли, Ранис! Полный вперед за мной!»

«А где Хозяйка-то?» — хмуровато спросил Ген у своей подруги Стомескиной. Та тряхнула сильно выгоревшей на кортах гривой.

«Не знаю».

«Не знаешь или не хочешь знать?»

«И то и другое».

Они сидели на самом краю повисшей над водой террасы. Океан колебался в задумчивости, как будто ждал, когда в нем созреет волна. Она созревала медлительно, вздымалась в темноте, проходила, создавая буруны по прибрежным скалам, и наконец выходила из темноты под свет прожекторов и фонарей, возникала во всей красе и, раскачавшись, мощно била в стены замка; вот, дескать, мой ответ на все ваши проблемы.

«Ты стал какой-то совсем не такой, как был».

«Что же в этом удивительного?»

«Ну как-то раньше ты, бывало, поддашь и очень мило начинаешь куролесить, несешь всякую околесицу, изображаешь всякие политические фигуры, болтаешь про Базза Окселотла с его вечным желанием сделать из людей прототипы, ну и вообще...» Она вдруг влепилась в Гена, покрыла все его лицо своей гривой, взялась целовать то в щеку, то в нос и наконец в губы, потом отлипла, так и не дождавшись ответного электричества.

«Ну что ты, мой милый? Злишься, что Ашка увела к себе этого дурацкого короля?»

Он погладил ее по голове, разобрал густые пряди, чмокнул в щеку.

«Да ну, что ты, Ленка, не надо преувеличивать. Просто, знаешь ли, я скучаю по тюрьме».

Она вздрогнула.

«Да ты что? Ты так себя накрутишь, товарищ олигарх, до полной патологии».

Он усмехнулся.

«Знаешь, там, в крытке, меня все время посещали картины прошлого. Хронологически шла полнейшая каша, однако картины эти всякий раз проявлялись с какой-то обалденной яркостью, с массой деталей, возрождались все ощущения прошлого, вплоть до ускользающих, тогда еще не понятых. Как будто я проживал свою жизнь заново, но с большей ценностью всех моментов. Знаешь, иногда говорят, что умирающий в последний миг проживает всю свою жизнь до мельчайших подробностей? Возникает возражение: это вздор, как можно всю жизнь увидеть за один миг? Я много думал об этом и пришел к мысли, что этот миг на самом деле приходит уже за пределами жизни, то есть там, где время уже вышло для умирающего, он видит, а вернее, понимает свою прошедшую жизнь за пределами счета минут, годов, тысячелетий. Какое-то приближение к этому мигу я, очевидно, испытывал там, в вонючей крытке, на гнусной шконке, во мраке. Здесь этого нет. Я просто проваливаюсь и просыпаюсь рядом с тобой или без тебя. Открою тебе секрет: без тебя я наслаждаюсь своей постелью, нежусь, как когда-то нежился маленький Никодимчик. Нежусь своим одиночеством и оттягиваю подъем, потому что знаю, что, несмотря на все упражнения и плаванье, меня вскоре обратает депрессуха. Она меня поджидает, эта сука, и тогда, когда я просыпаюсь рядом с тобой. Я смотрю на тебя, такую юную, — ты, между прочим, помнишь, что я старше тебя на двадцать два года? — на такую совершенную, и думаю, что ты не моя и я не твой. И все вокруг меня не мои, такие здоровые, цветущие, шумные, юморные. Там, в «Фортеции», со мной в камере были трое, такие окселотловские типы, или прототипы; я к ним привык. Там я вставал не с депрессухой, а с отчаянием; это разные вещи. Я знал, что и мои друзья с тем же чувством встают, однако преодолевают его жаждой сопротивления. Эта жажда не потерять лицо, не превратиться в тварь дрожащую нас всех обуревала, но никто об этом не говорил. Сашка, Фил и Игорь все эротические истории рассказывали из собственной практики, а я молчал. Ты что молчишь, олигарх, посмеивались они, боишься затопить весь наш «Декамерон» своими историями? О чем я мог им рассказать, о том, как меня моя жена всю жизнь мучила? Ты знаешь, Ленка, я теперь понимаю, почему при Сталине тюремные лагеря назывались «исправительными». Они были направлены на «исправление» гордыни, на растирание в прах человеческого индивидуализма. Там была забота о всех, забота типа МИО, система «Мать-И-Отец». Если бы не мучения, не голод, не вонь, не унижения со стороны охраны, можно было бы «исправиться», притереться к этой отчизне...»

Говоря все это, он курил одну сигарету за другой, а Ленка вынимала каждую недокуренную сигарету у него изо рта или из пальцев и заканчивала сама. Вдруг он оборвал свои признания, и они несколько минут просидели молча. Потом она как-то особенно нежно к нему приластилась и спросила:

«Ты хочешь вернуться?»

Он пожал плечами.

«Не знаю. Еще не решил. Надо все обдумать, может быть, с Баззом потереть, чтобы все получилось как-то более или менее естественно. А ты, Ленка, что, хочешь здесь остаться?»

Теперь уж она пожала своими хоть и нежными, но очень сильными плечами.

«Что значит «здесь»? Ведь я все время по всем этим турнирам, по всей планете циркулирую. Ну купила все же и здесь для себя «одиночку», студию в двести пятьдесят квадратов с одним огромным окном на Гран Пляж. Хочешь там у меня пожить, мой Ген? Забыть, что ты владыка-олигарх, с одной стороны, и вечный зек — с другой? Пожить со мной у меня просто как любовник. Заниматься только любовью, бесконечно совершенствоваться, применять всяческие средства для беспредельного улучшения, мой милый, милый, мой несчастный Ген Стратов...»

Этот кончик последней фразы можно было бы и не произносить, однако она произнесла, а потом и еще одну фразу, которую уж совсем можно было бы не произносить: «И ничего не бойся, я обо всем договорюсь с Ашкой».

Усмехнувшись, он встал, сильно потянул ее на себя и даже хлопнул ладонью по заднице.

«Пойдем выпьем и разбежимся до утра».

XIII. Через годы, через расстоянья

Когда они вернулись в «Ангар», там уже царило то, что когда-то в шестидесятые годы в богемных компаниях называлось «кризисом жанра». Сервировка была давным-давно безнадежно перепутана. Большинство столов было уже покинуто, только кое-где еще упорно торчали какие-то припозднившиеся, а точнее, сильно набухавшиеся компании. То там, то сям выяснялись некоторые любовные отношения, в некоторых случаях поднимался крик, кто-то вдруг яростно пробегал через зал, то ли в погоню, то ли в побег. Пистолетчина все же не проявилась — интеллигентные люди как-никак.

Музыканты по окончании своей работы попросили им накрыть стол не в «Ангаре», а в регулярной столовой замка. Сначала оттуда доносились регулярные тосты и регулярные вспышки аплодисментов, возникало впечатление, что проходит банкет по случаю защиты кандидатской диссертации. Потом стало крепчать, как это всегда и бывает на таких банкетах где-нибудь в Екатеринбурге или в Ростове-на-Дону. Кое-какие лабухи стали выходить в полуразгромленный «Ангар» поинтересоваться девушками. Пианист биг-бенда, пожилой комсомолец Шура Цирлих, вернулся к своему инструменту и стал наигрывать и напевать что-то родное.

> Через годы, через расстоянья
> На любой дороге, в стороне любой
> Песня нам не скажет «до свиданья»,
> Песня не прощается с тобой...

Он привык к тому, что девушки стекаются на звуки одинокого пианино. Вот и сейчас подошла кинозвездочка Таня Лунина, в эффектной позе облокотилась на инструмент, начала подпевать:

> Черррез годы, черррез ррастоянья...

Один за другим подходили и садились кто в кресло, кто на пол, кто на ступеньку эстрады ностальгирующие члены «Таблицы-М», руководящие товарищи и сотрудники охраны, все более-менее комсомольцы — кто по возрасту, а кто по родству. Начинали подпевать, смотрели друг другу в лицо, подталкивали локтями, произносили междометие «эх» — а помните, мол, ребята, как было, помните героические времена самороспуска? Когда Ген с Ленкой подошли, вся группа довольно стройным хором распевала:

Надежда — наш компас земной,
А удача — награда за смелость!

А помните, ребята, «о, нашей молодости сборы, о, эти пламенные споры, о, эти наши вечера»? Конечно, много гадов вокруг паслось, а все-таки правильно тогда говорили, что комсомол — это альтернативная партия! Да-а, мальчики и девочки, хоть мы и стали капиталистами, да еще отвергнутыми родиной, а все-таки мы все из комсомола. Ведь даже и Хозяйка наша, Леди Эшки, хоть и заделалась ради мужа государственной преступницей, а все же ведь из комсомольских богинь произросла, верно? Помните, как наши отцы-то пели сорок лет назад один булатовский романс?

Вот скоро дом она покинет,
Вот скоро вспыхнет гром кругом,
Но комсомольская богиня...
Ах, это, братцы, о другом!

И кто-то в толпе вокруг рояля не выдержал, пустил слезу и всхлип. Спасибо тебе, Шура Цирлих, что потревожил зачерствевшие сердца. А ну, пацаны, давайте-ка теперь побазлаем что-нибудь героическое. Ну-ка, Шурик, сыграй, а мы всем скопом грянем «Дети Галактики» Тухманова на слова Рождественского!

Там — горы высокие!
Там — реки глубокие!
Там — ветры летят,
По просторам пылят!
Мы — дети Галактики,
Но самое главное:
Мы   дети твои,
Дорогая Земля-я-я!

Хором теперь дирижировал Вадим Бразилевич, совершенство крупного бизнеса. Сняв пиджак, он предстал в полнейшем великолепии стильных подтяжек. Длинные его рычаги приобрели неожиданную гибкость и артистизм.

«Ну, Ленка, посмотри, как хорош наш слегка поддатый Бутылконос! — восхитился повеселевший Ген. — Вот за кого тебе надо замуж выйти!» Стомескина шутливо отмахнулась: «Сначала с тобой надо разобраться, Ген Дуардович!»

Так началось последнее поветрие праздника — комсомольские песни. Был предложен конкурс на лучшее исполнение по своему выбору. Премия — тысяча баксов. Всех насмешил юнец из охраны, Денис Бычков: он спел песню Yesterday. Он и получил премию.

В разгар конкурса Ген подсел к Мастеру Суку. «Слушай, Юр, я что-то потерял из виду своих детей. Ты их не видел?»

Называть корифея восточных единоборств каким-нибудь производным от его христианского имени могли только самые близкие друзья. Босс принадлежал к этому небольшому числу.

Мастер Сук, не выпивший за весь вечер ни одного кубика спиртного, тем не менее улыбнулся Гену совсем по-человечески. «Слушай, Дуардыч, дочка твоя Пашенька вон там в уголке сидит, подыгрывает Цирлиху на скрипочке. А у Никодимчика, по

326

нашим сведениям, разыгрались весьма серьезные личные проблемы».

«Какие еще серьезные личные проблемы могут разыграться у ребенка?» — поразился Ген.

«Это ты сам у него спроси. Он ушел на пляж. Ребята там за ним присматривают».

Ну и ну, разволновался Ген, вот уже и у Огромной Большухи разыгрались личные проблемы. Он хотел было по инерции броситься с этой новостью к Ашке, однако вспомнил о своих проблемах и не бросился.

Что же произошло с Никодимчиком и какие у него разыгрались проблемы? Весь вечер он, Огромная Большуха, был замечательно счастлив: весь вечер публика на него взирала, шепталась, а потом восклицала: «Вот он, чемпион, новый чемпион мондиаля, да к тому же сын Гена Стратова, олигарха и героя, бросившего вызов скрытно-большевизму!» Ботинки больше не жали, быв скинутыми, вот так, кажется, по-русски. А главное — с ним была его восхитительная, какая-то даже не совсем понятная по нежности подружка Дельфинка. Вот именно ей и были скинуты ботинки из крокодиловой кожи, что, в принципе, вполне логично в контексте романа. Вот, смотрите, она ему дарит лакостовский значок крокодила, поскольку она сама из рода Лакост, то есть от того самого предка, которого за цепкость на теннисе прозвали Крокодилом: дескать, вцепляется и не отпускает. И вот такое возникает замечательное совпадение — он дарит ей новые крокодиловые штиблеты, от которых не знает, как избавиться. Спонтанно получается некоторый намек: оставайся, мол, в моих туфлях, или, по-нашему, Be in my shoes. Дельфина, которая на пляж пришла прямо с пляжа, то есть босой, с визгом восторга прыгает в эту шузню и давай их возить туда-сюда, с отличным чувством юмора показывая, как гибкая девочка может стать в крокодиловых шедеврах сущим крокодилом.

Так было долго довольно смешно и счастливо как-то, если по-взрослому, совершенно великолепно, но вдруг она пропала, а потом появилась с другим, можно сказать, драматическим, лицом, как в фильмах итальянского неореализма, которые сейчас все ребята прокручивают, словно оголтелые.

«Где Вальехо Наган? — спрашивает она у Никодимчика и чуть не плачет, губки дрожат. Мальчику очень хочется тут же посадить бедную девочку на колени. — Куда пропал Вальехо? Отвечай! Отвечай!»

«Я не знаю, — бормочет он. — А почему ты... а почему ты так?..»

«А потому, что я его люблю!» — восклицает она с вызовом неодраматизма.

Никодимчик полностью растерян: «Как же так? Ведь ты же меня, кажется, любишь, Дельфина, не так ли?»

«Да, тебя, но и его тоже! — продолжает она самовыражаться, как бы сказал мистер Окселотл, эсквайр. — Ты хочешь знать, была ли я с ним? Да, была, а почему бы и нет? Почему я могу быть с тобой, а с ним нет? Как я могу отвергать представителя угнетенных?»

Никодимчик, уже сотрясаясь от ревности, все же дает поправку: «Какой же он угнетенный, Дельфина, ведь он все же миллионер».

Она просто-напросто взрывается. «Однако не такой миллионер, как твои папа и мама, не так ли? Он вымучил свои жалкие миллиончики в дельте Амазонки, с риском для жизни! А ты?! А вы все?! Где Вальехо, отвечай! Я уверена, это вы его куда-то запсочили, вы, русская мафия! Приехали тут командовать всеми нами! Отдавайте Вальехо Нагана или я позвоню президенту республики!»

Сбрасывает с ног подаренные крокодилы, да так, что одна туфля попадает на верхний балкон, где в это время все еще миловались мама Ашка и король Габона. Она упала (речь идет о туфле) за спиной у короля, и тот ее (та же самая коннотация) не заметил. Ашка же, увидев туфлю, мгновенно (и, конечно, спонтанно) сделала какую-то финансовую калькуляцию, разделив на два.

Дельфина уже мчится прочь. Готовится отбиваться от настигающего огромного и с каждой неделей все более увеличивающегося мальчика, однако никто ее не настигает, и она, словно эфиопская бегунья на финише марафона, проносится через «Ангар» и скатывается, словно героиня фильма «Матрица», в подземный гараж к своей спортивной машине.

Потрясенный и оскорбленный безобразием внезапного события, Никодимчик медленно уходит в противоположном направлении, спускается с платформы на пляж и удаляется из освещенного пространства в темноту, в сторону тамарискового парка, что подарил ему еще вчера неудержимое счастье, а сейчас приглашает рыдать. В это время стихает накат сёрфа. Начался отлив.

Комсомольские песни еще продолжали тревожить сердца:

> Главное, ребята, сердцем не стареть,
> Песню, что придумали, до конца допеть.
> В дальний путь собрались мы,
> А в этот край таежный
> Только самолетом можно долететь.

А ты улетающий вдаль самолет
В сердце своем сбереги!
Под крылом самолета о чем-то поет
Зеленое море тайги... —

когда в отдаленном углу «Ангара» образовалась за столом с напитками небольшая компания из трех джентльменов и одной независимой, слегка нервной, но, в общем-то, славной красотки. Этой дамочкой была не кто иная, как Татьяна Лунина, которая вознамерилась воплотить на экране по крайней мере два из основных окселотловских женских образов. Что касается джентльменов, тут удалось отобрать для беседы Вадима Бразилевича, Винсента Лярокка и меня, сочинителя Окселотла. Говорили в основном на английском, чтобы гигантический ветеран всех понял, добавляя к этому что-то из русского (иногда казалось, что Винсент начал улавливать отдельные фразы ВМПС[1]), а также пригоршню-другую осколков французского.

«Ну что, Базиль, как ты оцениваешь это сборище? — спросил Лярокк. — В контексте романа, конечно. Сгодится тут что-нибудь для тебя из сегодняшней вакханалии?»

«Браво, Вэнс, — похвалил я его. — Проецируя вечер в «Шато Стратосфер» на данную фазу романа, иначе, как вакханалией, не назовешь ни того, ни другого. Теперь вы видите, господа, как это непросто — сочинять пухлые тома. Прототипы искажают все задуманное, а вслед за ними начинают артачиться персонажи».

«Могу подтверрдить и то, и другое, — скромно вставила Татьяна. — К этому добавляю еще прродьюссерров».

---

[1] В М П С — великий, могучий, правдивый, свободный.

Джентльмены деликатно посмеялись.

«Послушайте, Базз, почему бы вам не приоткрыть свою кухню? — спросил Бразилевич. — Вы, разумеется, работаете в рамках заранее продуманного плана, не так ли?»

Пришлось вздохнуть и развести руками. «Если бы так. На самом деле, я не знаю, что произойдет через пять страниц. Вот вам пример: мне и в голову не приходило, что Никодимчик поссорится с Дельфиной».

«То есть ты хочешь сказать, что придумал эту ссору? — спросил Лярокк. — Однако мне мои ребята говорили, что она и в самом деле имела место. Что тут первично и что вторично?»

Пришлось опять вздохнуть и развести руками. «Если бы я знал! Когда роман набирает силу, автор начинает терять грань между выдумкой и реальностью. Он не очень-то понимает, что происходит. То ли реальность движет сюжет, то ли сюжет подхлестывает реальность».

«Погонщик ослов, ты меня пугаешь», — сказала Лунина.

Лярокк и Бразилевич обменялись недоуменными взглядами.

«Что это значит?» — спросил один.

«Вы не можете уточнить?» — поинтересовался другой.

«Речь идет об одном неожиданном персонаже, — уточнил я. —Мне все время казалось, что я тут пребываю в полном одиночестве, и вдруг выясняется, что в моем саду прописался осел по имени Дуран Мароззо».

«В таком случае я могу предположить, что это именно вы подбросили в «Таблицу-М» некого Высоколобого Бутылконоса. Ну сознайтесь!» — с мнимой серьезностью потребовал Вадим.

«Всегда гордился бы таким перлом, если бы иногда не думал, что это Ашка подбросила», — ответил я и посмотрел ВБ прямо в глаза. У того неожиданными огоньками тут вспыхнули уши.

«Однако, Базз, ведь и Ашка сама в значительной степени придумана вами, не так ли? Кстати, куда она пропала, вы не можете сказать?»

«Нет, не могу. — У меня самого, кажется, слегка покраснели уши. — Вот Таня вам может сказать, как своенравны персонажи».

У прелестницы только одно ухо, правое, было открыто для созерцания, левое — скрыто под волной волос. Ради вящего реализма я могу сказать, что о последнем ничего не знаю, а вот первое на несколько секунд пропылало, как огромный рубин. Таким образом, можно сказать, что из четырех участников беседы трое в течение нескольких секунд сидели с пристыженными ушами, и только один сохранял невозмутимость дозорной башни.

«Базилию Петрропавловичу всегда нррравилось смущать дрругих, но сам он всегда смущается перрвым», — с ядовитой любезностью заметила Татьяна.

Вадим Бразилевич продолжил свой анализ возникшей ситуации:

«Меня всегда удивляло, какими прочными нитями связаны с вами первые лица нашей корпорации, Ашка и Ген Стратовы. Сколь часто я слышал во время обсуждения наших редкоземельных проблем, как они, то она, то он, а чаще вместе, вдруг заявляли — к этому надо привлечь Базза. Даже перед нашей дерзейшей акцией, то есть перед вскрытием Краснознаменного долгосрочного изолятора, Ашка не переставала говорить: надо обязательно привлечь

Базза. Иногда казалось, что вы можете путем вымысла так или иначе повернуть события. Должен сказать, что в ту ночь я и сам попал в какое-то неожиданное энергетическое поле. Исход заключенных казался мне какой-то феерией вымысла. У меня и у самого появилась какая-то шаткость походки. Когда мы с Алмазом вошли в кабинет коменданта...»

Тут мне пришлось оборвать своего симпатичного приятеля:

«Дальше можете не продолжать! — И добавил: — Вадим!» Танька хлопнула ладошкой по столу и гневно сверкнула — дескать, зачем же прерывать? У Лярокка полезли все выше и выше его брови, похожие на хорошо подсушенных стрекоз. Бразилевич резко сманеврировал и перешел на другой аспект темы:

«Вообще-то, как поговаривали в корпорации, Стратовы вроде бы основательно на вас злились, мистер Окселотл, эсквайр. Это верно, что они еще в детстве попали к вам на крючок и оказались прототипами детского приключенческого романа? Ах, этот «Дедушка-памятник»! Мне было лет двенадцать, когда я его читал. Это штука, поверьте мне, Винсент! По праву родины слонов могу сказать, что он предвосхитил «Гарри Поттера». И вот, оказывается, прототипы озлились на автора. Во-первых, вольности с именами. Перед нами потомственные Стратовы, а в книге их называют Стратофонтовы. С другой стороны, фигурирует Наташка Вертопрахова, а на самом-то деле это Ашка Вертолетова...»

Тут Таня Лунина прервала велеречивого финансиста: «Горраздо удобнее, когда у перрсонажа и его экрранного воплощения одно имя и одна фамилия. И никаких обиняков в сторрону Базилия Петрропавловича».

«Вы совершенно правы, мисс, однако позвольте

продолжить. Наша Хозяйка однажды в застолье проговорилась, что они в ранние годы были обижены на автора за намеки на обоюдную детскую влюбленность. Мы, дескать, терпеть друг друга не могли, и родители наши старались пореже встречаться. И вдруг потеряли невинность друг от дружки, а потом уж и влюбились, как сумасшедшие, и поженились на всю жизнь. Вот вам и намеки сочинителя. Мне кажется, что именно с тех пор они стали вольно или невольно оглядываться на автора. Как вы считаете, Базз, я прав?»

«Мне не хочется развивать эту тему, — вместо ответа сказал я. — Будет некоторым эксгибиционизмом все-таки, если признаешься, что все время только и делаешь, что боишься самопровокации Это скользкая и в то же время весьма острая тема, особенно в таком литературо-центрическом сборище, как Россия. Всю жопу обдерешь, пока разгонишь бобслей. То ли дело Америка, у них по этому поводу проблем нет: о книге говорят it's just a book, о фильме it's just a movie. Я однажды описал в романе крошечную улицу в Таллине, эдакую щель между средневековыми амбарами и крепостной стеной. С тех пор на эту улицу Лабораториум началось паломничество юнцов, да и по сей день, кажется, продолжается. Как-то в семидесятых там устроили что-то вроде мини-фестиваля советских хиппи Северо-Западного региона. Там менты их окружили, давили сапогами, некоторых на всю жизнь покалечили. Вот вам и just a book, вот вам и менталитет, который у нас так подрос по части тащить и не пущать».

Все слегка надулись в ответ на мою реплику. Беседа как-то изжила себя. Таня посмотрела на часы Лярокк взял ее руку за локоток и слегка попридержал, якобы для того, чтобы взглянуть на ее часы, а на самом деле чтобы от него, старого коня, к ней, московской нимфе, перепрыгнул какой-нибудь электрончик.

«Я сейчас откалываюсь, друзья, иными словами splitting out, однако перед этим я хотел бы, Базз, чтобы ты мне ответил на один вопрос. Что ты чувствуешь, когда видишь перед собой сборища вроде сегодняшнего в «Шато Стратосфер»? У меня они всегда вызывают тревогу. Мне кажется, что какие-то эринии постоянно кружат над нами, техногенные, криминальные, идеологические, религиозные, космогонные, наконец в виде каких-то нежданных пришельцев. Бывают у тебя такие страхи и отражаются ли они в твоих сочинениях?»

«Ну нам порра, — опять тут влезла Танька. — У нас завтрра съемка».

«Подожди! — одернул я ее. — Дай мне ответить на вопрос моего баскетбольного друга. Знаешь, Вэнс, раз уж ты сказал об эриниях, значит, они более-менее пролетели через книгу. В настоящий момент мне кажется, что на нас откуда-то нацелены гнусные самодельные ракеты, вроде хамазовских «касамов». Может быть, это просто какой-то поворот метафоры, но что там говорить, ты прав: мы все вечно сидим под прицелом, даже во время великолепных торжеств. Все человечество гонит и гонит, куда — само не знает, а потом замирает в ужасе, в кататонии неизбежности, пока не привыкает, а потом снова гонит. Какую роль может тут сыграть сочинитель со своим романом?»

«С Рроманом Прроди, ты хочешь сказать?» — хохотнула Танька, уже таща меня за полу.

XIV. Огни земные и небесные

Две высокие мужские фигуры медленно шли по расширяющемуся вследствие отлива пляжу. Если смотреть им в спины от огней «Шато Стратосфер», можно увидеть, как удлиняются их тени, постепенно приближаясь к темноте. Если же забежать вперед и посмотреть им в лица, сразу увидишь, что это не двое мужчин, а мужчина и юный подросток. Короче говоря, это были Макс Алмазов и Никодимчик Стратов. После ссоры с Дельфиной Никодимчик выскочил на пляж, куда-то помчался в полном отчаянии и дезориентации. Крутые склоны берега с проходящей поверху полосой фонарей казались ему чуждым и враждебным миром. Вдруг его пронзило невероятное чувство близости и дружелюбия Океана. Уйти туда, в Морское, уйти навсегда! Впереди он увидел сидящую на камне одинокую фигуру. Кто-то мирно и печально покуривал под созвездием Плеяд. При приближении юнца он встал и пошел к нему навстречу. Макс! Макс Алмазов! My dearest Guardian! Юнец бросился вперед и слегка всплакнул своему Хранителю в лакостовскую жилетку с массой мелких крокодильчиков. «Да ладно, — сказал ему Макс. — Знаешь, сколько их у тебя еще будет? Пора придет, и хорошую девушку встретишь».

Они пошли вдвоем сначала к замку, потом повернули от него в темноту. Оказалось, что у них много тем для дружеского ночного разговора.

«Макс, вы отвлекли меня от непродуманного решения».

«Ну. Ведь я твой гардиан».

«Скажите, Макс, а как это у вас получалось, ну охрана по Интернету?»

«Не зови меня на «вы». Тыкай в бок и по загривку. В Сибири у нас мало кто говорит на «вы»».

«Ну как это у вас... у тебя получалось на таком расстоянии?»

Макс усмехнулся. «Иногда расстояние сближалось до нескольких шагов».

«То есть вы хотите сказать, что ты пересекал границу и летел туда, где я в это время был?»

«Ну. Или ты, или Пашенька. Мы обсуждали это с твоей мамой. Она была всегда в курсе».

«Но ты ведь все-таки скрывался от государства, Макс, как мне Ашка недавно говорила, так?»

«Я скрывался не от государства, а от его параллельной структуры скрытно-большевиков. Официального циркуляра о моей поимке государство не выпускало. Повсюду были какие-то люди, которым можно было доверять, в том числе и среди пограничников. Официально я ездил с документом «Сиб-Минерала», то есть нашего злейшего врага, как их представитель в Европейском Союзе. Понял, Дим?»

«Но ведь тебя могли выследить эти миошники, Макс!»

«Конечно, могли бы. Но не выследили, Дим. Схалтурили».

«А если бы выследили, что тогда?»

«Об этом, мой мальчик, лучше не спрашивай».

«Мне Стомескина однажды говорила, что главная твоя работа состоит в геологоразведке; верно? Как же ты справлялся и с тем и с этим?»

«Я делал так, как мне твоя мать говорила, а ей я подчиняюсь всегда. Потом, конечно, меня Мастер Сук и Мастер Шок вели, они знакомы со всеми охранными системами в мире. Вообще-то теперь, когда ты будешь под прямой опекой родителей, мне будет этого не хватать. Это было забавно через Интернет вести охрану некого английского мальчишки из медвежьих углов Сибири или вдруг отправляться с пересадками куда-то, скажем, в Бразилию, для подготовки территории, а потом возвращаться к редким землям в сибирских бездонных прорвах. После этих прорв зачищать для кронпринца территорию на океанских курортах — одно удовольствие».

«Скажи, Макс, а ты нас раньше-то, до конспирации, меня и Пашку, видел своими глазами?»

После этого вопроса Макс Алмазов слегка подскользнулся, как будто у него под ногами был снег, а не песок. Несколько секунд он шел молча, а потом с каким-то жалким вызовом заглянул в лицо огромному мальчишке.

«Да, я вас видел. Первый раз на Корсике, когда ты был, можно сказать, клопом. Вы сидели у воды вместе с Ашкой, и я полюбил всем сердцем всех троих. У меня никогда никого не было, и я сделал вас вроде бы своими родственниками. Мне кажется, Дим, что нас с тобой еще редкие земли связывают».

«Что ты имеешь в виду, Макс?!» — поразился мальчик.

«Ну понимаешь, мне кажется, что мы с тобой были зачаты при приблизительно сходных обстоятельствах, то есть под звездным небом в кубке редких земель».

Никодимчик остановился. Формулировка его поразила. В кубке редких земель? Быть может, он имеет в виду какую-то другую циркуляцию веществ? Что-то вроде иного переплетения жил в сложном кабеле творения? Они оба теперь стояли и смотрели друг на друга. Их разделяли двадцать лет, но они все-таки встретились.

«Послушай, Макс, ты не можешь меня просветить по поводу этих редких земель? Я склоняюсь к филологии, а вот о деле моих родителей не имею ни малейшего понятия. Когда я смотрю на тебя, особенно на твои глаза, которые временами начинают как бы плавать чуть-чуть впереди головы — между прочим, Дельфина и мне как-то сказала: что ты на меня уставился, как омар? — тогда мне кажется, что у тебя есть особый нюх в отношении этих редких жил элементарной природы. Можешь рассказать мне то, что знаешь, ничего не утаив?»

Макс ухватил мальчика за плотный пирог его волос. При этом ему показалось, что тот немного подрос даже за время их прогулки.

«Тебя, кажется, опять начинает ломать семилетний период. Ничего не бойся: поломает — и бросит, я это знаю по себе. Мне кажется, в этом тоже прячется привет от редких земель. Между прочим, я знаю одного английского мальчика по имени Ник Хорайзент, который умудрился в тринадцать лет завершить школьное образование с высшими баллами и собрался поступать в университет. Он, конечно, знает, что в Таблице Менделеева было семнадцать пустых квадратов, которые потом стали заполняться так называемыми «лантанидами», другими словами — редкоземельными элементами. Вижу, что ты это знаешь, но тебя интересует что-то другое. Мне так кажется, Ник, что тебя интересует метафизический смысл редких земель. Если это так, то давай сосредоточимся на слове «редкий».

Недавно я бродил в русском Интернете и случайно натолкнулся на текст В.В. Бакакина под заголовком «Антология химических элементов, или СТИХОХИМИЯ». Автор пытается придать РЗЭ некий филологический контекст. Честно говоря, я просто обалдел от этого текста. Там цитируются стихи Семена Кирсанова; знаешь такого поэта? Нет? Значит, ты в своей английской школе все же получил малость однобокое образование. Однажды этот замечательный поэт натолкнулся в словаре на слово «неодим»; оно озарило его своей редкостью, полнейшей необычностью. Он начал экспериментировать с приставкой «нео». Бакакин приводит там слова поэта, слушай!

«...так с корабля открыватель земель увидел и остров Борнео. И мне захотелось, чтоб мир начинался на «нео»: неомир, неодень, неожизнь! Неолит — со следами костей и улиток, неофит — от пещерных камней до калиток. Неосвет, неодим, неомир! Пусть он будет всегда неоткрытым, необычным и необжитым. О, мое новое «нео»! Мое озаренье мгновенное — небо необыкновенное! Так у речи на дне мне, как капитану Немо, открылись подробности будущих слов и их необъятнейшие неовозможности...»

Теперь смотри, Ник: поэт впрямую выходит в новом стихе на редкие земли:

Воображение
Мне нашептало:
Здесь — цель разведки!
Крупинки серые
ЛАНТАНА,
ЦЕРИЯ...
Названья
Странные
Металлов
Редких —
ЛЮТЕЦИЙ,
СТРОНЦИЙ...
Слова,
Звучащие
Подземно,
Дивно.
И мысль
Кипящая
Меня ошпарила:
Радиоактивност
Ь!

Это было в 50-х. Поэта поразила редкость этих металлов, вообще слово «редкость». В массовом большевистском обществе, ты понял, это слово ошеломляло и вдохновляло, ты понял? В те времена было еще далеко до промышленного применения лантанидов, ты понял? Теперь мы видим, что небольшое добавление этих редких в массовую руду дает сплаву удивительную тугоплавкость. Открывается множество новых свойств в этих редких, ты понял? Без этих редких, между прочим, нам, в смысле человечеству, в космосе нечего и делать.

Теперь давай поговорим о судьбе человечества, мой мальчик с двумя редкими фамилиями, Стратов и Горизонтов. Rare Earths, это звучание недвусмысленно, ты понял, нам говорит, что Земля — это редчайшее явление в контексте Вселенной. С точки зрения вселенской химии, Земля — это вывихнутость процесса. Колоссальная редкость, ты понял! Непостижимая и к тому же обладающая непостижимым притяжением. Вот ребята, комсомольцы наши, голосили там песню «Притяжение Земли», ну просто как ностальгический такой хит, а там, в словах Роберта Рождественского, есть колоссальное сверхощущение планеты. Его поражает такая штука, как ветер. «Там ветры летят, по проселкам пылят...» И дальше, ты понял, следует: «Мы — дети Галактики, но самое главное, мы — дети твои, дорогая Земля!» Возникает чувство колоссальной редкости, исключительности. Мы постоянно, ты понял, пребываем в мире чудес и сами являемся чудом. Надолго ли?

А главное — для чего?

Задавая бесконечные безответные вопросы, мы начинаем понимать, что все земные твари, и в частности люди, ты понял, — это редкие земли Вселенной. Хорошо бы еще узнать, для какой тугоплавкости нас готовит Господь. И как идет отсев. Кто-нибудь это понял?

Среди этих редких земель есть еще редчайшие люди, обожженные космосом, вроде нас с тобой, Ник, ты это понял.

Это не значит, что мы лучше или хуже других земель, это просто означает, что мы еще реже среди редких, ну как эрбий среди лантанидов. Наше главное качество — это еще большая редкость, чем редкость других, вот почему мы еще не знаем, для какого сплава себя приспособить. Ну есть такая мелочовка, как нюх на редкие земли. Как геолог-разведчик, я знаю это по себе. Мой отряд, проходя по распадку, даже не забирает проб. Просто смотрят на меня и спрашивают: где копать, Теофилыч? Вот еще подрастешь, Ник, и я тебя возьму с собой в экспедицию».

«Куда же мне еще расти?» — беспомощным голосом вопросило дитя. Алмаз отвлекся от своих рассуждений, посмотрел на него и чуть не ахнул: в ночи сгущалась до мрака какая-то масса, она была повыше самого Алмаза аж на полголовы. Он вспомнил, что в возрасте двадцати одного года его стало ломать нечто противоположное — уменьшение плоти. Он стал чем-то вроде «хорошенького мальчика» и очень стыдился этого, пока вдруг во время каникул не заметил, что выходит из стадии уменьшения в стадию увеличения, или, так скажем, нормализации. Через полгода он уже играл в баскетбол за курсовую команду.

«Ник, я хочу посмотреть в твои глаза. Я вижу там муку, трахменяпорастаковски, ты страдаешь от своей редкости. Ты детя Габонского вулкана, мне твоя мать рассказывала, как они там совокуплялись с Геном. А я, возможно, порождение Тунгусского метеорита, только неведомо мне, кто из земных меня произвел. Быть может, и редкие земли были занесены сюда из космоса. В Древней Греции бытовал миф о многоотцовстве. Боги участвовали в зачатии вместе с людьми. Быть может, мы — смесь людского и редкоземельного; ты понял?»

«А как насчет морского? — спросил Никодимчик со странной улыбкой. — Есть ли там редкоземельные элементы, в морском?»

«А почему бы нет? — пожал плечами Макс. — Трудно даже представить, какие могут быть запасы РЗЭ на дне этого Резервуара. Легче представить, что они растворены во всем морском, в том числе и в страннейших формах жизни».

Он посмотрел на огромного мальчика, будто ожидая его реакции на только что высказанную гипотезу. Ответа не последовало. Никодимчик стаскивал с плеч уже начинающий расползаться смокинг. В это время из темных небес на них сошел громогласный грохот. Клубок огня несколько мгновений летел по какой-то неведомой траектории, а потом рухнул и тут же исчез в водах Залива Басков. Макс Алмазов куда-то безотчетно рванул, как будто можно было что-то предотвратить. Через несколько шагов он оглянулся. Мальчика на пляже не было.

За четверть часа до громогласного грохота в маленьком дачном домике на береговой линии поселка Бидар — по прямой через залив шесть-семь километров до «Шато Стратосфер» — два мордоворота за очередной бутылкой водки обсуждали сложившуюся ситуацию. Первый мордоворот похвалялся ловкостью, с которой он обтяпал предстоящую операцию. Держал постоянную связь по мобиле с опергруппой в Наро-Фоминске. Покоя им не давал, накручивал кишки на кулак. Что стоит, бляди, ваша подготовка, если не можете выйти на нашего человечка в «Таблице»? Хотите загреметь в Республику Саха? Наконец Никоноренко, ну, ты знаешь, полковник из «Передовой колонны» — вот было подразделение, эх ма! — наконец дает мне, гад, номер оранжевого, то есть начинается на 06. Звоню тому, кто даден был, и слышу голос до чрезвычайности сдержанный, без восторга. Ох, не люблю я типов, скупых на эмоции по отношению к Родине, к Матери и Отцу, можно сказать. Так бы и закопал всю эту шатию на полигоне в Бутове. Приходится, бля, и самому сдерживаться. Встречаемся в городе. Передо мной чучмек, ну да, тот самый, Шахмурадов, что ли. Заходим в ресторанчик, маленький такой, а цены там офуенные. Что будете пить, спрашиваю. Тут подходит официант, Шахмурадов делает заказ: салат и стакан минеральной воды. Без газа. Ну что, скажи, Блажной, за порода людей народилась? Сидит такая сука, смотрит на тебя усмешливым взглядом, весь такой до умопомрачнения чистый, сухой, ни единой прослойки жира. Передаю ему устройство. Вот вам маячок. От вас требуется только включить его в назначенный час и уйти. Патриотическая организация платит вам за эту акцию пятьдесят тысяч у.е., половину сейчас, половину по завершении. Он улыбается. К чему такие детские игры, товарищ Комплект? Представляешь, Блажной, он меня знает! Знает того, кого ни один гражданин, кроме твоего, бля, гребаного клиента Гена Стратова, не решится назвать по имени. Давайте, говорит, так договоримся. Я устанавливаю ваш наводящий маячок без всякого аванса, а вы мне платите все сразу по завершении и в два раза больше. Кладет устройство в свой портфельчик и уходит. Я даже, бля буду, зауважал гаденыша.

Большим пальцем, похожим на хренок собачий, первый мордоворот показал через плечо в сад, нависший над обрывом к светящемуся под узким серпом луны Океану. Там вокруг пускового устройства возились трое бородачей с серьезным ближневосточным опытом.

«Вот ребята говорят, что все идет чин по чину. Маячок, блин, заработал в полнейшей исправности. Напишешь от нас и от Родины сердечную благодарность Макашкину, ну этому, зампотылу четырнадцатой армии. Интересно, кто меня-то отблагодарит за прямое участие в выполнении важнейшего, бля, самозадания за пределами. Ты же знаешь, что на мне вся структура лежит, вся сложнейшая циркуляция возрождающегося СССР».

Второй мордоворот неотрывно смотрел на первого, хотя глаза то и дело закатывались за кадр. Чтобы удержать их в циркуляции возрождающегося СССР, он все хлобыстал полстаканчик за полстаканчиком, но от этого закат взгляда все усиливался.

«Значит, все готово, хвать твою так, для разрушения архитектурного шедевра. Дело, дело, — промямлил второй постоянно склеивающимися губами. — Для убиения неординарных личностей, а вместе с ними и моей любови незабвенной, госпожи Стратовой, урожденной Вертолетовой, цветочка маленького моего половозрелого детства; так, что ли, Комплект?»

«Ты чё, ты чё, Блажь пролетарская?» — В отличие от второго первый мордоворот употреблял капитально, с отводом в сторону, с набором воздуха, хал до дна цельный стакан, однако обязательно сопровождал такой прием основательным закусом а- ля фуршет: коробка здешних килек под названием «анчови» пролетала, как песня, вместе с ней яйца отварные, за сим, как фельдмаршал Суворов выражался, следовали ветчина и паштет; вот почему удавалось, по выражению того же фельдмаршала, и невинность соблюсти, и капитал приобрести, не то что этот, который без закуски потребляет, лишившийся воинского звания за массовый побег из вверенного ему Родиной долгосрочного блока Краснознаменного криминального изолятора, но сохранивший награды и отличия; вот он и поплыл, а посему представляет некоторую опасность для всей операции. «Ты чё, вааще-то, тебя ведь сюда не детство вспоминать пригласили. Понимаю, в загранкомандировках напряжение испытываем по фазе, однако не забываем гордо нести звание, сам знаешь какое».

Второй мордоворот вдруг шарахнул кулаченцией по скатерти-самобранке, то есть по группе газет с непонятным текстом, на которой как раз и было сервировано пиршество.

«Понимаю, что многих надо устранить из предательской группировки, или как ее там, корпрустации, что ли, ну, скажем, Вадьку Бразилевича, который и в детстве нашем, Комплект, не подавал никаких надежд, ну самого Гена гадского за отказ от дружбы, за чванство, ну Максимку Алмазова, предателя и уклониста, по которому высшая мера, родная неотмененная, плачет, но не ее, не урожденную ж Вертолетову!» Последовал еще один удар по столу.

Первый мордоворот, извинившись строго по протоколу, вышел вроде бы отлить, а на самом деле проверить табельное оружие. На обратном пути заглянул в садик. Там, в пусковом устройстве, мирно поблескивало под серпиком луны некоторое ору жие, кое (Суворов!) можно было бы назвать и «касамом», если бы оно не имело к этим самопалкам никакого отношения. Как фельдмаршал-то однажды сказал: «Самопалка самопалкой, а с устройством не плошай!» Такое оружие, товарищи, может произвести серьезный намек, то есть дать понять перебежчикам, что их всех ждет в недалеком будущем, иными словами, разнесет все в радиусе... молчу, молчу, секрет почтового ящика №2/3. Бородачи с достойным почтением встали при его появлении и даже взяли под несуществующие козырьки. «Все в порядке, шейх, готовы к действию». Наводящий маячок вполне исправно подавал сигналы в аппаратное передвижное устройство убийц.

Первый мордоворот вернулся туда, где сидели. Второй мордоворот лежал левой щекой в тарелке супа-гаспаччо, а правой щекой говорил и плакал:

«А помнишь, Комплект, наш двор? Эх, времена-то какие были, незабвенные! Мы с пацанами сидим возле коллектора, смолим «Приму», а мимо она уже по-девичьи чимчикует, шустрая, надменная, на школьном фартучке ни единого пятнышка, губки поджимает, а все равно видно, какие они желанные. Ты помнишь, Комплект, все пацаны за концы держатся?»

Первый мордоворот этого не помнил, как не помнил никакого двора, где подростковщину якобы проводил со вторым мордоворотом и где якобы пробегала выше описанная персона. Данную персону, на которую сейчас было нацелено смертоносное оружие прогресса, он помнил по заседанию Академии Общего Порядка, на котором она бросила дерзновенный вызов уважаемым товарищам скрыто-большевизма.

«Вынь лицо из супа! — приказал он второму. —

Вытри пятна рулоном бумажной санитарии. Теперь отвечай: ты что, возражаешь, что ли, против Выстрела Предупреждения и Возмездия? Думаешь, прямо в курву попадет?»

Второй мордоворот немного очухался. «Отнюдь я не против ВПВ, отнюдь. Можешь «макарова»-то в кармашке не дрочить. Лично я буду скорбеть, если ВПВ затронет мою пожизненную любовь, которую еще недавно драл, как сидорову козу, и она стонала подо мной, эта могущественная олигархиня. Однако ведь необязательно же ВПВ в нее попадет. Я правильно тебя понял, Комплект? Гораздо больше у нас шансов испепелить ее предательское комсомольское окружение и, в частности, коррупционного предателя Родины, ее супруга Стратова, а также Вадьку Бутылконоса и Алмаза, которые, гады позорные, даже не оказали мне первой помощи при умирании в опозоренном долгосрочном блоке Краснознаменного изолятора. Вот кого в уме надо держать как жертв, а не женщину прекрасную!»

«Не сходи с ума, мудак! Вставай!» — рявкнул первый.

Они достали из чемоданов две высоченных фуражки Советской Армии, приспособили их к своим плохо оформленным башкенциям и вышли в сад. Бородачи сгруппировались вокруг пускового устройства. Понимали важность момента. Мордовороты взяли под козырек. Первый скомандовал:

«Приступаем к операции ВПВ. Пусковая единица готова. По врагам нашей матери-родины и народа-отца: десять, девять, восемь — и так далее — пуск!»

Ракета с раскаленной красной задницей ушла в темноту. Отсюда через залив до стратовского замка было километров десять, примерно столько же, сколько от полосы Газа до израильского города Здерота.

В тот же миг маячок с помощью специальной аппаратуры, отчасти сходной с системой перехвата «Пэтриот», показал запуск враждебной ракеты. Сидящие возле пульта Мастер Шок и Мастер Сук произвели соответствующие телодвижения, и по соответствующей траектории, автоматически высчитанной — при помощи все того же маячка, — встречать нежеланного гостя вылетела соответствующая штука. Вспышка над заливом показала, что встреча состоялась.

Мордовороты и бородачи не успели опомниться, как вокруг их снятой дачки взвыли сирены жандармерии. Группа захвата в противовзрывных комбинезонах заполонила дом и сад, и горделивые птицы Евразии были вмиг взяты за руки и окольцованы. Вот к чему привел тот самый наводящий маячок, переданный вроде бы надежному евразийцу. Но еще больше надо винить проклятье Родины и Партии, огненную водичку разлюбезную, которой начали предаваться с самого начала заграничной командировки.

Естественно, на первом же допросе мордовороты с одной стороны и бородачи — с другой стали применять надежную тактику тотальной несознанки. Дескать, приехали охладиться знаменитыми водами Бискайя, сняли дачку, а в саду там оказалась, видать, от прежних каких-нибудь съемщиков, нам совершенно не нужная пусковая ракетная установа. Похожей версии придерживались и бородачи. Приехали, хвала Аллаху, деньжат подзаработать для змученных евреями семей. Вот эти товарищи, преде совершенно незнакомые, наняли их для побели стен. Начали было работать, помолившись, а в саду совершенно случайно натолкнулись на сатанинское порождение Джаханнума, пусковое, вот как вы сказали, господин комиссар, из редкого металла; вот и все.

После допроса всех привезли в великолепную антитеррористическую тюрьму. Майор Блажной тут же начал делать записи в своей памяти: камеры одноместные, душевые кабинки с туалетом, бумажные салфетки и полотенца одноразового (!) пользования, столик из белой пластмассы, койка из синей, окна незарешеченные, открываются на ширину просунутой ладони, но не больше, ни в коей мере не ширше. Впечатление было такое, что в тюрьме, кроме них, то есть взятых в Бидаре православных и мусульман, никого не было, только из глубины доносились странные нечеловеческие звуки, похожие на щелканье множественных птиц и зевоту павианов. Это у нас тут один бразильский товарищ поет песню своей родины, пояснили сотрудники. Потом видно было в большое окно, как этого товарища провели по аллейке мимо газонов на выход. У него были короткие могучие ноги и длинные не менее могучие руки. Оглядываясь на сверкающую белизной и голубизной крытку, он поражал глубоко укоренившимся взглядом ненависти. Ну, прощай, Вальехо, или как тебя там, и не поминай лихом, сказали тюремщики. Нет, револьвер не отдадим, он будет передан в музей криминалистики. Счастливо тебе до скорого.

Эх, вздохнул майор, хоть бы отдохнуть тут, расслабиться на энное количество дней, а потом н возражал бы прямо тут послужить атлантической цивилизации, хотя бы и просто коридорным.

Теперь вернемся к нашему Никодимчику. Что произошло с ним после взрыва в ночных небесах? Сбросив смокинг с атласными лацканами и штаны с атласным лампасом, он, подчиняясь какому-то невнятному, но мощному импульсу (экое изобилие деепричастных оборотов, а вот местоимение «он» так и осталось в одиночестве, охраняемое двумя запятыми)... Итак, мальчик нырнул в глубину и, обожженный блаженной прохладой, подумал, что теперь уже ему тут, в этой блаженной прохладе, долго, если не вечно, жить и произрастать.

Теперь он уже не то чтобы плыл, а просто продвигался в среде. Иной она и быть не могла, обнимала повсеместно. Не особенно даже и хотелось вынимать голову из среды для вдоха. Он плыл, и плыл, и развивал ночное зрение в этой среде, которую он теперь называл «Морское».

В настоящий момент Морское влекло его к одинокому камню, с которого еще был виден «Шато Стратосфер». На этом камне он уже бывал однажды. Обнаружил там удивительную пещеру, куда не достигала разбивающаяся о камень волна. Там он тогда и оставил свой полуволшебный сёрфборд с компьютером, работающим на самозаряжающихся батарейках, и с плоскими емкостями, содержащими кое-что необходимое, включая и конденсированную в пилюли еду. На носу у остроносого предмета мигал маячок, конечно не имеющий никакого военного значения, а лишь оповещающий хозяина и друга о том, что в животе у дельфиноподобного никаких намеков ни на финансиста, ни на ветреную девушку), вот там, в животе, терпеливо ждет чье-то дружеское послание; недружеских Никодимчик пока не получал.

На этот раз оно было супердружеское и в равной

степени суперпаническое: «Дорогой Ник, как ты мог исчезнуть, не предупредив ни одним словом своего Хранителя? В наших недавних беседах несколько раз ты употребил слово «морское». Теперь я понимаю, что оно тебя влекло. Быть может, ты боялся стать выброшенным на берег чудищем? Однако я как близкое тебе по происхождению существо не раз предупреждал тебя о семилетних циклах. Они приходят и уходят. Я сам в течение жизни прошел через что-то подобное не менее семи раз. Ты ушел в Океан, в этом я не сомневаюсь. Я пробежал всего каких-нибудь десять метров, и, когда оглянулся, на пляже тебя уже не было. Послушай, ты же знаешь, что ты для меня то ли брат, то ли сын. Я отвечаю за тебя перед моими кумирами и перед всем редкоземельным сообществом. Я должен знать, где ты находишься, если ты еще где-то находишься. Иначе мое пребывание в пространстве воздуха теряет смысл. Твой Макс».

Никодимчик прочел это послание и не испытал никаких особенных душевных мук. Он чувствовал, что им уже обвладело Морское, иными словами, полнейшее и нормальное одиночество. Усмехнувшись, он отшлепал на своем ки-борде «ответ всем кто меня знал».

«Всей семье Стратовых,
Включая Хранителя,
А также моей второй семье,
Достойным господам
Брендону и Пенелопе Хорайзент,
А также всему племени «Таблица-М».

Винсенту Лярокку,
Подарившему мне ощущение волны,
А также всему последнему выпуску его школы.

Моей несравненной и вечной любви
Дельфине Лакост (несмотря на ее неверность).

Вальехо Нагану (если мы еще друзья, то есть не враги).

Групрутюа и Дидье, с которыми друзья навеки.

Русскому писателю из Биаррица, фамилию которого забыл.

Сообщаю, что ушел насовсем в Морское; прошу не беспокоиться.

Прошу передать правительству Франции мою просьбу не применять ни ВВС, ни ВМС ни для спасения, ни для отыскания тела. Мне здесь хорошо, а вреда от меня не будет.

В связи с переходом в другую среду обитания я отдаляюсь и от общей лексики известных мне языков, а потому для подтверждения моего пребывания в Морском в качестве одного из неопознанных элементов круговорота веществ я буду по истечении каждого лунного цикла отправлять в Интернет трехзначную комбинацию,

ЭРБ».

XV. Философский джоггинг

К вечеру следующего дня в Биарриц прибыл третий президент «Таблицы-М» Гурам Ясношвили. Оказалось, что его личный самолет «Гольфстрим» был задержан федеральными агентами в аэропорту корпорации. Ясно сразу стало ясно, что власти стараются предотвратить его прибытие на торжество беглецов. В число оперативной группы входили люди из СБ, из таможни, ну и, конечно, из Прокуренции; как без нее обойтись?

Самолет подлежал тотальному обыску на предмет обнаружения не подлежащих вывозу объектов высокого искусства и низменного криминала. Специалисты, не торопясь, принялись отвинчивать из потрошить кресла (их там как раз было двенадцать), закатывать ковры, откнопливать обшивку как в салоне, так и в кокпите, не говоря уже о багажном отсеке.

Гурам тут же заказал по телефону места на ближайший рейс из Шереметьева в Шарль де Голль, рванулся было, но его тормознули еще в дверях. Руководитель опергруппы генерал Колоссниченко довольно формальным тоном, однако с какой-то похотливой искоркой в глазах предупредила господина Ясношвили, чтобы он даже не пытался попасть на провокационный праздник красотки Стратовой и ее мужчин. Повторив про себя все не забытые еще грузинские проклятья, Ясно сказал, что он летит не в Биарриц, а в Гонконг на сессию Всемирного конгресса редкоземельщиков. Для подтверждения лжи извлек из портфеля левой, то есть искусственной, рукой приглашение на конгресс и личное письмо Лакшми Миттала. Увидев в электронных пальцах, или, если угодно, щупальцах, трепещущие документы, генеральша перекрестила левую грудь и приказала трем своим сотрудникам проводить олигарха до самой посадки на гонконгский самолет. И на другие рейсы ни в коем случае не сажать. А лучше всего сопутствовать батоно Ясношвили во всех его передвижениях, потому что важность закона бесконечно выше самых высоких затрат, тем более что они уже заложены в бюджет нашей экспедиции.

Прибыв в Гонконг, Ясно тут же зафрахтовал точно такой же «Гольфстрим» с 12 креслами и отправился на нем в Париж. Перед вылетом наняв еще трех специалистов кунг-фу, чтобы поговорил с докучливыми спутниками из Прокуренции. Во

...им образом в полном одиночестве он и прибыл ...ром следующего дня в Отель дю Палэ, где в пятикомнатном номере рухнул на какой-то диванчик-рекамье и забылся раздраженным сном, в коем разум не отдыхал, а только кипел, предельно возмущенный.

Утром он встал в несколько измученном состоянии. Подошел к огромному окну начала «прекрасной эпохи» и увидел прибрежную эспланаду города-курорта, по которой в этот ранний час в обоих направлениях бежали джоггеры. Справа или слева от них, в зависимости от направления бегства, катили бискайские волны. Вздымались, бия в знаменитые скалы Биаррица. Ветер то и дело возобновлялся и стихал, то есть дул порывами. Он летел с северо-запада, то есть из тех океанских пространств, что не знают еще «парникового эффекта». Некоторое время одноногий олигарх не мог оторвать взгляда от тех пространств, то ли думая о круговороте земных веществ, о редких землях океана, которые можно было бы безгранично извлекать как из глубин, так и с поверхностей, думая о тварях этой среды, до сих пор процветающих, невзирая на лов, не зная еще ни копейки о том, что в той эйчтуоу (H_2O) позавчера растворился наследник корпорации Никодимчик Стратов, ныне таинственный ЭРБ. Между тем привычная для этих мест утренняя серятина рассеивалась, несколько раз уже над отрогами Пиренеев проехался Феб в своей коляске, и настроение великолепного, частично уже редкоземельного человека постепенно рассеивалось вместе с той серятиной. Кофе, немедленно заказать не менее большого кофейника баскского кофе, решил олигарх и хотел было уже приподнять тяжелую трубку раритетного телефона, как вдруг увидел внизу за окном

пробегающих вместе к югу главного финанси[с]
корпорации Вадима Бразилевича и сочинителя В[...]
за Окселотла; они увлеченно беседовали друг с д[ру]-
гом.

Рванувшись под действием спонтанного острей-
шего желания быть в этой компании третьим, бежать рядом, беседовать увлеченно, не быть сопровождаемым сколь недремлющей, столь и бесполез-
ной охраной, рванувшись в своей привычной с
детства тбилисской правобережной манере, Гурам
уже левой многоцелевой рукою стаскивал с себя
гольфистские штаны-слэкс и вытаскивал из баула
широкие шорты, о встрече с которыми уже который
день мечтала страждущая душа, а правой рукой уже
пытался расчесать непроходимую шевелюру; кофе,
кофе потом, когда определимся во времени и пространстве!

Участники утреннего джоггинга, а также бонви-
ваны ардекошных кафе были потрясены, увидев
среди бегущих высокого грузина с двухдневной щетиной лица, столь характерной для мужественных
сексапилов прошлого десятилетия. Он являл собою
характерный средиземноморский тип, лишенный,
однако, безумия арабских толп Ближнего Востока.
Но не характерность, не типичность и не интеллигентность визажа поразила публику пти-дежоне, а
как раз нехарактерность и нетипичность его правой
ноги, высовывавшейся из-под правой штанины
шортов. Перед ними мелькало в отличном темпе
бега великолепное устройство ноги, сотворенное из
самых редчайших сплавов со вживленными в них
ниточками нервов, жгутиками сухожилий, ломтиками мускулов, то есть всего того, что удалось спасти
от той исконной, но далеко не такой совершенной
ноги, утраченной в теракте. Если уж говорить о та-

ком нечастом феномене человеческой расы, как интеллигентность, то нынешняя правая нога Гурама Ясношвили поражала всех созерцателей вот именно высшим проявлением этого феномена.

Он сам бежал, не замечая изумленных взглядов, поскольку был озабочен тем, как нагнать промелькнувших под его окнами Бутылконоса и Окселотла. Он мчался. Он обгонял даже профессиональных бегунов на средние дистанции. Правая работала в усиленном ритме, являясь чем-то вроде мотора для всего организма. Если уж она и сбивалась с ритма, то лишь для того, чтобы совершить прыжок длиной в десять шагов. Странным образом, однако, он никак не мог настигнуть этих двух весьма нужных ему людей романа. Какое-то странное слово вдруг встретилось ему во время бега и увязалось за ним: «летоисчисление» — откуда оно взялось и что означает? От лета, от лёта, от лет? От теплого времени года, от движения в воздухе, от годов? Летоисчисление, летоисчисление, летоисчисление, бормотал он и вдруг понял, что первый корень слова в любом качестве не поддается второму, а попытка глубокого исчисления растворяет и смысл и пространство. Если я не избавлюсь от этого летоисчисления, я сольюсь с абсурдом и никогда не догоню друзей. Больше того, я никогда не достигну «Шато Стратосфер». Кажется, никто больше не бросает на меня изумленных взглядов, вообще не замечает ничего, что связано со мной, даже чудо-ноги. Нужно тормозить, тормозить, тормозить. Переходить на шаг. Забыть про летоисчисление. Задать кому-нибудь простой французский вопрос, ведь ты когда-то был победителем школьной олимпиады по французскому языку.

Бац — и он уселся на парапет. Выдающуюся ногу поджал под себя. Справа бесчинствовал Океан, слева безмолвно стояла с открытыми дверями церковь Святой Евгении. Оттуда вышел некий человек без возраста, но в старомодной тройке с цепочкой часов по жилету.

«Простите, мсье, не знаете ли вы, где находится «Шато Стратосфер»?» — спросил Ясно на великолепном франко-грузинском.

Человек ответил по-русски и с улыбкой:

«Здесь каждый знает этот дворец, ведь он уже давно стал притчей во языцех».

Теперь уже улыбнулся Гурам. «Вы говорите «давно», а как давно, не можете ли вы сказать, милостивый государь?»

«Это зависит от способа летоисчисления, мой друг».

«Летоисчисления, вы сказали?»

«Совершенно верно, господин Ясношвили. На этом свете все связано с летоисчислением. То есть от числа лет, сударь».

«А с кем я имею честь?»

«Меня зовут графом Достоевским Тариэлем Автандиловичем, но мы, увы, имеем лишь косвенную связь как с одним великим писателем, так и с другим. Мы из поляков, католики, и в этот храм я прихожу, чтобы подумать о нашем летоисчислении. Кстати, советую и вам туда зайти и поставить свечу. Там сейчас как раз ваши люди возносят молитвы о судьбе ушедшего в море мальчика».

Воспитанный в комсомоле олигарх не очень ясно представлял себе разницу между православным и католическим ритуалами. Знал только, что креститься надо полной ладонью с левого плеча на правое, однако чашу с водой при входе полагал купелью для крещения. Церковь была пуста, трепета ли свечи. В глубине левого притвора возле гипсовой скульптуры юной девы Эжени стояли со свечами в руках финансист Вадим и сочинитель Базиль. Гурам взял из ящика толстую свечу, бросил в щель тяжелую европейскую монету и приблизился к скульптуре.

«В чем дело, друзья?» — спросил он.

«Пропал Никодимчик, — ответил Вадим. — Ушел в океан».

«Мы молимся, чтобы он не погиб в океанских прорвах, — сказал Окселотл. — Присоединяйся, Ясно».

И тут они все трое, не сговариваясь, пропели самостийную молитву:

«Во имя Господа нашего Иисуса Христа и Матери Его Пречистой Девы Марии позволь обратиться к тебе, дева Эжени, прошедшая босыми ногами из здешних мест до языческого Рима, чтобы встретить мученическую смерть, с великой просьбой — уберечь от гибели в пучинах нашего отрока Никодима, зачатого нашим братом Геном и нашей сестрой Ашкой в огненной чаше редкоземельных элементов в надежде взрастить из него выдающегося героя и вождя. Аминь».

После чего все они, один за другим, прикоснулись к босым пальчикам девы, приподнимающим край ее длинного хитона.

XVI. Игра взрослых

После этого эпизода прошло недели две по календарю и не менее двух лет по романическому летоисчислению. Ясно вернулся в Москву, чтобы продолжить руководство оставшимися мощностями и ассетами провинившейся перед всем скрытно-советским народом корпорации. Отъезду этому способствовали некоторые странности в окружающей среде. Всякое утро во время пробежки по эспланаде ему стала попадаться бегунья, похожая как две капли воды на генеральшу Колоссниченко. Она проносилась мимо в тонком гарнитуре нижнего белья (впрочем, в подобного рода туалетах многие девушки сейчас прогуливаются в общественных местах, например в библиотеках) и всякий раз бровями грозно хмурилась на Гурама, а губами беззвучно, но убедительно артикулировала увещевание: «Как же вам не стыдно, ну как же вам не совестно, почтенный господин Ясношвили?» Таким образом в ее облике и внутренней сути сливались Мать-И-Отец великого народа.

При каждой такой встрече олигарху хотелось тут же развернуться и помчаться вслед за МИО, имея мишенью для своей правой ноги ягодицы бегуньи, столь же мощные, сколь и ноздреватые. И всякий раз он себя сдерживал, ведь недаром все-таки воспитывался в приличной тбилисской среде, в которой дети не дерутся ногами, а, наоборот, скромно потупив глаза, проходят по центру города с нотными папками.

Почти ежедневно он навещал королеву редких земель, леди Эшки, и всякий раз удивлялся, какие с ней произошли изменения. Раньше, бывало, в переулке Печатников только и делала, что скакала и порхала с массой невинных, а иногда и ядовитых шуток на устах. Иной раз присядет к тебе на коленку, влепит в ухо трепещущий поцелуй и тут же, не успеешь ты и руки свои обкрутить вокруг тончайшей талии, улетает проводить совещание руководителей поисковых партий. Теперь все иначе, как будто уже обвенчалась с королем Габона: строгая и неприступная, одним лишь жестом ладони усмиряющая возможный порыв, пока не передаст по своим инстанциям: «Меня нет!» Величавость этой новой женщины только еще усилилась после исчезновения сына.

«Уезжай, Ясно, — сказала она однажды неизвестно в каком летоисчислении. — Давай, сматывайся! Ты видишь, у нас беда. Из нас троих только ты можешь вернуться в переулок Печатников». Голос ее дрогнул, и Гурам тотчас уехал.

Вдруг через три лунных цикла, каждый из которых завершался посланием ЭРБа, в жизни Ашки произошло ошеломляющее событие. Разбирая один из своих сугубо личных закодированных мэйл-боксов, она натолкнулась на членораздельное письмецо из океана. Вот его текст:

«Мамка! Тебе пишет твоя Огромнейшая Большуха. Я продолжаю расти. Все мои органы пропорционально увеличиваются в размерах. Надеюсь, что ты понимаешь причины моего исчезновения. Я не мог поставить себя рядом с нормально развитыми людьми. Проживая сейчас в Морском, я совсем не вижу никого из homo sapience и потому не могу себя сравнить с ними ни по вертикали, ни по горизонтали. Иными словами, я кажусь себе самым обыкновенным четырнадцатилетним мальчиком. Единственным предметом цивилизации, с которым я еще могу сравнить свои размеры, является моя полуволшебная доска Super-Glide. Мне кажется, что я уже в четыре раза превышаю по длине эту титанонеодимовую доску, которая, к сожалению, не может расти вместе со мной. Что касается шортов, то они давно уже лопнули и разошлись по швам. Впрочем, однажды ночью в порту Бильбао мне удалось стащить со спящего судна полосатую простынь, и я теперь оборачиваю ее вокруг чресел и завязываю специальным узлом.

Теперь несколько слов о рыбах. Я не успеваю сравнить себя с ними, как они тут же рассыпаются в разные стороны: марлины, скаты, тунцы, не говоря уже о стадах камбалы и трески. Однажды ко мне приблизилась семья китов, напомнившая мне нас всех, Стратовых. Я плавал среди них и даже садился верхом. Это высочайшее удовольствие! Их глаза смотрели на меня, словно мыслящие существа из продолговатых батискафов. Что касается дельфинов, то они постоянно проявляют желание считать меня своим. Выискивают меня всей компанией, приглашают играть и шалить. Признаться, меня не очень-то вдохновляет особая шершавость их кожи, а гладкость моей шкуры ввергает этот народ в некоторое смущение. Удивительно то, что они проявляют по отношению ко мне вполне гуманную заботу, приносят в своих клювах свежую рыбу. Их секс для меня продолжает оставаться загадкой. В принципе, афалина-самка — это самое близкое приближение к этому делу. Одна из них чаще других кружила вокруг меня и проявляла любопытство к моим гениталиям; боюсь, однако, что, оказавшись в моих объятиях, она ободрала бы весь мой эпителий. Ах, как я жалею, что моя несравненная Дельфина Лакост не ушла вместе со мной в Морское и не подросла в своих органах, чтобы соответствовать мне! Прошу тебя, мамка, подарить этой девочке от моего имени несколько миллионов.

Тебя, должно быть, интересует, как я питаюсь. Знаешь, за исключением вина, в мой прейскурант входит все то, чем гордятся лучшие отели атлантического побережья: мидии, устрицы, лангустины и пр. Покажется странным, но я никогда не испытываю здесь ни малейшей жажды.

Любимая моя мамочка, я прекрасно понимаю, что наша семья приближается к окончательному развалу. Что привело нас к этому рубежу: твоя красота и цепкий ум, мои размеры, бунтарский характер отца, удивительная скромность сестры, редкоземельные элементы или наше чудовищное богатство? Добрый мой Ген, если бы он знал, какое острое чувство любви и симпатии я испытываю к нему, когда выхожу в Интернет и наталкиваюсь там на злые сплетни о нем! Как я желаю ему несбыточной победы над скрытно-большевистской Академией Общего Порядка!

Признаюсь тебе в самом главном. Чувства, о которых я только что написал, все реже посещают меня. Я вспоминаю свою семилетнюю ломку и соединяю ее с нынешним четырнадцатилетним морским состоянием, суть которого пытался мне объяснить Алмаз. Чаще всего я не испытываю никаких человеческих чувств, кроме холодного торжества, связанного с тем, что меня покинул страх небытия. Иногда мне кажется, что я породнился с Заратустрой, что в этих моих ломках начинает просвечивать новая человеческая раса. Без нынешних сентиментов. Без жестокости, но и без жалости. Все.

ЭРБ».

Дочитав письмо до трех заключительных знаков, она испытала полнейший ужас. Вегетативный шквал. Отсутствие мысли. Конвульсию мышечных тканей. Панику.

Именно в таком состоянии ее застал вошедший

в ее спальню муж Ген. Он бросился вперед, подхватил ее под коленки и под лопатки, отнес в постель. Сорвал с себя халат, распахнул пижамные штаны. Положил ее ноги себе на плечи; драл. Целовал ее рот, скулы и уши. Мучительно стонал и рычал. Она постепенно размягчалась, нежнела, обхватила его затылок, отвечала на поцелуи. Как в прежние годы. Любовь.

«Зачем ты пришел?» — спросила она после долгого молчания.

«Чтобы попрощаться, — ответил он. — Я уезжаю».

«Куда?»

«Ты знаешь куда».

Снова молчание. Потом она спросила его прямо в ухо, как делала это во время тюремных свиданий: «Ты помнишь, как крошка Никодимчик грезил, будто мы с ним вдвоем плывем через Океан?»

«Хотелось бы забыть, но помню», — прошептал он в ответ.

Она выкарабкалась из-под него, прошла через спальню к столу, на котором светился монитор компьютера. Нажала на print. Почти мгновенно выскочили странички с текстом ЭРБа. Отнесла текст Гену. Тот лежал, вернее, сидел, подоткнув под спину подушки; суровый норманн, Грозоправ. Уселась в ногах огромной кровати. Когда я избавлюсь от своей девчачьей приманки? Поза лотоса. По бедру сползает избыток секреции. Ген читает, не меняя позы и выражения лица. Только однажды лицо у него искажается, и это искажение рождает короткий стон. Она понимает, в каком месте письма он споткнулся. В конце.

Дочитав письмо до конца и разгладив искажение лица, Ген оставил листки в постели и встал.

«Я тебе еще не сказал, что Алмаз едет со мной».

«Вот так?» Она не сводила с него взгляда. Норманн завязывал свои портки.

«Я его не звал. Он сам напросился».

«Кто еще с тобой едет?»

«Сук и Шок».

«Вот так, значит?» Вот в этом моменте по мизансцене полагается закурить. Она обводит вокруг себя все складки постели. Нигде никаких сигарет. Что же, специально вставать и топать за сигаретами в офис? Теряется весь смысл. Теряется темпо-ритм; так, что ли? Остается только по-идиотски переспросить:

«Значит, вот так?» Надеюсь, он понимает, что так нельзя бросать Хозяйку-жену, даже если вы с ней уже попрощались. Нельзя лишать ее гвардии окружения, оставлять почти в одиночестве. Хочется крикнуть ему в лицо «Свинья!», но так нельзя кричать после вдохновенного любовного акта.

«Не нужно волноваться. Самураи будут постоянно курсировать между метрополией и эмиграцией».

Она решается найти подходящий для этой сцены табак. Бежит через несколько комнат в дальний офис, который посещают только персоны ранга короля Раниса, и возвращается оттуда в спальню величавой поступью с доминиканской сигарой в руке.

«В случае если тебя арестуют, опять подкупать всю тюрьму?»

Олигарх, прежний Хозяин, в моменты ее вылета из спальни и возврата с сигарой созерцавший в окне мрак Океана и подсвеченную фонарями прибрежную пену, теперь медленно поворачивается к бывшей любви.

«Иногда можно обойтись и без денег. Ты же познала это на собственном опыте».

Ей снова, почти нестерпимо, хочется выкрикнуть трагическое слово «Свинья!», но вместо этого она задает дурацкий бытовой вопрос:

«Стомескина тоже едет туда с тобой?»

«Она уже там».

Ну вот и все, размышляют они молча, слово в слово, вдвоем. Четверть века вместе, но больше, как видно, уже невмоготу. Особенно если ты не серийный продукт, а редкая штучка. Если ты из семьи лантанидов. Редкоземельная пыль. Если вы вдвоем сначала породили некий гибкий металл, а потом распались для будущих сплавов. Наш мальчик узрел в себе Заратустру и ушел. Теперь он не страшится смерти. Вернется ли он когда-нибудь к тому, что всегда рассыпается в прах? К тому, что живет среди непостижимого числа глыб, среди жалости и жестокости? К постоянно расплавляющемуся летоисчислению? К любовной секреции бесчисленного числа редчайших тварей? А что будет с нашей девочкой-молчуньей, с девственницей среди всемирного разврата? Семья лантанидов рассыпается, и девочка отлетает в свое одиночество. Что возникнет вокруг нее, если чему-то все-таки суждено возникнуть? Мы начинали свои дела, не зная, к чему они приведут. Из недр тоталитарного комсомола мы начали наш поход к такой чепухе, как гражданское общество, а пришли к такой чепухе, как миллиардное состояние. Мы разворотили общую тюрьму, чтобы потом разворотить и нашу личную тюрьму, набитую персонажами текущей литературы. Из детской веселой игры мы пришли к абракадабристой игре взрослых. Трилогия завершается. Все. Прощай. Прощай. Все.

Они обнялись, как брат и сестра. Обменялись невинными поцелуями.

«Надо все-таки попытаться все сохранить», — сказал Ген.

«Да-да, давай попытаемся», — согласилась Ашка.

«Ведь не может же быть, что все просто-напросто рассыпается в прах».

«Нет-нет, так быть не может».

«Ведь все-таки как-то так задумано, чтобы мы становились лучше; как ты думаешь?»

«Думаю, что все-таки мы должны становиться лучше. Иначе зачем мы здесь или там?»

«Я тоже думаю, что наш единственный смысл — это стремление к лучшему».

Ген сложил вчетверо листки с текстом ЭРБа и положил их в карман брюк.

«Мы будем с Максом постоянно мониторить Никодимчика. Спасибо тебе за все, родная».

Ашка взяла с ночной тумбочки щетку и причесала его в дорогу.

«Да-да, старайтесь его постоянно мониторить. Благодарю тебя за все».

Триста двадцать одна страница на компьютере iBook G4. Делаю бэкап и откидываюсь в кресле. Приближается финал, а я, как всегда, не знаю, чем все кончится да и кончится ли это вообще. Недавно случилось мне в Херсонесе побывать на спектакле «Бог» по мотивам одноименного фильма Вуди Аллена. Вместо Манхэттена все разыгрывалось в руинах античного амфитеатра, и вся дюжина московских актеров была в древнегреческих одеяниях, за исключением потаскушки из Уфы, которая носилась по камням в мини и туфлях-шпильках. Действие было скорее спонтанным, чем хорошо отрепетированным. Публика изнывала после трех часов отсебятины и похабщины, а труппа все не знала, как кончить. Наконец кто-то вырубил свет, и все разошлись. Надеюсь, что у нас в романе все-таки не произойдет ничего подобного.

Читатель, должно быть, заметил, что автор, включенный в сюжет, в силу своего спонтана постоянно находится на грани самопровокации. Достаточно уже сказать, что оригинальное название «Тамарисковый парк», которое возникло в связи с задумчивыми прогулками по тамарисковым аллеям, через полсотни страниц было подвешено на крюке вопросительного знака и вскоре превратилось из титула сначала в название файла, а потом в первую главу. «Редкие земли» выскочили только после того, как число страниц перевалило за сотню, когда понадобилось заменить нефть и газ на что-то необычное и космическое.

Иные авторы, еще не начав писать, детально прорабатывают композицию. Наш автор-персонаж, с ходу, под настроение, наваляв десяток страниц, замечает «ну, повело!» и только тут спотыкается в раздумье. Смутная идея витает вокруг головы, не проникая. Вдруг вспоминаются 70-е годы. Молва приписывала ему авторство двух приключенческих детских книг, то есть дилогии. Многие тогда наседали: «А почему бы тебе не написать третью, почему не создать трилогию?» Он ухмылялся, но не отнекивался. А почему бы и нет? Почему бы не протащиться? Вот только создам полтора десятка основных опусов, тогда уж и за детское возьмусь. И вдруг спотыкаюсь в тамарисковых аллеях: пора пришла! Повело-кота-на-мыло!

Минуло тридцать лет, и тому герою сейчас сорок два. Тот мальчик, что появился на начальных страницах, не он. Это его сын, а сам герой... что он делает через тридцать лет? Как что, он сидит в тюрьме. Происходит изменение имен: Геннадий становится Геном, Наташка Ашкой, смешные Стратофонтовы становятся суровыми Стратовыми; давние персонажи будут отдаленными прототипами. Рушится социалистическая империя. Самораспускается комсомол.

С каждой страницей появляются новые лица, и вот наступает момент, когда автор отпускает вожжи. Он уже не в силах натягивать. Что можно ожидать от союза, который самораспустился? Разбежался от отсутствия идеологии-веры, от жажды баночного пива, денег и гражданского общества, в котором каждый ходит с неравномерно толстым бумажником, а лучше всех ходят те, у кого потолще. Каждый тянет в свою сторону, и автору ничего не остается, как стать одним из них, седлать осла и спать с почти реальной киноактрисой.

Сейчас, по прошествии трехсот двадцати одной страницы, нужно откинуться в кресле и сообразить, что происходит со строптивцами. Откуда, например, взялся тот, кого позднее назвали Пришельцем лишь за то, что глаза у него имели свойство иной раз выходить из орбит и висеть в пространстве, предваряя голову? Да и вообще, разве он кому-нибудь нужен, этот Макс Алмазов, который чуть не угодил в убийцы, но отшатнулся, чтобы стать Хранителем дитяти?

Ну вот еще пример. Как могло случиться, что преданная и единственная возлюбленная Гена превратилась в сущую Мессалину-Титанию? Мы вряд ли поймем эту трансформацию, если не вспомним их свадьбу в воздухе над Флоридой, когда перед парашютным прыжком у Ашки впервые мелькнула мысль об измене. Что касается Гена, какая нелегкая его занесла в Африку, что побудило его мечтать о повторении подвигов Альбера Швейцера, почему вдруг произошло резкое, как в баскетболе, движение с последующим прорывом и невозвращеньем, как случилось ему оказаться на полусекретной конференции по редким землям, да и вообще откуда они взялись, все эти иттрии, церии, самарии, неодимы, европии, тербии, лантаны, скандии, гадолинии, диспрозии, празеодимы, гольмии, эрбии, тулии, иттербии, лютеции и миш-металлы, да и вообще с какой целью они тут объявились, если только не с желанием переменить ось философского вращения; и почему тогда всплыл волшебный Габон?

Теперь я сидел один после целого дня сутулой работы. Глаза устали. Зад ныл. Еще не завершив дела, я испытывал послероманный синдром с его бриллиантом — кружением мысли. Светила полная Луна. Никогда не знаю, как ее писать в таком контексте, с большой или с маленькой буквы. Я вышел на террасу. Там стоял Дуран Мароззо. Увидев меня, нисколько не удивился — дескать, сам удивляйся, увидев меня, — однако начал интенсивно махать хвостом. Я притащил ему пучок очищенной моркови: нечищенную морковь скотина не ест. При поедании очищенной моркови скотина хрумкает, в разные стороны расплевывает непрожеванное и становится похожа на какие-то вопиющие портреты первого десятилетия художественного кино. Тем временем я его седлаю, подтягиваю то, что Шолохов называл «подпруги», а я не называю никак, и по окончании его ночной трапезы сажусь на скотину верхом.

Осел трусит по спящему городу, я покачиваюсь в седле. Насвистываю что-то из Элвиса Пресли, чтобы не заснуть, чтобы не сыграть с осла. Ночные люди, то есть клошары, лунатики, а также «полис мунисипаль», давно привыкли к зрелищу старого эмигранта верхом на чужеземном животном и не обращают на нас никакого внимания, тем более что в какой-то момент мы исчезаем с поверхности и начинаем спуск к морю по дорожкам тамарискового парка. Дуран Мароззо временами останавливается, чтобы пожевать тамарисковой хвои или поссать. Я не понукаю его, а скромно сижу на нем в своем пончо, в лунных пятнах, пытаясь вспомнить кое-какие романные мизансцены. Вот здесь они весело бежали вдвоем, стараясь поскорее достичь своей каменной скамьи. А третий вон там стоял в камуфляжной майке, светясь своим ненавидящим взглядом, предвосхищая теракт. А может быть, надо было ту парочку оставить вон там, на деревянной скамье, в процессе сексакта, а ревнивца прогнать через чащу в прострации и тоске? Нет, кажется, все было совсем не так, и они, те трое, поступили как-то иначе, без всякого уважения к словесной природе движений, а лишь подчиняясь импульсам юности.

Спуск завершается, и мы выезжаем со склона на нижнюю набережную, в конце которой зиждится огромный «Шато Стратосфер». И тут мое летоисчисление начинает буксовать.

Сколько времени я это писал: год или десятилетие? Или трусил на своем осле вровень с событиями? Смотрю на темные стены и окна жилых помещений и на освещенный несколько мертвенным светом «Ангар». Испытываю глубочайшую печаль. Кажется, здесь произошли какие-то непоправимые события. В мире большого бизнеса что-то сдвинулось, и Франция отказалась от дружбы с «Таблицей-М». Я приближаюсь верхом на Дуране Мароззо и вижу, что мои предположения вроде бы оправдались. Поместье дерзостных олигархов окружено джипами силовых структур Пятой республики. Запечатан въезд в подземный гараж. Агентура проводит недреманное наблюдение, хотя пока что не препятствует ни входу в «Ангар», ни выходу оттуда. Цокая своими четырьмя копытцами, мы проникаем в огромное помещение.

Там кишит какая-то деятельная и не очень приятная толпа. Активисты какого-то молодежного движения снимают со стен портреты Микки Крутояра. Туристические группы из различных регионов России и Европы фотографируются на фоне эстетически все еще превосходных экземпляров технологии La Belle Epoque. Антиглобалисты евразийских центров проводят фестиваль кулинарного суверенитета. Арабские женщины в бурках призрачно двигаются то там, то сям, словно не успевшие еще разродиться куколки. Время от времени со сводов доносятся невнятные, но громогласные предупреждения. На всем этом фоне, не обращая ни на кого никакого внимания, работают несколько съемочных групп художественного кинематографа.

Я сижу, не двигаясь, на своем осле, и меня тоже никто не замечает, все только обтекают. Вдруг я вижу, как от одной камеры к другой движется весьма пластично не кто иная, как Таня Лунина. И тут вспоминаю, что она сейчас снимается одновременно в двух фильмах — в одном играет свою полную однофамилицу, а в другом Леди Эшки Стратову. Дуран Мароззо поднимает башку, норовит разразиться своим скандальным иа-иа-иа. Я пресекаю скандал и снимаю шляпу перед supporting star романа и главной героиней фильма по роману. Она в этот момент пользуется пятиминутным перерывом, чтобы перевоплотиться из одного образа в другой; не знаю уж, из какого в какой.

«Ах это ты! — говорит она с усталым изяществом. — Я все собирраюсь к тебе заглянуть, веррнее, к тебе с Дурраном, да все никак не соберрусь из-за гррротескной усталости. К концу смены без прреувеличений еле-еле волочусь».

«С кем же ты сейчас спишь, моя дорогая?» — спрашиваю я.

Она машет рукой куда-то в сторону какого-то скопления голливудских и мосфильмовских рыл. «А чёрррт его знает, я совсем запуталась». И проходит дальше перевоплощаться.

Я накрываю шляпой свою башку, полную горьких разочарований и неверных летоисчислений. И продолжаю неподвижно сидеть на осле среди хлопотливого актива. Доносится голос экскурсовода:

«Теперь перед вами скульптура старика на осле. В ней выражаются глубокие творческие мотивы народов Чили».

Я дергаю уздечку и приподнимаю шляпу. Мароззо с презрительной миной начинает отход.

«Вот это инсталляция!» — ажиотирует новокомсомольская генерация.

XVII. Ярдстик и Эталони

В аэропорту Шереметьево-1 большая толпа экономического класса втягивалась из накопителя прямо в подхвостье четырехтурбинного «Ил-96». В то же время небольшая толпишка бизнес-класса поднималась по переднему трапу в свой салон повышенной комфортности. Среди этих людей особенное внимание могли бы привлечь к себе два экстравагантных пассажира. Оба щеголяли своими оптическими приспособлениями: у одного это были очки-лупоглазы, невиданные прежде в этой округе, как будто перелетные сороки принесли, у другого монокль на цепочке, чтобы не уронить булгаковский прибор, иначе не напасешься. Что касается одежды, то она тоже была не карденовского ширпотреба, проглядывали в ней происки малого бизнеса из лондонского Челси. У одного из этих двух рослых и статных мужчин переброшен был через плечо ярко-лиловый шарф с разноцветными кистями, у другого на фоне светлого костюма жилет поражал глубиной своего антрацита. Ну а если кому-нибудь из толпы приспичило бы взглянуть на обувь этих господ, увидели бы там внизу национальные турецкие туфли с загнутыми носами и раритетные советские фетры с кожаными прожилками.

Лет десять назад за такой парой субъектов федерации небось увязалась бы толпа подростковых читателей — откуда, мол, такие птицы, если не из Лапландозилии? — сейчас народ лишь на секунду отвлекался от своих коммерческих идей, чтобы бросить взгляд и тут же вернуться к развивающимся соображениям; экстравагантные же господа тут же были причислены к дурацкому слову «прикольный». Это обстоятельство давно было замечено опытным подпольщиком Максимом Алмазовым. Чтобы уйти от слежки, Ген, совсем не нужно сливаться с толпой. Как раз нужно выделиться из толпы, чтобы идущие за тобой гады автоматически причислили тебя к «прикольным», которых вроде бы уж никак нельзя заподозрить в том, что скрываются от сыскных.

Прошло уже немало времени со дня возврата на березовую, а часто и таежную, родину из тамарисковой страны. Трудно сказать сколько, поскольк не знаем, какому летоисчислению следовать. В прессу каким-то образом проникло невнятное сообщение, что коварный олигарх, умудрившийся опозорить даже такую твердыню, как долгосрочный блок тюрьмы «Фортеция», что привело власти к решению срыть оную крытку до основания, будто ее там никогда и не было, — черт, вечно тащишься с этими придаточными предложениями, теряешь подлежащее — ну, словом, данный олигарх якобы проскользнул назад, на нашу укрепляющуюся территорию, однако это невнятное сообщение лишь недолго поваландалось на поверхности, а потом пресса вернулась к привычным характерам — Фрадков, Кудрин, Греф.

По возвращении Ген и Макс окончательно затерялись в краю сопок, распадков и плоскогорий, то есть в тех местах, на карту которых можно было с успехом наложить пятнадцать Франций плюс столько же Бельгий. Иными словами, они обрели диковатый, с посвистом, простор; сиречь волю. У Макса тут немало было разбросано базовых стоянок с ночлегом, телевизорами и параболическими антеннами. Они (стоянки) были в пользовании у кочевых кадров корпорации, то есть у геологоразведки. На этих многоденежных и вечно слегка пьяноватых парней, культивирующих мужскую дружбу, можно было положиться почти во всех обстоятельствах. Сеть дружбы и совместных выпивонов охватывала водителей вездеходов, снабженцев и, что было самым важным, вертолетчиков. При помощи последних можно было окончательно запутать агентуру сыска, а в нужных случаях без особого труда уйти за рубеж таинственного Китая, ведущей державы мира области редкоземельного промысла. По обе стороны границы были у Макса свои ребята среди пограничников, таможенников и контрабандистов, готовых всегда оформить нужные документы. Особенно если к дружбе присовокуплялось вознаграждение. Ну, словом, некоторые миллиончики.

Вот, скажем, понадобилось нашим беглецам непременно и срочно посетить какой-нибудь порт на атлантическом побережье, предположим, Касабланку или Кадис, Лисбон или Бильбао, Биарриц или Гавр, Дублин или Ливерпуль, Рейкьявик или Осло, Берген или Копенгаген, Стокгольм или, наконец, Таллин-батюшку. Вы находитесь в данный момент в радиусе двухсот километров от Бодайбо, куда вездеходы и вертолет забрасывают их (беглецов) за полсуток. Оттуда, из этого Бодучего-Бо, вы летите на внутреннем самолете до Хабары, из нее опять же на вертолете, до поста Вещающий Благо оттуда на катерке с пулеметом, в духе «особенностей национальной охоты», вверх по реке Любовной, а там, бхай-бхай, по ошибке причаливаете к берегу братского Китая. Тут уже из этой бурно развивающейся, якобы социалистической страны мистеру Ярдстику (Макс) и его ассистенту мистеру Эталони (Ген) пути открыты на весь мир.

Большую часть времени все-таки они проводили не на Атлантике, а в самой настоящей сибирской геологоразведке. Ген про себя поражался, как мало он знал о той отрасли, что принесла ему миллиарды. Вот за что тебе надо было дать срок, Ген, хохмил под банкой Макс. Дипломатишка несчастный, советский шпион в Африке, ты захватил всю нашу великую отрасль редких земель! Ген каялся, обещал исправиться. Время еще есть, к пятидесяти годам он разовьет в себе такой же нюх на лантаниды, как у тебя, мой Алмаз. Он стал ловить себя на том, что тайге у него разыгралось стабильно хорошее настроение. Под командой Макса он выходил вместе с ним в поисковых группах. Пришелец уверял, что его ведет не нюх, а космическое чутье. Плюс геологическое образование, мой Ген. Наметив своими молотками будущий штрек и расставив флажки, они пускали в ход бурильную установку и поднимали на-гора образцы пород. Ген не мог поверить, что обыкновенная серая глина содержит в себе колоссальный процент церия. В одном распадке, омываемом весело булькающим ручьем, они обнаружили куски черного блестящего минерала. Работяги бабахнули в воздух и закричали: «Босс, с тебя ящик «Смирновской»!» Макс объяснил боссу, что это довольно редкий гадолиний, содержащий в себе бериллосиликат иттрия и железа.

Обо всех этих находках они официально сообщали по электронке Гураму Ясно на переулок Печатников. Подписывались: Ярдстик и Эталони. Точно такое же сухое послание отправлялось в Габон. Юристы «Таблицы-М» оформляли их данные в списке ассетов корпорации. Эти ассеты затрудняли задуманное Прокуренцией дело о банкротстве «Таблицы». После отсылки свежих данных экспедиция срочно сворачивалась, чтобы начать новую экспедицию за сто верст от предыдущей.

Однажды они вышли из тайги прямо к прииску «Случайный», где когда-то разыгралась бешеная битва между «Таблицей» и «Сиб-Минералом». Им нужно было там встретить неожиданных гостей из Европы. В ожидании самолета прогуливались по главной улице, похожей теперь на Канаду. Удивляли местных подклеенными бородами и прическами в стиле «ирокез». Возле кафе какой-то мужик бросил на них дикий узнающий взгляд. Тут же спиной отступил в обаятельное заведение и вскоре появился с целой гурьбой братанов, то ли охранников, то ли тех, от кого охраняют. Гурьба стала смотреть на них то ли восхищенными, то ли угрожающими глазами. Тут как раз над главной улицей пролетел «Як-40» и стал заходить на посадку на аэродром в километре от «Случайного». Ген и Макс без паники поехали туда на своем внедорожнике.

Ну как вам это нравится: выплывают расписные! Вместе с регулярной, пропившейся в отпусках публикой из самолета вышли две восхитительные чувихи, а именно всем известная теннисистка Стомескина, только что одолевшая в Токио плечистую девушку Амели Мерисмо, и никому пока что не известная, то есть не охваченная изданием «АиФ», Пашенька Гугаскина (на самом деле Стратова). Они немедленно были усажены в заляпанный грязью «Хаммер» и увезены во мрак тайги. Через полчаса, как свидетельствует охотник Оуглон, над тайгой поднялся вертолет и удалился в северо-восточном (на самом деле в юго-западном) направлении. Внедорожник же ушел туда, куда ему надо было, то есть испарился.

На базе Алмазова в первозданной тайге воцарились три восхитительных дня и три волшебных ночи. Вопреки прогнозам зависший над той тунгусской местностью циклон был в одночасье разогнан прозрачной массой антициклона, который девушки, очевидно, принесли на хвосте «Як-40». Солнце теперь гуляло по небу, как хотело, давая себя заметить то на восходе, то в зените слева, то в зените справа, а то завораживало своим апофеозом на закате. В соответствии с этими прогулками светила то так, то сяк озарялась королевствующая в этом ущелье гора Миш-металл, похожая до мелочей на священную гору Виктуар, что в Провансе, только в три раза больше. Ночи то сразу опускались, то тянули резину в зависимости от перемещения четырех сердец — юного, молодого, еще что надо и совсем не старого. Так же в зависимости от сердец в темно-синей прозрачности возжигалась звезда Арктур с сопровождающими ковшиками. Лена Стомескина трепетала в объятиях оголодавшего без любви Гена Стратова. В перерывах между утехами она обхватывала его коленку и повествовала о трехчасовой битве с Мерисмо. У нее такая подача, что ненароком может отшибить печень. Однако ваша рабыня, мсье, навострилась принимать мячик на излете отскока, и у Мерисмочки вытягивалось мужественное лицо; понял?

Пашенька между тем вместе с Алмазовым сидели на поленнице дров и говорили о НЛО, вызывая своими разговорами их светящиеся появления, стремительные приближения к стратосфере и исчезновения, когда, погасив все огни, внегалактические тарелки шли на посадку. Пашенька, вся такая хрустальненькая, вопросительно смотрела на алмазного Алмаза, который боялся любое движение произвести в ее присутствии. «А почему вы на меня не посягаете, Максим? — лукавилась юница. — Слышите, каким восторгам предается наша боевая Стомескина, а я как-то чувствую себя всеми оставленной». У Пришельца вся черепная растительность покрывалась обильным потом. «Да как же я могу на вас посягнуть, Пашенька, когда я издавна в вашу маменьку влюблен?» — отвечал он в духе какого-то романа. «Ах, что за предрассудки! — отвечала та, кажется, в духе все того же романа («Карамазовы», что ли?) и слегка даже прикасалась своей лапкой к его большой ладони, похожей на занявшего огневую позицию бойца спецназа. — Ах, какие предрассудки, мой хранитель! Да я ведь в соответствии с традициями нашего коллежа охотно приняла бы ваши посягновения; во всяком случае, не была бы шокирована».

Так проходили ночи, а днем все четверо сердец гуляли вместе вокруг базы, вытягивали со дна ручьев набросанные там за ночь с НЛО осколки минералов, содержащие редкоземельные элементы, говорили о тлеющих надеждах, о приходе Глобала и о том, как жить юным девам среди звереющего мусульманского мужичья. Попутно проживлялись дарами осенней тайги, ведь здесь с незапамятных времен Золотой Нашей Железки, то есть со времен усиленной в разы радиации, в изобилии возникали крутобокие белковые грибы, сочащиеся витаминами винные ягоды и усиливающие воображение пахучие травы и цветы-горюны, что плавали на метр от земли и горе снимали. Данная база-алмаза представляла из себя собравшиеся в гурт три вагончика, из которых один назывался салоном. Именно в нем был устроен в промывочном корыте прощальный огромный салат под общим названием «Закон-тайга». И вот именно под влиянием этого салата сердца четырех воспарили выше крыши, и трудно было разобрать, где отец и где дочь, где друг, а где подруга, короче — все были счастливы без всяких похотливостей.

Утром, когда собирались на аэродром, замечено было, что девушки странновато жались друг к дружке и поглаживали дружкины не совсем прикрытые животики. Итак, прощайте, теннисистки! И вы прощайте, беглые каторжники! Давайте папкину, комосомольца угорелого, песенку споем:

Если хочешь ты найти друзей,
Собирайся в дальний путь скорей,
Собирайся с нами в дальний путь,
Только песню не забудь!

380

К вечеру Макс и Ген, почти уже добравшись до базы, услышали в тайге какую-то трескотню, прерываемую сильным грохотом и звоном, как будто кто-то сажал в окна тем самым промывочным корытом. Похоже было на то, что на базе какая-то пистолетчина разыгралась вкупе с некоторым употреблением ручных гранат. Позднее при вполне ужасных обстоятельствах выяснилось, что в их отсутствие на базу без предупреждения пришли два наших старателя Петровых и Болотных, а их там ждала засада. Едва наши вошли в один из вагончиков, как были окружены то ли бандой, то ли ОМОНом. Те их приняли за Гена и Алмаза и предложили сдаваться. Наши сдаваться были никем не обучены, и разгорелся бой.

Ген и Макс наблюдали за этой историей со склона сопки и успели разобраться, где свои и где чужие. Тогда они вытащили из схрона ручной пулемет и стали шарашить поверх голов трассирующими пулями. Каждая очередь сопровождалась страшными воплями: «Немедленно прекратить стрельбу!» Шуму в этом урочище возникло немало. Потрясенные человеческими безобразиями, ревели мелькающие меж стволов два почти ручных медведя. Окружавшие вагончик типы вскоре стали панически разбегаться, оставив на камнях двух своих, неподвижных.

Петровых и Болотных лежали на полу, истекая кровью. От всех попыток остановить кровотечение они отбрехивались и просили только водки, только водки, эй, Алмаз, лей мне прямо в рот всю бутыль «Кристалла»! Так, в водочных парах, они почти одновременно и отошли в зону более высоких воспарений.

Трудясь геологическими кирками почти полноти, Ген и Макс соорудили некоторое подобие могил для двух своих и для двух чужих. Затем прочли, не сговариваясь, а только вторя друг другу, заупокойный экспромт:

«Дорогие ребята Петровых и Болотных, мы о вас слышали только хорошее и очень сожалеем, что не удалось поработать вместе. Как гласит одна надпись на Переделкинском кладбище: «И затопили нас волны времени, и участь наша была мгновенна». Каждый живой понимает правоту этих слов и все-таки надеется предстать перед Престолом Господа. Идите смело, держитесь твердо. Вы выдержали бой за вашу свободу, и не ваша вина в том, что вы причинили врагам боль и смерть. Пусть Дева Мария раскроет над вами свой Покров. Аминь».

И, развернувшись на 180 градусов, несколько слов проговорили незнакомым жертвам:

«Зря, мужики, вы наобум бросаетесь выполнять приказы всяких чертей. Пусть Господь вас простит, если вы сотрудники правоохранительных органов. А вот если вы гады и аспиды, предстаньте перед пустотой и ждите, ждите, хоть это и невозможно там, где не тикают часы».

После этой своеобразной погребальной мессы они заколотили гвоздями изрешеченный пулями и залитый кровью старателей вагончик и сели на крыльцо другого вагончика поджидать затребованную через секретариат Ясно вертушку. Там и заснули, чтобы не входить внутрь и не смешивать эту мрачную историю с воспоминаниями о светлых девушках. Вертушка прилетела под утро. В кабине сидел один из секретариата, некий Дрозденко, с последним выпуском титанового со скандием лэптопа на коленях. Зевая и почесывая сильно стриженный затылок, он открыл почтовый ящик и повернул экран в сторону новых пассажиров. Там среди боль шого технического текста они почти сразу обнаружили фразу: «...а также передайте господам Ярдстику и Эталони, что их настоятельно ждут в Жантиль-Порте (Габон)...» Ген и Макс переглянулись и улыбнулись. Кто еще мог так написать, «настоятельно ждут», если не та, какую они оба ждали всегда?

В этот раз был выбран совсем уж загребистый маршрут. Сначала заказали купе в международном вагоне и трое суток отсыпались, пока тряслись на восток по Транссибирскому пути. Вышли в Яру Красном и немедленно полетели в обратном направлении, в Тачи. Оттуда махнули со своими американскими документами в китайский Хуньпу, а там их уже ждал забронированный маршрут в бывшее Лениново, нынче Санкт, с пересадками, а также заказанные билеты на балет «Болт». Маршрут был прерван перед самым «Болтом» срочным выездом по делам корпорации «Нокия» в Суоми, из этой страны на пароме отправились в некогда подкожную Эстляндию, откуда и вернулись в РФ, в Шереметьево-1; не путать с главным, Вторым.

В этом несколько второстепенном Первом с двумя экстравагантными господами произошел не предвиденный сюжетом небольшой эпизод. Вдруг к ним раскатился с распростертыми несколько расхристанный субъект, когда-то, очевидно, напоминавший сибирского купца из кинофильма «Парикмахер». Ухватив за жилетную пуговицу не кого иного, как Максима Алмазова, он обратился к нему, как к пресловутому олигарху Стратову: «Ген Двардыч, да ты ли это?!» Макс тогда сильным сжатием запястья обмишуленного купчины освободил свою пуговицу. И произнес: «Ньет, ньет, пэджалстэ». И тот тогда, сильно расшурудив свою шевелюру, помчался к большому и прохладному туалету.

Друзья отошли к стойке, где предлагались пассажирам и провожающим свежевыжатые соки. Шум, возникавший при сжатии фрукта, способствовал разговору, проходившему скорее в области мимики, чем артикуляции. Ну что, меняем маршрут? Не стоит, этот малый после большого бодуна тут мечется, душа горит. Кажется, я даже вспоминаю его по переулку Печатников. Он там когда-то кредита добивался.

В общем, решили маршрута не менять. План был такой. Летим в Украину, в город Симферополь, где «всякий знает среди архитектурных излишеств стройный, как очиненный карандаш, небоскреб газеты «Русский курьер»». Далее — в Ялту, в знаменитую чеховскую (а по-французски шеховскую) «Ореадну» (не путать с Ариадной Рюрих). Там оплачиваем пребывание на неделю вперед и одновременно заказываем номера в Феодосии, столь нетерпимой к проискам Североатлантического оборонительного союза (НАТО). Вместо востока мы едем из Ялты все-таки на запад, в Севастополь, а вот оттуда под охраной стальных громад России направляемся через Понт Эвксинский в Стамбул, который когда-нибудь неизбежно вернется к имперскому имени Постоянный.

В Стамбуле мы зафрахтуем яхту, но одновременно и самолет, на котором и вылетим на остров Лампедуза, что на полпути от Мальты до Италии. Вот там-то, в Лампедузе, нас будет ждать самолет «Таблицы», который немедленно устремится в Жантиль, где нас настоятельно ждут.

Итак, два прикольных джентльмена входят в бизнес-класс аэрофлотовского «Ил-96», рейс Москва — Симферополь. Все кресла почти уже заняты в основном молодыми мужиками среднего возраста, в том смысле, что не юношами. Никто не обращает друг на друга внимания, стараются вволю наговориться по своим мобилам: ведь все-таки придется их, столь необходимых, отключить на два часа полета. Тут появляются бортпроводницы с напитками соков, вина и шампанского. Последний из перечисленных напитков вызывает легкий, как ветерок, обмен информацией. Оказывается, через проход два друга, Москва и Калуга, едут в Ялту на одну ночь оттянуться в дискотеке «Матрица», а завтра уже возвращаются в Первопрестольную, чтобы бизнес не дремал. Засвистели турбины.

За завтраком стали отдавать предпочтение национальному напитку. Тембр голосов повысился. Стали знакомиться, делиться соображениями. Оказалось, что, кроме Москвы и Калуги, еще несколько фруктов созрели для «Матрицы», а именно еще одна Москва, две Московских области, Самара и Тольятти, а в общем, если можете, запоминайте: Сашка — такой блондинчик, хрюкает, как поросенок, но девушкам нравится есенинской шевелюрой, Сережка такой, по прозвищу Серый, жилистый, плотный, с надписью на свитере «Свой!», Аркадий такой, иначе Аркан, пиджаэк фраерский, но брюната висят, Стронг такой, это от бефСтроганова, иначе Едюля, от аппетита-апперкота, туда-сюда тыет вилкой, промахивается, жманает рукой, Стас такой, по фамилии то ли Русский, то ли Прусский, о хихопает, то мымыкает, плечи богатырские, рюх впалый, вот кто чисто рюски, так это такой Степан, немного на вид стебанутый, но «дуxless» читал до самого упора, потом швырнул, ну и еще такой Мамед, по имени чужой, а по внутренним органам наш, настоящий сторонник евразонского человечества. В общем, среди пассажиров бизнес-класса активно выделилась группа алкоголизма в составе семи человек.

А наши герои оказались в каком-то странном эпицентре веселья. Великолепная семерка владела креслами в разных секторах, а потому общаться можно было над головами других, что они и делали с непринужденностью, как будто между ними не было никого. Вначале это выглядело вполне безобидно. Парни при помощи стаканчиков салютовали друг другу, безудержно хохотали при обмене шутками типа «Ну ты силен, Сашок!», «А Серый-то Серый, глотает, как пеликан!», «А вот Аркан — это наш человек!», «Посмотрите на Едюлю, парни, он от голода не умрет!», «Стас, а Стас, учти, главное — не трезветь, чтобы в «Матрицу» придти в приподнятом настроении!», «Степок, а что там у Минаева про водку-то написано?!», «Мамед, это правда, что водку мусульмане придумали, чтоб неверных загнобить?!».

Мистер Ярдстик делал вид, что читает «Herald Tribune», а сам внимательно ко всем пассажирам, не исключая, конечно, и пьянчуг, приглядывался. Что касается мистера Эталони, тот хохотал над юмором взрослой молодежи. Чем-то они ему напомнили героев «Мужского клуба», который когда-то ксерили потайным способом под угрозой схлопотать срок. «Look at them, — сказал он Ярдстику, — they're having fun easy like kids. People usually are gloomy in this country, but they do the basketball humor, don't they?»

«You aren't going to join them, are you?» — спросил Ярдстик, проявляя типичную для этой страны мрачноватость. Извинившись, он отправился вперед, в туалет, и на обратном пути обменялся взглядами с сидящими в заднем ряду бизнес-класса Мастером Суком и Мастером Шоком. Самураи были невозмутимы, как их Бог.

Среди трех стюрдесс салона одна могла похвастаться ножками и попкой, а также губками, которые без устали улыбались. Сашок, Серый и Аркан задержали ее в проходе и усадили в свободное кресло. Нам, Веруля, вы как человек нужны, а не как кадр. Аркан слегка погладил ее левую коленку, а Серый правую, Сашок на мгновение приложил свою пропахшую табаком ладонь к ее губкам. Лично я вижу в девушке прежде всего собеседника. Хочется как-то раскрыть душу, почувствовать также и чем она дышит. Девушка испугалась и выскользнула. Парни хохотали. Они к этому времени уже начали вынимать из своих рюкзаков и портфелей их собственные напитки типа джина «Гордон», виски «Баллантайнз», коньяка «Мартель». Веруля вернулась из-за портьеры вместе с приземистыми подружками Лёликом и Кикой. Как всякая девушка этого класса, она была все-таки основательно польщена таким вниманием со стороны таких видных парней. Мальчики, пожалуйста, сядьте в кресла и пристегнитесь, попросила она нежнейшим тоном. Обделенные вниманием коротконожки совсем в другой манере попросили прекратить распитие принесенных с собой напитков. Ой, турбуленция, вскричал тут Мамед и ухватился за Лёлика. Стронг Едюля обратал Кику. Ой, мальчики, да что ж это такое, экие дамские угодники! Тут и в самом деле зажглось табло «Пристегните ремни». Компания кое-как расселась с бутылками, захмелялись все круче.

Вдруг подошел какой-то момент, определяемый еще домарксовыми марксистами как «переход количества в качество». Речь горластой компании стала стремительно насыщаться матерью-щинской. Во, бло, какая пошла турбуленция! Да это мы, пацаны, сами его, тматтвоютак, раскачали! Кого, нах, его? Да самолета, эбэнать! Оказалось, что чуть ли не все были задействованы в горячих, ожоговых таких, бло, моментах родины — кто в ВэДэВэ, кто в Морпехе, кто азеров усмирял от бесчинств, кто мост в Бендерах штурмовал, а кто и в Чечне отстаивал нашу федеральную цельность. Кто-то со всхлипами стал вспоминать павших товарищей. Кончай, Мамед, держи себя, нах, в руках, никто не забыт, ничто не забыто! Евразиец для подтверждения искренности рванул через голову футболку. Широкая его грудь представляла из себя батальное полотно: танки, вертушки, клубы дыма, геройский спецназ, сверху ангелы спускаются с парашютами, снизу вьется лента с надписью «Штурмуем Ведено!». Сашок и Стронг залились слезами. Во, татарин все понимает, а иностранцы блобские, нахло, ни фига не понимают, хотя этнически чисты.

Тут все вдруг уставились на мистера Ярдстика и мистера Эталони; смотрели в упор. Стало быть, раньше делали вид, что не замечают, разыгрывали театр? Все эти ряшки, иные еще веселые, а другие уже мрачневецкие, надвинулись так, словно не хотели отпускать. Самураи встали и приблизились. Присели на подлокотники кресел, будто очередь заняли в туалет.

«What's the matter, guys?» — поинтересовался Ярдстик.

«В чем дело, ребята?» — спросил мистер Эталони на языке Тургенева. Гоп-компания взорвалась истерическим весельем. Вот говорят, что все иностранцы козлы, а это не совсем так. Вот вам пример — один выгребывается по-английски, то есть на языке Шекспира, а другой, вот этот с моноклем, спокойно на тургеневском чешет. Вот такие разные бывают иностранцы. Одному можно пасть заткнуть, а второго пригласить водочки покушать, верно?

Далее последовал ура-патриотический бурлеск, впрочем, довольно своеобразного характера, слегка напоминающий делириум тременс. Вся великолепная семерка высказывалась одновременно, то глуша своими голосами друг друга, то вдруг хором взвывая на высоких децибеллах. Вот что удалось более-менее извлечь из этой вакханальной глоссалии. Пусть к нам они не лезут! Мы сами! Ващще! Россия — гордая держава, так? Держава-гордач, я правильно понимаю? Вот Стаська Прусский правильно хипхопает — гордач, гордач! Как в песне народ взывает: врагу не сдается наш гордый гордач, ура! Дайте Степке-стебанутому высказаться; ну, Степан! Иностранцев всех надо размазать! Хватит с нас иностранцев, братва! Стронг, ты не из них будешь по прозвищу? Всюду лезут, как термиты, как хамаз и езбулла! Нас всех, братва, продают пачками, а мы видим, как лохи! Вот смотрите, на чем летим, на гиганте «Ил-96», летим, ничего не понимая, мужики, ведь «Ил»-то означает Иностранный Легион, вот как нас и прикупили! Все проплачено вперед, это даже президенту понятно; понятно? Свою дерзкую политику надо вести, наносить удары! Нечего на таких вот амеприканцев со стеклышками в черепке смотреть, надо, как Израиль, наносить удары, упреждать технически грамотно, там ведь наши поселились, передовой отряд!

Вдруг все затихли. Самолет стоял на земле в темноте. В салоне зажегся полный свет. Пассажиры стали подниматься из кресел. Семерка извлекла свои мобильники, что-то в них забормотала, как будто и не были особенно пьяными. Мастер Шок, человек с особенно острым, на уровне кошки, слухом, уловил, как Серый, ну тот самый, жиплистый, глотный, сказал кому-то в телефоне нормальным голосом: «Прилетели. Так точно, не одни. Порядок. Точка». Открыли люк. По салону пролетел ночной прохладный воздух незалежной Украины.

Выйдя из самолета, семерка шумно разделилась договорившись вскоре встретиться в «Матрице» Четверо, а именно Сашок, Мамед, Стронг и Степан, стали ждать, когда выйдет из самолетного под хвостья основная толпа пассажиров, чтобы найти там девушку по имени Катюша, чье имя в эти дни постоянно мелькает в сводках с Ближнего Востока Другие трое, а именно Серый, Аркан и Стас, вслед за иностранцами отправились в маленький автобус VIPа. В автобусе Аркан сказал Ярдстику и Эталони «Знаете, вам лучше нас держаться, чтобы не создавать международного инцидента». В ответ на это предложение Ярдстик выпучил на него глаза, д так, что показалось, будто они (глаза) повисли воздухе впереди головы. И пробормотал: «Yo fucking bastard mind your own business!» Несвежа после полета агентура не все поняла из сказанного и даже не заметила, как мимо автобуса, словно призрачные корейские тигры, пронеслись Мастер Су и Мастер Шок.

В здании VIPа толстые тетки из украинской та можни провели всех пятерых пассажиров в зал ожидания. Зал был оформлен с неслыханной роскошь в том смысле, что он почти не изменился с тех пор, когда назывался «Залом депутатов Верховного совета УССР». Окна были задрапированы рытым бархатом. Кресла, крытые ковровой тканью, соревновались с напольными коврами, стены демонстрировали богатство масляной живописи, созданной теми, кто шибко кохает ридну витчизну, плазменный телевизор показывал рекламу на украинской мове, в частности, «Фонтан хвылин, безмежне спилкування»; Аркадий, как единственный из семерки человек с филологическим образованием, даже успел подумать, что звучит красиво. Он правда не успел заметить, как в глубине зала вышел из стены Мастер Сук и показал «иностранцам» дверь, куда надо драпать. Тут прозвучал не сильный, но резкий хлопок и вокруг трех любителей дискотеки «Матрица» стал быстро распространяться невероятно приятный запах эвкалипта, смешанного с самшитом.

В отличие от этой честной компании у Мастера Сука и Мастера Шока вроде ничего не должно пропасть, однако и на старуху бывает проруха: к утру оказалось, что вилла в Мисхоре, снятая корпорацией для отдыха ее важных иностранных консультантов, окружена со всех сторон. Это обнаружил Алмаз, вознамерившийся выкупаться в Черном море с первыми лучами балдохо, как говорят геологи-ставатели Тунгусской зоны. Море было в ста метрах прямо перед ним, но сбоку от моря на холме, возле кафе-буфета, сгруппировалась вчерашняя семерка плюс еще рыл пять свежих. Вдобавок к этим там еще сидел устрашающий друг человека, пес-мутант кавказско-сенбернарской породы. Этот иногда зевал, обнажая кинжальные клыки, но на виллу смотрел с искренней ненавистью.

Алмаз наблюдал за ними, прячась за портьерой. Свежие лица были бесстрастны, а вчерашняя семерка явно делилась впечатлениями. Серый, Стас и Аркан наверняка рассказывали, как их в VIP-конторе поимел проклятый кореец. Вырубил нас всех троих одномоментно стручком «Экзотика-7». У нас таких пока что и в помине нет, а у них, смотри, уже на вооружении. Через час, товарищи, нас стало выворачивать за милую душу. Потом нам хохлачки счет предъявили на пять тысяч гривен за испохабленные коверные изделия. Ну если начнут вычитать из премиальных, уйду на йух!

Стоя у окна в некотором оцепенении, Алмаз почему-то больше всего горевал, что не удастся выкупаться в море. Больше никогда не удастся выкупаться в Черном море, так почему-то вызревала назойливая мысль. Сбрасывая с макушки головы эту докучливую мысль на фиг, он перешел к северной стене виллы и там, из окна кухни, в листьях платанов сразу увидел нескольких снайперов. Напротив западной стены виллы, в «кармане» горной дороги, стояло несколько джипов с украинскими номерами, на одном из них была антенна спутниковой связи. Восточная стена упиралась в базальтовую скалу, однако нельзя было исключить, что на вершине скалы загорают какие-нибудь особого толка отдыхающие.

Алмаз без стука вошел в комнату Гена. Тот лежал на спине, скрестив руки. «Что ты бродишь?» — спросил он, не открывая глаз. «Там все вчерашние собрались напротив дома», — ответил Алмаз. Ген сразу вскочил. Вдвоем они босиком, чтобы не создавать ни малейшего шума, прокрались к фасадной стене. Напротив, на холме под навесом кафе, сидели двое и пес-мутант величиной с огромного льва. Остальные исчезли. Из портьеры вышли Сук и Шок. «Жаль, Макс, что ты нас раньше не разбудил». «А где вы были?» «Мы стояли полночи в портьере, да там и заснули. Расслабились, к сожалению. Иначе можно было бы к великолепной семерке «Лассо-7» применить». Шок показал дионимовую коробочку. «Отсюда вылетает на полкилометра невидимая нить, с жилкой лантанида, разумеется. Цель, размером до взвода, и моргнуть не успеет, как будет скручена этой нитью, да так, что ей ничего не останется, как только валиться набок. Это японцы сделали по заказу Израиля, для Газы».

«А на этих кинологах не можете продемонстрировать?» — поинтересовался Макс.

Самураи пожали плечами. «Стоит ли тратиться на двух лохов и собачонку?»

«Эта собачонка любит откусывать людям уши, — заметил Ген. — Так, во всяком случае, поведал мне наш летописец Базз Окселотл со слов моего сына Никодимчика».

«Ну что ж, попробуем». — Сук и Шок приоткрыли фрамугу и прицелились.

Вдруг, то ли снаружи, то ли внутри, начал звучать страшноватый низкий голос знакомого авторитета, не исключено, что самого тайного президента Академии Общего Порядка:

«Значит, так. Чепуху болтать прекратили. Оружие всех родов, включая и одурачивающего характера, оставили внутри. Сами вышли на стоянку машин с поднятыми руками. На раздумье десять минут. Через десять минут убиты».

Шок тут же по кивку Гена выпустил нить «Лассо-7». Никто ничего не заметил, но зверь-мутант и два его проводника с милицейскими автоматами оказались накрепко прижаты друг к другу, как некая фацеста. Рев поднялся такой, что невозможно было разобрать, кто как ревет, — где homo sapience и где невинная в свой жестокости тварь. Связкой покатились с холма и исчезли из виду.

«Вот это да!» — воскликнул Ген.

«Ну и ну!» — возопил Макс.

«У нас тут есть еще несколько образцов оружия нелетального характера, — спокойно пояснил Сук. — Разработаны для остановки обезумевшей толпы. Вот эта штучка, например, выпускает липкую массу для склейки потенциальных убийц. А вот эта...»

Он не успел закончить своих пояснений, как дом задрожал от бешеной стрельбы со всех сторон. Пули немедленно выбили все стекла, разнесли на клочки часть мебели, однако не смогли одолеть крепкую кладку стен. Сук и Шок мгновенно оттолкнули Гена и Макса под защиту стен, а сами бросились в закрытый коридорчик, где был люк для входа в тоннель. Через минуту из коридорчика пролетела в разбитое окно дымовая граната. Сквозь дым снова прозвучал басовитый, но уже лишенный величавости, а потому не вполне разборчивый глас: «...жайм... алп... гонь...» Сук из коридорчика вполне спокойным голосом отдал команду: «Ген, Макс, рывком и ползком — марш!»

Через несколько минут все четверо оказались в тоннеле. Замыкающий цепочку Шок задраил люк, закамуфлированный под стенную панель карельской березы. Идущий впереди Сук осветил фонариком подземный путь, надежностью не уступающий иным подобным устройствам, прорытым во время холодной войны под Берлинской стеной. Через несколько минут идущий третьим Макс Алмазов со стоном упал на колени. По всей вероятности, одна из бесчисленных пуль попала ему в шею или в горло, во всяком случае, именно горло он зажимал обеими руками, пытаясь остановить кровотечение. Кровь сочилась профузно меж пальцев. Потом он бухнулся головой вперед и потерял сознание.

У Сука и Шока, как оказалось, под рукой было все, что необходимо для подобных ситуаций. Замыкающий перебинтовал раненому горло и укрепил повязку клейкой лентой. Ген взвалил тяжелое тело друга себе на спину, а Шок облегчил ношу, взяв атлетические ноги себе под мышки. Быстро, то есть не более чем за четверть часа, прошли горизонтальный штрек. Потом начался вертикальный с железной лестницей, и вот тут-то пришлось попотеть, поднимая бесчувственного Алмазова, Пришельца, к которому никто в переулке Печатников не относился равнодушно.

Наконец выбрались из обычного водопроводного люка на обочине крутой серпантинной дороги. Над ними под ветром шумели и трещали шишками ливанские кедры. Парила, то опускаясь, то взмывая, большая личная чайка Макса, Алмаза, которого все в Тунгусской зоне то ли боялись, то ли любили.

«В темпе, в темпе, ребята! — командовал Сук. — Нам нужно уйти как можно дальше от этого места!» Он подменил Гена и взвалил тело себе на спину. Ген настоял на том, что потащит под мышками ноги десятиборца. Шок заткнул за пояс, под куртку, пару пистолетов и перешел на другую сторону узкой дороги. Быстро зашагали, временами переходя на трусцу, но не вниз, а вверх по серпантину. Бессильными рыбинами болтались некогда мощные руки дискобола и копьеметателя. Смотрящее в небо полумертвое лицо Макса, казалось, постоянно следит за парением чайки.

Их обгоняли на более-менее прямых участках дороги туристические автобусы. Они торопились на Ай-Петри к открытию автогонок «Антика-ралли» из «Острова Крыма». На виражах с подъемами автобусы ели ползли, но все-таки обгоняли группу парней, несущих большое красивое тело. Иной раз кто-нибудь, чаще всего водитель, высовывался из окна и интересовался: «Что случилось, мужики?» Мастер Шок махал ему обеими руками — проезжай, проезжай! Вид у всей группы, включая несомого, был достаточно авторитетный, чтобы сойти за товарищей из органов. Вдруг из медленно ползущего вверх на крутом вираже автобуса закричал какой-то пассажир, читатель газеты «Ъ»: «Братцы, смотрите, да ведь это же Ген Стратов! Клянусь, не обознался! Вон он, настоящий Ген Стратов, тащит павшего товарища! Видите, Ген Стратов влачит жмурика!» Не останавливаясь, автобус завершил поворот и прибавил скорости.

«Сворачиваем на тропинку!» — скомандовал Мастер Сук. По еле заметной каменистой тропинке они свернули под своды кедров и начали подъем бегом. Через полчаса, выбившись из сил, опустили Макса в тень и сами грохнулись рядом. Они оказались в каком-то поистине райском уголке мисхорского приморья. Мягкий бриз веял сквозь рощу. Блики солнца и тень, некая блаженная киарроскура, играли по мягкой траве. Вокруг не было ни души, кроме по-прежнему парящей чайки.

Мастер Шок тем временем связывался по мобильнику с разными подструктурами главной структуры в Москве, Габоне и Биаррице. «Привет, Андрей, это Шок. Наш сотрудник подвергся бандитскому нападению. Он без сознания. Мы на одном из склонов Ай-Петри в Крыму. Сообщи, что можешь предпринять для оказания срочной и б е з о п а с н о й помощи». Все люди, с которыми он говорил в такой манере, немедленно понимали ситуацию.

Тем временем Макс пришел в себя.

«Где мой отец?» — спросил он довольно спокойным голосом.

Ген положил ему руку на грудь. «Я здесь, Макс». Пришелец и раньше, сильно поддав, обращался к нему со словом «отец». Грудь задергалась в прерывистом дыхании, потом расслабилась.

«А где моя мать?»

«В Габоне, Макс. Она в Габоне. Скоро ее увидишь».

«А где мой брат Никодим?»

«Он в океане, Макс».

«А где моя дочь Парасковья?»

«Она в Биаррице».

«А где твоя мать, Ген? Где Елена?»

«Она на корте славы, Макс».

С большим трудом умирающий обвел взглядом поляну и остановился на сидящих в позе медитации Суке и Шоке.

«Теперь я вижу своих детей-самураев».

«Тебе лучше, Макс?» — спросил Ген, преисполненный осторожности, нежности и любви. И отчаяния.

Макс улыбнулся белыми губами.

«Во мне прорастает металл. Надеюсь, редкоземельный. Кажется, сплав свинца и церия. Руки и ноги уже не поднять. Сердце еще пытается воспалить. Парни и девушки, я счастлив, что вы все вокруг меня собрались. Славно, что все места протекают вместе — Габон, Тунгуски, тамарисковый Биарриц и переулок Печатников... Привет и тому, кто записал нашу историю, забыл, как зовут...»

Горло его дернулось и сильно булькнуло. Кровь отошла через рот, и он отошел.

Через час над поляной завис голубой вертолет с надписью на бортах: «Криворожский металлургический комбинат. Лакшми Миттал Корпорейшн». Из него опустились на тросах носилки и три парамедика. Последним ничего не оставалось, как только погрузить тело Пришельца на носилки и поднять его в машину верти-и-летай, виси-и-свисти, реви-и-глуши неслышные рыдания оставшихся.

Эпилог

В прежние времена гэбэшники часто меняли свои фамилии. Никто не знает, по каким соображениям они это делали. Впрочем, тайна есть тайна, а секретность ничем не отличается от тайн. Однако набор из разных фамилий нередко ставит их обладателя в неудобное положение. Вот одного такого я знал в незапамятные времена, в семидесятых. Он все крутился в нашем околотке и предлагал обмениваться книгами. Мало кто соглашался на подобного рода обмены: ведь все знали, что он капитан гэбэ. Я иной раз пытался угадать его имя по людоедским публикациям в «Литгазете». После одной такой публикации кричу ему на улице «Петров!» — и он с живостью оборачивается. После другой зову его в метрошной толпе «Николаев!» — и он тут же оглядывается не без горделивости: все-таки автор органа, основанного еще Александром Сергеевичем Пушкиным. В третий какой-нибудь раз выхожу из-за дорической колонны и трогаю тыл его пальто в области лопатки: «Товарищ Корионов, это вы?» «Ну допустим», — с надменностью инженера ч.д. ответствует Петров-Николаев-Корионов. Я умиротворяю его тормозящей ладонью. «Вы не волнуйтесь, я просто хотел спросить, вы — капитан?»

«Майор, майор», — отвечает он и быстро садится в коляску, то есть в волгу-с-мигалкой. Кто же он по фамилии, думаю я не без раздражения и решаюсь выяснить это в стихе.

Проводы героя

Я знал почтенного майора,
Он был искусник, а не лох.
Считал себя слугой Минервы,
Имел художественный нюх.

Он патрулировал кварталы
Вокруг метро «Аэропорт»,
Вынюхивая к(а)вартиры,
Определяя запах спор

Враждебных книг и мысли вздорной,
И тотчас посылал доклад,
Что за химчисткой вдоль забора
Зарыт антисоветский клад,

Что тянет дух «Архипелага»
С седьмого, скажем, этажа;
Там тщится гадкая Гаага
Нам трибуналом угрожать.

«Зияющих высот» скрижали
Разят швейцарским бланманже;
Недаром зубы скрежетали
У политических бомжей.

От Галича хоть в рощу драпай,
Он перцем песни насыщал.
Им возмущался сам Андропов
С повадкой старого сыча.

Попахивал Живаго-доктор
Свежатинкой далеких лет.
Каков хитрец, прикинул дока,
Спустить бы гаврика под лёд.

«Руслан», конечно, пахнет псиной,
А Чонкин, враг армейских сфер,
Распространяет под осиной
Портянки крепкий камамбер.

Короче, весь квартал крамольный
Услышит ночью стук подков,
С задором пылким комсомольским
Воображал майор Вовков.

Пропустим весь квартал сквозь сито,
Устроим обысков самум!
По запаху я чую титул
И направлений хитрый ум.

Вдруг некий аромат невнятный
Достиг трепещущих ноздрей.
Что это — борщ с еврейской мятой
Иль пицца в шапке пузырей?

Наследие Абрама Терца?
Тургеневский презренный «Дым»,
Звонарь заморский некто Герцен?
Или тлетворный «Остров Крым»?

Он сунул нос борщу под крышку,
Но пряностей удар тяжел!
Прощай, набоковская крошка,
Шепнул он из последних жил.

Вот так погиб герой отчизны.
Лежит под тяжестью венков
Вдали от жизни этой грязной
Майор спецрозыска Вовков.

Вот так, с помощью рифмовки, была обнаружена подлинная фамилия незадачливого борца за чистоту идеологии. И главное — никого не обвинишь, ни на какого диссидента не навесишь: сам задохнулся под крышкой супа с книгой, это все знают. Что делать, таковы непримиримые законы существования всех форм белковых тел: и наши герои уходят, и ихенные. И мы все уходим, те, которые подобные мудрости изрекаем. Одни завещают распепелить пепел над Норд-Зее, другие предпочитают гнить. И никому не пожалуешься, ибо конечная инстанция нам неизвестна, потому что у нее нет конца. Эти мысли начинают одолевать, когда завершаешь роман. Конечность мучает всех — персону любого возраста, вашего осла, даже, быть может, «дорогой многоуважаемый шкаф». В вооруженном отряде партии недаром, очевидно, практиковалась многоименность: хотелось и самим размножиться. Иначе зачем в тоталитарном обществе борзописцы прятались за псевдонимы?

При демократии все проще, но почему-то и загадочней. Свобода гордится своими романами самовыражения. Флобер умудрился самовыразиться даже в образе сластолюбицы. Пушкин по три часа пред зеркалами проводил, а потом упархивал, подобный ветреной Венере. Невысокий Найман прогуливается по роману в виде стареющего баскетболиста Каблукова. Ваш покорный, между прочим, в недавние романы то и дело вводил и Старого Сочинителя, и Стаса Ваксино, и Власа Ваксакова, и графа Рязанского, и Така Таковского, а вот теперь и Базза Окселотла — и все это не псевдонимы, а просто разные ипостаси.

Любопытные сдвиги происходят при юбилеях творческих личностей. Живешь-живешь и вдруг осознаешь, что друзья веселой молодости приближаются к семидесятилетию. Ты пишешь эпистолу дружбану-прозаику, зачинщику всей молодой плеяды, прогремевшему в двадцать лет, за что и был прозван «нашей Франсуазой Саган».

Куда нас, Толя, закатили
Литературные года:
От «Юности», где всплыл Гладилин,
До «Ожидания Годо»?

Я вспоминаю, Анатолий,
Как легок был ты на подъем:
Не съев и пуда ржавой соли,
Ты напевал «Мадам, мадам!»

Ты вечно к бабам шел с ватагой,
Кричали бабы «Караул!»,
И с этой шуткой, словно с флагом,
Прошел весь «бабий карнавал».

Однажды наш дуэт в пинг-понге
Сломил ретивый комсомол,
На семинаре близ Паланги
Двух их атлетов искромсал.

Спустя сто лет в Луизиане,
Где по соседству Эльсинор,
Два эмигрантских партизана,
Твой друг Базиль и ты, синьор,

Клеветники и супостаты,
Сражались средь идейных жал;
Тут с возгласом «Привет, ребята!»
Посол советский пробежал.

Он был партнером по пинг-понгу
И флюгером идейных туч,
И ты сказал ему вдогонку:
«Советский замысел летуч!»

Себя с тобою вспоминаю.
Гудим ватагой в ЦДЛ,
И, как всегда, Михал Минаич
Корит мовистскую артель.

Мне нравятся твои герои:
Подгурский, юный байронит,
С лукавым смыслом, с дерзкой бровью
Опровергает районо.

Твой Робеспьер спешит к засаде,
И грезит мрачный Шлиссельбург,
И тенью твой мятежный всадник
Летит среди любовных бурь.

Лети и ты, будь дерзко молод,
Четырежды счастливый дед,
И приглашай звериный голод
На свой полуночный обед.

Ночное празднество, дружище,
Пускай пройдет под пенье арф,
Шампанского пролей на брыжжи
И будь, как прежде, star at heart!

Или вот еще одна эпистола, на этот раз другу-музыканту, полсотни с чем-то лет назад вошедшему с инструментом, чтобы начать свой непрекращающийся свинг.

Средь верноподданных сердец
КПСС назло
Возник таинственный юнец,
Саксофонист Козлов.

В прикиде ультраштатском он блуждал,
Столицы грешный сын,
Не-джазовое все не уважал
И так нашел свой свинг.

По сути дела, этот свинг свистал
Под пятым слева ребром,
Козловский не очень скромный новосел,
Замученный рублем.

Космической любви росток,
Последний среднерусский могикан,
Он мог играть часов по сто,
Как Джерри Маллиган.

Шестидесятых лет разброд
Возрос, как баобаб.
Козлов играл средь тех борозд
Свой фирменный бибоп.

Не убоявшись русских стуж,
В тропический экстаз
Врубается он, ух ты, стилем «фьюжн»
Под струнных перепляс.

Мыслитель, чей творец Роден,
Он охраняет свой творческий фланг,
Лишь пальцы мечутся ордой,
Впадая в бурный фанк.

Вот так, идя от стиля «cool»
В горячий христианский рок-н-ролл,
Козлов тащил упреков куль
И мощный «Арсенал».
Какой итог мы видим щас

Сквозь слепоту всевозможных призм?
Ликует наш козловский джаз,
Он опроверг марксизм.

Твой юбилей, мой друг, не кругл,
В трех острых его углах живет пчела.
Ты в юности играл свой «cool»,
Так страстью старости теперь пылай!

И вот завершается еще один роман самовыражения, в котором автор может осветиться как Оксе-
нотлом, так и Стратовыми, так и Пришельцем Максом, так и Высоколобым Бутылконосом, а антиав-
тор прикроется Блажным и Комплектом, не к ночи
были помянуты. Давайте, несмотря на специфику
жанра, в добрых старых традициях не будем мучить
читателя и добросовестно ему поведаем, кто с кем,
зачем и почему. Читатель, должно быть, уже заметил, что понятие летоисчисления не очень-то де-
ально, чтобы не сказать «весьма туманно», просле-
живается автором в перипетиях романа. В эпилоге
но будет еще больше провисать, поскольку большинство персонажей предполагаются живы, а жи-
вая персона создает больше сложностей, чем те, кто
тошел при героических или странных обстоятель-
твах. Словом, хронологической точности не ждите.

Начнем, пожалуй, с Вадима Казимировича Бра-
илевича, чье великолепное прозвище было только

что упомянуто. Копнув в далекое будущее, то есть в воображаемое, мы можем сказать, что он дожил до 104 лет и все еще здравствует. Тому способствуют легкий нрав и приверженность к британскому выражению readyness is everything, то есть, как в пионерские годы совок учил, быть готовыми к труду и обороне. Он всегда был готов и к процветанию, и к деградации, то есть к успеху или к развалу. В «Таблице-М» ему платили огромные деньги, он стал мультимиллионером. Других бы это удивило — он принял как должное. Когда бизнес редкоземельных элементов в России попал под удар скрытно-большевизма, он и этому не удивился и стал сопротивляться вместе со всеми и даже впереди всех; достаточно вспомнить дело с «Фортецией». Он был великолепным холостяком Москвы, пока не влюбился «как гимназист» в Леди Эшки. Он стал ее пажом на то время, когда она отвечала ему взаимностью, а потом остался другом, хотя всю жизнь не мог позабыть ее ласк, по правде говоря, весьма мимолетных.

Интересно отметить его отношение к своей внешности; она ему нравилась высоколобостью и неординардой формой носа, и потому он даже гордился великолепным прозвищем, придуманным Ашкой. Выходя на вечернюю прогулку по эспланаде, он был уверен, что гуляющая публика видит в нем идеал современного джентльмена. И впрямь, среди публики находилось немало господ, которые с удовольствием сменили бы свою заурядную миловидность на редчайший, если не сюрреальный портрет ВБ. Этого русского выдающегося финансиста знали во всем мире во всех кругах влиятельной бизнес-элиты. Популярность его была сродни популярности другого международного русского, артиста XX века Питера Устинова, а разговоры о его московских авантюрах только добавляли этому Highbrow Bottle-Nose особой остроты, вроде той, что приносит блюдо свежайших аркашонских устриц по соседству с бутылкой шампанского. Несмотря на развал проекта «Шато Стратосфер» и на общую шаткость корпорации редких сплавов, Вадим сохранил за собой должность генерального финансиста «Таблицы-М», прибавив к этому весьма значимую в современном мире позицию «портфельного инвестора».

Как и подобает настоящему денди, он любил все редкое и дорогое: автомобили «Бугатти» и «Испано-Сюиза», океанские яхты и пентхаусы с коллекциями оригиналов русского авангарда, ну и так далее; придумайте сами. Мы же добавим еще одно немаловажное обстоятельство. Со младых ногтей Вадим нередко напевал один куплет из песенки о Генрихе IV:

> Еще любил он женщин
> И знал у них успех.
> Победами увенчан,
> Он был счастливей всех.

Должно быть, в этой роли он видел и самого себя. Красавицы Москвы и стран атлантического побережья не обделяли его своим вниманием, а на одной из них, а именно на Ленке Стомескиной, он в конце концов и женился. Через полгода после свадьбы теннисистка принесла ему красоточку-девочку с правильными чертами лица, а еще через девять месяцев мальчика с маленькой бутылочкой вместо носа.

В те дни, когда распространилась горькая новость о гибели Макса Алмазова, неразлучные Ленка и Пашенька Стратова были завидной добычей для наглого мужичья в разных дискотеках. Забавно было раздразнить пацанов, нажравшихся экстази, а потом продинамить, то есть сквозануть, раствориться в ночи, а еще лучше спровоцировать какое-нибудь шаривари и в разгар оного отъехать в кабриолете. Известие об убийстве Пришельца застало их в ялтинском заведении «Матрица», откуда девушки собирались перебазироваться в Мисхор для встречи с таежными братьями, один из которых приходился одной из них родным отцом. И вдруг пришел молодой француз Жан-Клод Крутояр и на ломаном языке своего предка распространил сообщение агентств о гибели в Крыму известного геолога, открывшего в Сибири удивительную цепь месторождений редких земель; она видна из космоса с высокой орбиты, что порождает сомнения в том, была ли наша планета м е с т о м   е г о   р о ж д е н и я.

«Максу крышка, хана, примитэ силь ву плэ мэ сополезн», — сказал Жан-Клод, печально покачивая хорошо оформленной головой.

Остаток ночи девушки прорыдали, обнявшись в одной постели. Они вспоминали так и не разгаданные намеки тайги и руки Макса, нежные несмотря на то, что были похожи на бойцов, занявших огневую позицию.

Лена поняла, что на этом завершается ее роман с Геном. Теперь он исчезнет либо уйдет в толпу или в пустыню; скорее второе. Этот человек выдержал унижения «Фортеции», однако его горделивая вроде бы готовая ко всему поза осталась именно там, в той вонючей крытке.

Так и получилось, как она предполагала. После гибели Макса Ген оказался полностью инкоммуникадо и не проявил ни малейших попыток утешиться с чемпионкой Большого шлема. В конце концов появилась идея как-то решить свою судьбу, и он дала понять Высоколобому Бутылконосу, что хочет быть с ним. Навсегда. В законном браке. С регистрацией в мэрии. Со свадьбой на всю тусовку. С медовым месяцем. Ну, в общем, как у людей.

Интересно, что, став как все, то есть счастливой, Стомескина потеряла страсть сражаться в теннисе. Всякий раз, как она выходила на корт, появлялась предательская мысль: «А чё это я? А я-то чё тут?» — и она начинала терять свои подачи, и не принимать чужих, и совершать дикую кучу не инициированных противником ошибок. В результате из первой десятки быстро свалилась в третью сотню и тогда торжественно завязала с этой игрой; к тому же и первый пузик стал уже округляться. Ну, в общем, вот так, а если иначе, то богатые тоже плачут, когда вспоминают о любви.

Произвольное отношение к летоисчислению позволяет нам, как я уже заметил, произвольно перемещаться внутри страниц, которые, будь они написаны в хронологическом или просто в логическом порядке, составили бы тома и тома. Ну вот, например, почти забытый читателем гигантский старец Винсент Лярокк. Дело идет к столетнему юбилею, а он продолжает, сидя верхом на большом сёрфборде, поучать скандинавских юнцов, как нужно правильно бегать по волне. Французских и русских у него учеников, честно говоря, стало маловато. Он долго не понимал, почему он перестал быть для них непререкаемым авторитетом, пока один молодой француз, имеющий хоть и весьма отдаленное, но бесспорное отношение к династии Романовых — ну хорошо, назовем его имя, это Жан-Клод Крутомр, — не спросил его слегка язвительным тоном: «Это правда, мой мэтр, что ваш лучший ученик навсегда исчез в океане?»

За пределами романа ему еще не было в тот момент ста лет, но он явно приближался к девяноста. В растрепанных чувствах он позвонил мне — а я к этому моменту уже хорошо шагнул за семьдесят — и пригласил поиграть в баскет. «Послушай, Вэнс, — сказал я, — ты, наверное, забыл, что две известных нам площадки подверглись кардинальному переоборудованию. Поставлены новые щиты и в Биаррице, и в Англете. Да-да, в этом нет ничего плохого, если не учесть тот факт, что на одной площадке кольца подвешены на полметра ниже, а на другой на полметра выше стандарта. Какую ты выбираешь?»

«Мне все равно», — сказал он, и мы договорились встретиться там, где повыше. К довершению несуразностей мы оба в расчете на партнера не привезли мячи. Говорят, что в теннис еще можно играть без мяча, но в баскетбол затруднительно.

Мы стояли под летящей луной на площадке и смотрели друг на друга, как смотрят ночные барсуки. В ста метрах от нас надсадно шумел прилив.

«Скажи, Базз, это правда, что Ник Оризон пропал без следа?» — спросил Лярокк и поправил нижнюю челюсть, как будто собирался напасть.

«Откуда мне знать?» — сказал я.

«Но ведь это ты тут постоянно что-то придумываешь, связанное со Стратовыми».

«Вэнс, я ведь тебе не раз говорил, что в построении романа наступает момент, когда персонажи перестают подчиняться автору или продолжают подчиняться, но с каким-то двойным смыслом. Конечно я знал, что Ник будет проходить через очередную ломку, через неудержимый рост, однако до последнего момента я не предполагал, что он исчезнет с глаз долой и нырнет так далеко».

«Он жив?» — сухо спросил Лярокк, и я понял, что наша дружба может покачнуться.

Мне пришлось ответить вопросом на вопрос:

«Ты получаешь по e-mail сигнал ERB?»

Он проговорил с неприятным смешком:

«Я получаю каждый месяц кучу посланий со странными значками. Обычно это нацеленные на стариков рекламы медикаментов для повышения потенции. Ты тоже, наверное, их получаешь. Обычно сбрасываю их на delete».

«Проверь еще раз: если найдешь ERB, значит, он жив».

Мы попрощались.

«Спасибо за хорошие новости», — сказал он.

Я промолчал.

Неожиданно всякие противоречивые сообщения о детях олигархов Стратовых стали появляться на страницах международной печати. В британской «Guardian» было напечатано открытое письмо корнуэльских фармацевтов Брендона и Пенелопы Хорайзент, в семье которых Никодим Стратов провел около семи лет на правах сына. Вот некоторые пассажи из этого пронзительного документа:

«...Родители мальчика за весьма приличное вознаграждение попросили нас дать ему приют в связи с угрозой, исходящей от их русских конкурентов. О tempora, o mores!.. Мы дали ему наше имя, образованное, между прочим, от русской фамилии Горизонтов, обладатели которой, революционеры 1905 года, в свое время нашли себе приют в Объединенном Королевстве... Джизус, Мэри и Джозеф, как мы его любили!.. Без всякого сомнения, Ник принадлежал к лучшим представителям так называемых «индиго кидс», которые сейчас стали появляться в мире, как провозвестники новой, улучшенной расы землян...

...Ранней весной наш преждевременный выпускник отправился в большое путешествие, связанное с международными соревнованиями по сёрфингу... Он посылал нам интернет-депеши из устья Амазонки, из Южной Африки и из французского Биаррица... Вскоре, однако, там начались какие-то странные события, не помещающиеся в сфере нашего воображения... и Ник пропал с нашего горизонта; извините за каламбур... (кончик этой фразы, по всей вероятности, был пристегнут сотрудником op-ed section этой миловидной газеты)... кончилось это тем, что Ник пропал совсем и, по слухам, доходящим из Биаррица, добровольно превратился в морское животное, обреченное на... простите, не хватает слов...

...За это печальное исчезновение такого чудесного мальчика мы рискуем упрекнуть его биологических родителей, мистера и миссис Стратовых, и их образ жизни, основанный на беспредельном эгоистическом гедонизме... Дорогой сэр, просим вас напечатать этот наш «крик души» в назидание тем, кто преждевременно забывает о своих чадах...»

Письмо это получило неожиданно широкий отклик и было неоднократно перепечатано по обеим сторонам Атлантики. Как резонанс на эти отклики парижская «Le Figaro» опубликовала открытое письмо старшей попечительницы католического коллежа Святой Женевьевы (Швейцария). В нем содержались следующие фразы:

«...От 13 до 19 лет мадемуазель Параскева Стратова, a.k.a. Parassie Straight, воспитывалась в нашем учебном заведении на основах христианской морали... Большинству даже не приходило в голову, что эта скромная и способная девушка принадлежит к одному из самых богатых семейств капиталистической России... По окончании коллежа Стратова отправилась в Биарриц на встречу с родителями, которые имеют какое-то странное отношение к тюремным делам в Москве... Будучи вовлечена родителями в водоворот безумных, поистине ошеломляющих трат, наша выпускница, забыв о намеченном нами поступлении в Оксфорд на курс ботаники, бросилась в различные светские, полусветские, а то и просто сексуальные авантюры... Самое прискорбное, на взгляд попечительского совета Святой Женевьевы, заключается в том, что юная Параскева оказалась в среде женского тенниса, где водится вредоносная склонность к однополой любви... Мы совершенно согласны с супругами Оризон из Корнуэлла (Англия) в том, что причиной падения столь многообещающей выпускницы стал рассеянный образ жизни ее сверхбогатых родителей из сталинской России... Именно такие беспредельно жадные до развлечений прожигатели жизни, ограбившие, по некоторым сведениям, банк ВПК, способствуют возникновению в нашей Европе тлетворного декадентского климата...»

Шум вокруг детей Стратовых почти немедленно отозвался в Москве. Еженедельник «Аргументы и факты» даже опубликовал на первой странице нелепейший коллаж или, лучше сказать, «нарезку», где с определенной тлетворностью соприкасались некое морское чудовище и переплетенные девы, в одной из которых поднаторелый по «АиФу» читатель мгновенно узнает теннисистку Стомескину, а во второй, по прочтении, угадает крошку Стратову.

Последняя, потрясенная разнузданной прессой девушка, горько куковала в одиночестве в своих апартаментах на высоких этажах «Шато Стратосфер», когда к ней явился с соболезнованиями превосходный молодой человек Жан-Клод Крутояр. Всякий раз посещая это невероятное строение, Жан-Клод испытывал смешанные чувства. С одной стороны, он преисполнялся позитивной гордости за основателя, своего предка Микки Крутояра, и вообще за весь императорский клан Романовых-Юсуповых-Крутояров, а с другой стороны, над ним довлела негативная зависть, да, в общем, даже и не зависть, а некоторая завистёнка к российским нуворишам, в результате чего благородный лоб вынужден был соседствовать с крошечной ухмыленочкой в углу неплохого рта. Приняв этого молодого человека, Пашенька-скромняжечка вдруг дерзостно вознамерилась овладеть им, чтобы доказать всем, в том числе и самой себе, что она никакая не лесба. Дерзость — вообще-то, как говорят, сестра удачи, и в данном случае это блестяще подтвердилось. Три дня и три ночи молодой Крутояр не выходил из покоев нуворишеской принцессы, а потом они вдвоем, сияя друг на дружку, отправились в мэрию и зарегистрировали свой брак. Ну а совсем уж потом между прочим, прожили вместе всю жизнь, прибавляя деток и внучат.

Как ни странно, Ашка-Хозяйка ни разу не высказалась по поводу толков о ее детях. Газет никаких, а тем более паукообразного Интернета, она не читала, а ксероксами и распечатками на эту тему е не снабжали. То есть, по сути дела, она была не курсе. Понимала, конечно, что семья ее развалилась, но не предполагала, что мировая обществен ность так остро заинтересуется детьми.

Каждое утро, вся в легком и белом, она проносилась в свой офис на вершине здания корпорации, изрядно напоминающего то, прежнее, в незабвенном переулке Печатников, только с поправкой на тропический габонский климат. Секретариат тут же включал все каналы связи с мировыми биржами, с компаниями посредников, с геологоразведкой редкоземельных элементов, добычей и обработкой, а также с производственными мощностями, где производились чудодейственные сплавы металлов, и с центрами сбыта; вот именно с центрами активнейшего сбыта и несколько жульнической скупки. Дела шли отлично. Зарубежная, то есть внероссийская, «Таблица-М» непрерывно расширялась и разделялась на дочерние компании и снова расширялась путем поглощения слегка слабеющих. Иными словами, саркастически думала Ашка, наша суперкорпорация стала каким-то суперматеринским организмом, своеобразной лярвой, процветающей за счет поглощения и деления. Та, что осталась на родине, имеет к нам лишь косвенное отношение, несмотря на общее имя. Под гнетом скрытно-большевизма и опираясь на нас, она борется за существование, в то время как мы безобразно процветаем. Впрочем, что же нам еще остается делать?

Иногда она отбрасывала весь этот созидательный бред и подходила к зеркалу. Отмечала углубление вертикальной морщинки на правой щеке. Это делало ее еще более интересной. За все времена накопления возраста она ни разу не прибегала к подтяжкам. И не буду. Морщинки делают меня все более интересной. Мужчинам нравятся мои морщины, потому что я отношусь к ним как к нормальным членам моего лица. Ген никогда этого не говорил, но я видела, как он любит эти птичьи лапки у глаз.

Макс просто обожал их, постоянно целовал именно их. Бутылконос, тот просто верещал от постоянного восторга. Король их боготворит. Между прочим, даже и те, что приглашались ненадолго, начинали в конце концов трепетать от моей морщинистой внешности. Тот негр в Америке, с которым я первый раз изменила Гену, всегда говорил you look different. А что уж говорить о майоре Блажном, которому дала в его каптерке, чтобы освободить Гена. Он небось до сих где-нибудь рыщет в своем бреду, меня выискивает, морщинистую. Достаточно мне дерзостно улыбнуться, и все морщинки забываются. Вот улыбаюсь дерзостно. Все забывается, не только морщины. Остается только дерзостная женщина.

После того, как исчез Никодимчик, а потом Ген и Макс отправились назад, в эту чертову бездну, она решила лететь в Габон и там возродить «Таблицу». Король Ранис встречал ее у трапа самолета Когда она сошла к нему, пытаясь сохранить хотя бы слабое подобие дипломатического этикета, он опустился перед ней на колени и стал целовать ее отменно напедикюренные пальцы ног. Все племя ахнуло и застыло в благоговейном молчании. Король поднялся, подошел к микрофону и поздравил народ с прибытием королевы Габона и Генерального секретаря рыцарской лиги комсомола.

Они стали жить вместе в новой резиденции, отстроенной на месте стратовской пляжной вилльы где семь лет назад всем миром лечили искривленного Никодимчика. Охрану резиденции в первом кольце выполняли все те же московские Самые Надежные, а также отряд многоопытных французских ветеранов, нанятых на Коморских островах. Второе кольцо защиты было составлено из энтузиастов габонского комсомола в белых майках с надписью

«Comme Ca». Этим юношам было строжайшим образом запрещено украшать свои ягодицы какой бы то ни было татуировкой за исключением паучка, похожего на серп-и-молот. И наконец, третье кольцо, изрядно отдаленное от резиденции и приближенное к отрогам вулканической гряды, осуществлялось горными духами и колдунами. Гориллам было запрещено пересекать третье кольцо, кроме той, теперь уже почти легендарной самки по имени Шампань, которая когда-то угостила юную Ашку непрожеванной стрекозой. Она нередко посещала с дюжиной своих внуков классический версальского стиля парк своей подруги, где они невинно резвились, охотясь на все тех же стрекоз и до сей поры еще не упомянутых летучих существ коыыу.

Этот Габон, какие еще неведомые магниты таятся в его недрах, думала Ашка по утрам, оставляя нежно похрапывающего короля в складках постели и выходя на обширную, как баскетбольная площадка, террасу, чтобы поприветствовать темнеющий на фоне рассвета вулкан Бонга, сыгравший столь важную роль в истории Стратовых.

Что она сделала в первую очередь после воцарения? Правильно, она распустила секретариат короля, вернее, преобразовала его в танцевальный ансамбль. «Я надеюсь, Ваше Величество, что я сама в единственном числе предоставлю вам все секретариатские услуги, — так объяснила она эту акцию. — Впрочем, если вы захотите вспомнить прошлое, я подберу для вас какую-нибудь одноразовую солистку».

Он ей ответствовал: «Ваше Величество, ради дарованной мне вами божественной близости я готов отказаться от всех ностальгических утех. Хватит с меня этих набивших оскомину габонок! Адью! Точка! Ведь вы ко мне пришли из самой гущи советского комсомола!»

Кто бы мог узнать в утонченном короле того провинциального увальня, над которым подтрунивали в марксистских школах стран Варшавского договора и который ради авторитета в массах отрастил себе удивительное, хлопающее по коленям пузо? Сейчас этого стройного, хорошо тренированного короля можно было со спокойной душой выпускать на Панафриканские соревнования по бегу. И впрямь иногда казалось, что Его Величество готовит себя к подобным ристалищам. Каждое утро он начинал с весьма продолжительных забегов по аллеям своего парка, где развевались под ветром зеленые парички пересаженных из Наварры тамарисков. Глядя на его лицо, можно было подумать, что бег его убаюкивает или, лучше сказать, гипнотизирует, или, еще лучше сказать, умиротворяет, во всяком случае, он меньше всего думал в эти часы о государственных долгах.

Последние были решительным образом ликвидированы Ее Королевским Величеством Леди Эшки Благомудрой. Видя ее на террасе с помахивающей рукой, король всегда озарялся улыбкой и возвращался из бега к мыслям, достойным его вклада в цивилизационный процесс. Если сюда приедет мсье Жи, то есть Ген Стратов, что мне нужно будет сделать? Казнить? Нет-нет, ни в коем случае! Пусть он будет объявлен вице-королем. Пусть то же самое произойдет и с Максимом Алмазовым. Ну и так далее. Пусть в нашей стране будет некоторое количество вице-королей. Пусть Ее Величество Леди Эшки, Мадам Аш, направляет их деятельность. Таким образом наша страна покажет пример и развернет континент от докучливого патриархата в сторону благолепного матриархата. Ну и пусть!

Он стал любить большие общественные приемы с танцами. Не раз их посещала по соседству другая важнейшая фигура континента, генсек ООН Кофи Аннан. В шутку — если не всерьез — тот на год вперед резервировал за собой триумфальные вальсы с Эшки. Приезжал также Нгвами Нкрума, а также один высокородный офтальмалог с Ближнего Востока, который всегда мог выписать королеве рецепт на очки. Часто их также посещал Чрезвычайный и Полномочный посол Российской Федерации Его превосходительство Олег Гвоздецкий, давний комсомольский, еще со времен самороспуска, приятель Стратовых.

Однажды, после бала, в тесном кругу друзей, наладились петь песни, как нынче говорят, времен «советской цивилизации». Гвоздецкий всех удивил: взял гитару и спел незабвенное, булатовское:

> Вот скоро дом она покинет,
> Вот скоро грянет гром кругом,
> Но комсомольская богиня...
> Ах, это, братцы, не дурдом!

(Последнее слово в последней строчке, надо признать, было не булатовским; неизвестно, каким образом оно там появилось.)

Отложив гитару, Олег встал на одно колено перед Ее Величеством и воскликнул: «Да вот же она перед нами, комсомольская богиня, Ашка-антикомсомолочка!» Королева вспыхнула всей своей красотой, со всеми своими морщинками. Каков Олег! Он произвел завершение исторической песни!

В другой раз во время обычного, неисторического вальса Гвоздецкий сказал:

«Послушай, Ашка, какого черта, почему бы тебе не приехать в Москву с государственным визитом?»

Она хохотнула. «Чтобы с ходу поселиться в отремонтированной «Фортеции»?» И тут необъяснимо для людей диплслужбы содрогнулась.

Его превосходительство отвальсировал Ее Величество в отдаленный угол зала и остановился рядом со скульптурой Михаила Шемякина. Заговорил с неадекватной жестикуляцией, со светскими улыбками, чтобы присутствующие не подумали, что речь идет о государственных секретах: «Послушай, на повестке дня большие перемены. Скрытно-большевизна, похоже, протухла. Комплект мечется, постоянно меняет клички. АОП разбегается. Генпрокуратура прессует Прокуренцию. Евразия становится посмешищем. В верхах готовится пересмотр экономической политики. В вашу пользу, между прочим. Соединись с Гурамом, он в курсе дела. Ну что, по снежку-то не соскучилась? Гадкая-то наша погоденция не влечет?»

Она зажмурилась на мгновение, и в этом мгновении перед ней протащилась длинная лента московского слякотного дня. Ребята впереди перекрывают въезд в переулок Печатников. Джипы «Таблицы» с синими мигалками медленно выезжают на Сретенский спуск. Внизу открывается Трубная площадь, под завязку забитая автомобилями. Разъезжается, вернее, пытается разъехаться большой московский бизнес. Можно себе представить, как из-за тонированных стекол косо посматривают на и: кортеж нахрапистые тамошние мужики: низкие лбы или огромные лысины, набрякшие подглазия и стреляющие зенки, наглые намерения и похабны: страсти — наша упертая родина, наша жажда.

К концу романа автор начинает ёрзать: не ходит ли какой-нибудь герой под двумя, а то и под тремя разными именами; не начинал ли кто-нибудь как пышный брюнет, чтобы продолжить через десять страниц как плешивый блондин; да и вообще куда пропали тот или та из числа неглавных, но вполне задействованных персонажей???

Сейчас, в эпилоге, я думаю, не коснуться ли судьбы освобожденных вместе с Геном Стратовым узников совести и греха? Куда они все подевались после той памятной ночи, в апофеозе которой к Земле приблизился Овал? Не следовало ли им объявиться вновь, ну хотя бы на балу в «Шато Стратосфер»? Размышляя над этой проблемой, я навел некоторые справки и обнаружил престраннейший казус. Оказывается, они, беглецы из Краснознаменного долгосрочного изолятора, не были даже объявлены в розыск. Чем объяснить это обстоятельство? Уж не боязнью ли того, что в случае объявления в розыск может вскрыться другой престраннейший казус, а именно то, что все те литературные персоны были арестованы без санкции на арест?

Всем здравомыслящим читателям ясно, что заселение камер и карцеров в тюрьме «Фортеция» было результатом грубейшего беззакония со стороны Прокуренции. Учитывая тот факт, что эта вершина правоохранительного аппарата в последнее время сама как-то странно закачалась и что ведущий ее прокуратор в лице товарища генерала Колоссниченко был(а) переведен(а) в АВ, то есть в Академию Великодушия, я решил далее не касаться тех, кто столь внезапно обрел свободу. Пусть они с этой своей свободой спокойно разберутся по своим епархиям, если так можно назвать предыдущие грешные книги. Ведь многие читатели симпатизируют этим фигурам, хотя есть и другие, в частности, критик Земнер, которым они не по душе.

Несколько слов следует сказать о моей явной промашке. После первых глав из романа исчезли намеченные ранее упоминания старшего, или, вернее, уже старого, поколения Стратовых, в частности, папы Эдуарда и мамы Эллы. Как мог я упустить из виду допрос, учиненный этим настоящим шестидесятникам в Прокуренции в присутствии внешне бесстрастной, а на деле исполненной карательной страсти генеральши Колоссниченко? Глядя одномоментно в глаза и Эллы и Эдуарда, сия колоссальная скрытно-большевистская Фемида вопросила:

«А вы-то, вы, настоящие советские люди, то есть, я хотела сказать, законопослушные граждане Российской Федерации, как вы могли воспитать такого отступника, как Ген Эдуардович Стратов?»

На что, глядя в ее левый глаз, папа Эдуард дерзковато ответил:

«Это не мы его воспитали таким».

«Кто же, позвольте спросить?» — проколыхалась Светлана Устиновна.

И тут мама Элла, достойнейшая парашютистка 60-х, глядя ей прямо в правый глаз, еще более дерзковато завершила мысль достойнейшего альпиниста 60-х, своего любимого 75-летнего супруга:

«Это вы, госпожа генерал, со своим беззаконием так воспитали нашего принципиального Гена».

И Колоссниченко тут погасила огонь очей, иначе говоря, упрятала их в кристиандиоровские стекла.

Что касается личной старших Стратовых правозащитной деятельности, а также фрондерского куража, можно четко сказать, что ни та (деятельность) и ни тот (кураж) не угасли. Ни одно мероприятие

Соловецкого камня не проходит без их присутствия. Оказывается также и непререкаемая поддержка «Комитету 2008», хотя не исключаю, что в силу нашей летоисчисленческой запутанности мы давно уже перешагнули эту дату.

Случилось так, что нашу либеральную общественность на фоне множества мелких расколов посетил один капитальный раскол, и старшие Стратовы приняли в этом расколе свое деятельное участие. Речь идет об объединительной (это на фоне-то бесконечных расколов!) конференции оппозиционных сил, на которой произошло историческое рукопожатие коня Касьянова и трепетной лани Лимонова. Этому акту наш Эдик (в смысле, папа) и наша Элла (голосистая, как Фицджеральд) заявили решительный протест: как могут ревнители светлого европейского либерализма объединяться с красно-черными, да еще и отмеченными открыто-большевистским заклятием отморозками?! Мы их не только понимаем, но и призываем так держать. Ген Дуардович будет, конечно, горд своими, как он в юности своей говорил о моложавых родителях, «предками».

Явный неглижанс был, конечно, проявлен автором в отношении Льва Африкановича Хряща, этого общего свояка, всегда готового оказать протекцию, посодействовать советом, а то и взмыть на такую высоту, когда без всяких оговорок бросаются на помощь. Не исключено, что такое небрежение было проявлено автором в связи с тем, что эта крупная фигура постоянно находилась в состоянии либо полной, либо частичной засекреченности. Публика, в общем-то, никогда не знала, где обретается и чем занимается этот московский барин, тип Гиляровского, с его постоянной улыбкой благорасположения и с благоухающим аппетитом. Нам и сейчас иногда кажется, что, пиша поэму о майоре Вовкове, автор где-то по большому счету имел в виду Льва Африкановича, однако, поразмыслив, мы понимаем, что так не может быть даже в условиях запутанного летоисчисления. Ведь Вовков-то покинул сей мир в чине майора, в то время как Л.А. Хрящ достиг генерала-полковника и благоденствует сейчас на острове Мальта в роли Лео Кортелакса.

Но родственники-то, родственники, близкие души, тот же Ген, которого он вытаскивал из тесных, ох, тесных объятий ЦКГБ, та же Ашка, которую, собственно говоря, и свел с ее нынешним супругом, то есть практически сделал ее королевой Габона, те же их родители, та же его свояченица, папина мама, почему же они не напомнили автору об этой недюжинной личности? Неужели трудно вытащить бибикалку из кармана? Занимаясь подобного рода внутренней демагогией, автор нередко дает себе зарок посетить генерала в его мальтийском убежище. Вот, окидывая взглядом географическую карту, преисполняешься какими-то убаюкивающими чувствами: все-таки не зря произошел эволюционный скачок назад, если на множестве островов, будь то Мальта, или Корфу, или Пантеллерия, сидят в своих виллах наши советско-российские секретные генералы и разгадывают кроссворды марксизма-ленинизма. Ну немного провоцируют на международной арене, но кто без греха.

Ну вот, теперь мы и приблизились к эпилогической встрече с нашим центровым протагонистом, с той персоной, в честь которой и задумано было превращение детской дилогии во взрослую трилогию. Как, должно быть, заметил внимательный читатель, олигарх Стратов не очень-то любил упоминаний о неком Геннадии Стратофонтове, «который хорошо учился в школе и не растерялся в трудных обстоятельствах», не очень-то он любил и литературные размышления о протагонистах и прототипах, он вообще не очень-то любил беллетристику; предпочитал стихи. Теперь, после в равной степени нелепого и ужасного завершения своего возврата, он вообще не знал, что ему дальше делать в оставшейся жизни.

Алмаза похоронили в укромном уголке на Поликуровом холме в Ялте. Священник, отпевавший друга, не очень-то понравился Гену. Длинный и не слишком бородатый, он мало был похож на православного пастыря. Ген, впрочем, не очень-то отчетливо представлял, как должен выглядеть православный служитель. Может быть, на похоронах Макса должен служить вот именно такой необычный священник готического типа.

«Это наш друг еще по комсомолу, — сказал ему Мастер Сук после того, как все завершилось. — Интересный человек. Советую, Ген, поговорить с ним: может быть, полегчает».

Они спускались с Поликурова холма к автостоянке. Мастер Шок мониторил окружающее пространство в радиусе нескольких сот метров. Сук приглядывался к Гену. Тот как-то разительно изменился, приобрел отчетливо волковатый вид с белеющими глазами. Он ответствовал Мастеру Суку, с которым, можно сказать, не разлучался уже больше пятнадцати лет (минус тюрьма), равно как и с Мастером Шоком: «Спасибо за предложение, дружище.

В будущем постараюсь встретиться с отцом Феликсом, если оно состоится».

«Что «оно»?» — с мнимым спокойствием спросил Сук.

Ген усмехнулся. «Будущее. Пока что прошу тебя сообщить Ашке, что я не приеду в Габон».

При этих словах босса Шок резко остановился, будто споткнулся. «Что ты задумал, Ген?»

Ген положил руку ему на плечо. «Я сам не знаю, что я задумал». Он поправил рюкзак на своих плечах и показал на молодых парней, которые то тут, то там стояли у стен вдоль извилистой улицы, идущей вниз к одной из шумных ялтинских параллелей. «Это что за ребята?»

«Это наши», — сказал Сук.

«Снимите охрану! — скомандовал Ген. — Я остаюсь один. Связь по Интернету. Спасибо за все».

С этими словами он побежал вниз и завернул за угол. Когда на транспортную параллель, сохраняя мнимое спокойствие, вышли эти двое, самые надежнейшие из Самых Надежных, мастера и философы охраны и обороны, они увидели, что основатель «Таблицы-М» впрыгивает в переполненный рейсовый автобус.

Вот так Ген Стратов пропал по крайней мере на несколько месяцев. Однажды он позвонил мне на мобильный и сообщил довольно веселым или, лучше сказать, спокойным голосом, что путешествует. Я поинтересовался, в каких краях. Оказалось, что бродяжничает по Рязанщине, точнее, по следам затоваренной то ли бочко-, то ли стеклотары. Оттого и вспомнил Старого Сочинителя. Надеется в конце концов добраться до наших мест. То есть до Биар рица? Вот именно. Приедем в Биарриц и будем там сушить мокриц. В дальнейшем до меня доходили о нем только отрывочные, клочковатые сведения. Присовокупив к ним некоторую литературщину, я попытался представить себе его одиссею: как он жил и чем занимался на своем пути.

Собственно говоря, он ничем не занимался. Приехал, например, в Тамбов; зачем? Да просто не был там раньше. Поселился в гостинице, стал спать. Сквозь сон смотрел телевизор. Отмечал некоторые моменты. Вот Израиль — интересная страна. Очень большой процент граждан появляется в телевизоре. В Ливане тоже немало, но меньше. Вспоминал Галича: «Израильская, говорю, военщина/ Известна, говорю, всему свету!/ Как мать, говорю, и как женщина (это мужчина говорит),/ Требую, говорю, к ответу!» Начинается сериал «Девять жизней Нестора Махно». Он смотрит и это. Думает сквозь сон: «Этот фильм хорош на Тамбовщине, ведь и здесь народ долго никому не подчинялся».

Вдруг просыпался, чтобы пободрствовать. Спускался в ресторан, там чудный получал рулет «Тамбовская казначейша», просто восхитительный! Мелькала, конечно, мысль: «А при советской власти, небось, все тут лапу сосали».

Отправлялся гулять. В городе о ту пору королевствовала золотая осень. Боже, думал, вот прямо так и думал, Боже, вот прямо по этому адресу, как мне все тут напоминает то, чем вроде никогда не жил! Иной раз просто вздрагивал при виде, скажем, красного кирпича с белым орнаментом, при виде худеньких монахов, пересекающих глубоко удаляющийся, прямо к камню памяти жертв восстания, сквер, при виде ярко-голубой стены с пущенным поверху слегка кремовым горельефом всех остановок Страстного пути.

Он поднимался со своим рюкзаком по ступеням крыльца, избегал пристрастных взглядов какого-то странно засекреченного народа — хоть вроде ничего нынче уж и не надо скрывать — и входил в храм, где пока что только один притвор, вернее, даже одна выгородка в этом притворе имела достойный вид, остальная же громадина зияла многолетним упадком, разила гниловатой мокротой. Стоял со свечой, ни о чем не думал, в темноте лишь играла скрипка, ей и внимал. Мимо проходили разные люди, деликатно не заглядывая в лицо. Приблизился один, волосы забраны за уши, в хорошем пальто, накинутом поверх рясы.

«Простите, господин Эталони Макар Назарович, если не ошибаюсь?»

«Да, это я».

«Неугодно ли пожаловать на чай с расстегайчиками? Вот здесь, в двух шагах. Заинтересованные люди о вашем прибытии оповещены».

Из газет его снимки давно уж исчезли, а в мире все-таки возник какой-то смутный миф о бродячем Гаруне аль-Рашиде. Что касается собственного имени, то оно в чем-то сродни планете Плутон: не все уверены, что она (или он?) планета и вот именно Плутон.

Он давно отказался от принципа Макса — производить впечатление, чтобы отвести подозрение. Моноклем больше не пользуемся, только уж если надо прочесть самый мелкий шрифт. Власы растут сами по себе или падают ниц под ножницами. Морда зарастает, темнеет и серебрится, и опять же не поймешь: что это, мода мужланская или наплевизм. Передвигался чаще всего на общественном транспорте, то есть как все: если по воздуху, то в эконом классе, если по жд, то в плацкартном. Также очень полюбил подолгу ходить пешком. Задница поскучала о мягких диванах в дорогих джипах и бросила, стала мужать, крепчать. Издали как посмотришь, так ничего и не подумаешь о мужике с мешком. Идет себе и идет, то по асфальту, то по обочине. От поселка к поселку и даже на попутку не просится. В общем, на Рязанщине-то правду говорят о таких брошенных — по жизни пошел. Да и на Тамбовщине, как цельной, так и Воронежской, да и на Пензенщине нередко за бомжа принимали, чему он был рад. Не думая ни о каких духовных кризисах или стрессовых состояниях, не приближаясь ни на шаг к идее познания народной жизни, так себе передвигался без всякого смысла; иными словами, чистый бомжизм.

Иной раз, впрочем, перевоплощался, чтобы денек-другой поспать в хорошем отеле. Брился, стригся в каком-нибудь барбер-шопе на главной улице, покупал себе лепенец в бутике «Труссарди» или всепогодную куртку в несколько слоев на молниях, однако с рюкзаком своим не расставался никогда. Там у него среди прочего находился сугубо персональный компьютер толщиной в один палец и весом всего в килограмм. Он открывал эту штучку, сделанную из хорошо ему знакомого сплава, и с помощью кода «Таблицы» выходил на сайт Ашки. Читал там о ее действиях в качестве руководителя западного филиала, а также о выступлениях в роли королевы Габона. Представлял ее в этих ролях: как она сидит за своим столом и следит за своими экранами, как она запускает пальцы в свою гривку, как она надувает щеки, что всегда происходило в моменты исключительной задумчивости, как она подходит к микрофону, чтобы высказать позицию Габона по вопросу, скажем, миграции рабочей силы, как она принимает какого-нибудь дипломатического представителя, ну, предположим, того же Олежку Гвоздецкого... Потом отправлял короткую записочку Пашеньке, что-нибудь вроде: «Подъезжая под Ижоры, я взглянул на небеса и увидел вас, обжоры, сколько стоит колбаса?»... И, наконец, открывал свою почту и с трепетом душевным ждал, когда выскочит послание из трех букв: ЭРБ. Тогда засыпал, чтобы завтра продолжить свой путь, ну, скажем, в Тамбов.

Интересно отметить, что о его перемещениях уже пошли кое-какие, более подробные, слухи в центральных губерниях. Еще более интересным было то, что ни разу в разговорах не выплыло имя Гена Стратова. Говорили то о Макаре Назаровиче, то о Денисе Андреевиче, то о Евстигнее Ефремовиче. Дескать, появляются то тот, то другой, то третий в разных Богом забытых местах, оказывают немедленную денежную помощь и отваливают. А началось это с того, что он однажды в электричке Нижний Новгород — Арзамас услышал разговор о заброшенном туберкулезном диспансере, что неподалеку от селения Шлакоблоки. Мол, от недоедания и недолечения скоропалительно там вымирает контингент больных с открытой формой этой болезни, набравшей недавно новую ярость.

Он вышел на ближайшей станции и купил там «уазик» у подвыпившего фермера. Только потом узнал, что переплатил вдвое. Упорный этот внедорожник, по слухам, весьма популярный среди оленеводов северных провинций Канады, с успехом протащил его через тридцать верст псевдодорог, где надо было все время крутить среди ям с обледенелыми жидкостями. Наконец, на холме с проплешинами снега объявилась кучка убогих строений; это и был тот диспансер. Там было 18 больных среднего возраста и обоих полов. Все они к его приезду сидели перед вполне еще живым телевизором и смотрели передачу «Жизнь прекрасна», в которой руководителем является не кто иной, как глава ФАККа, то есть Федерального Агентства Культуры и Кинематографии. Струилась ностальгическая песня «Открой мне, отчизна, просторы свои». Гостя поразил интенсивный румянец на щеках по меньшей мере половины контингента. Он не знал, что такой румянец как раз и является признаком интенсивного умирания туберкулезников. Говоря об обоих полах, следует заметить, что там был и третий пол. Он весь вздыбился и во многих местах проваливался в подпол. Вот оттуда и дул смертный хлад.

Вышел главный (и единственный) врач, грузноватая женщина со следами давнишней покраски волос. Он представился ей как Денис Андреевич Талонов, портфельный инвестор. От такого титула она содрогнулась и бросила на него дичайший взгляд, поскольку никогда ничего подобного не слышала. Она сказала ему, что весь персонал от недоплаты разбежался. Осталась только тетя Устюша, дворник и по совместительству повар, хотя варить практически нечего: райздрав постоянно забывает о доставке, а транспорта у нас нет, вернее, есть, но она не тянет, болеет, нет овса, а может быть, даже ВК[1] наглоталась.

Не дослушав этот плач, Денис Андреевич открыл свой рюкзак — докторша тут подумала: портфельный, а с рюкзаком — и вынул оттуда несколько спрессованных по-банковски пачек стодолларовых билетов. Пересчитал и еще несколько кирпичиков

---

[1] В К — бациллы Коха.

добавил. Всего получилось двести тысяч долларов. Значит, так, Ирина Ивановна, дорогой мой человек. Начните с наема штатного персонала и одновременно с ремонта полов и отопления. Далее: купите нужное для начала количество антибиотиков и витаминов — делайте это в обход райздрава, по рыночным ценам, и вообще постарайтесь расходовать эту сумму самостоятельно, а также примите меры к оздоровлению питания пациентов. Купите овса для вашего транспорта и вызовите ветеринара. Пока что я вам оставлю свой «уазик», а шофера найдете на станции, он там нередко сидит в буфете.

«Да я знаю этот «уазик»! — вскричала Ирина Ивановна, явно немного от счастья поехав. — Он Медведьев! Я знаю, знаю, он умеренно пьющий! Умеренно! Он — Медведьев! Мужчина в целом позитивный! «Уазик» этот нам как раз, как раз! И Медведьев он как раз, как раз!»

Денис Андреевич Талонов, завязав свой рюкзак, собрался продолжать свое шествие. Пообещал держать с медучреждением постоянный контакт и написал на бумажке свой электронный адрес. Купите компьютер, Ирина Ивановна, и научитесь им пользоваться. Он посмотрел на женщину. Она сидела с открытым ртом, не в силах продолжить про Медведьева. Устиньюшка обмахивала ее народным полотенцем.

С тех пор так и пошло. В центральных губерниях бывшего СССР не часто, конечно, не каждый день однако все же с некоторой регулярностью стали происходить простые человеческие, как у нас любят говорить, чудеса. Заколачивают, скажем, от худосочия музей-усадьбу поэта-партизана Дениса Давыдова, и вдруг появляется Евстигней Ефремович Алончук, и святыня гусарская возрождается с завидной скоростью, поскольку финансирование ремонта и прочие вложения происходят по самой простой схеме: из руки дающей в руку жаждущую... возрождения культуры.

И далее все расширялась эта неожиданная для самого филантропа филантропия: детский пансионат для сирот, местная какая-нибудь секция «Солдатских матерей», прогоревшие от поджогов фермерские хозяйства, обмишуленная строительная ипотека, испохабленное какими-то жлобами еврейское кладбище, покосившаяся кухня для неимущих, учебный центр для особо одаренных детей, где в одну ночь пропали все компьютеры, клуб анонимных алкоголиков, в котором с дикого бодуна разворовали все оборудование в пункте детоксикации... Да чем только не богата наша мать, Российская Федерация!

Интересно отметить, что всю деятельность Ген Дуардович Стратов производил без всяких особых чувств. Никакой благодарности не ждал и не хотел. Сам в себе никаких ангельских качеств не отмечал. Замечал в своей филантропии элемент какого-то странного автоматизма. Наталкиваешься на объект, нуждающийся в помощи (это нетрудно), предлагаешь эту помощь, помогаешь кому наличными (а их все-таки не так много таскаешь в рюкзаке, не более миллиона, ей-ей), кому посредством банковской системы с необходимыми пояснениями, затем ищешь следующий объект. Иной раз замечаешь, что благодаря этой деятельности в твоих перемещениях по родной земле появляется какой-то смысл, в другой раз думаешь, что смысл все-таки порядочно размыт.

Всем его трем производным от одного корня, то есть господам Эталони, Талонову и Алончуку, временами казалось, что кто-то за ними следит, но не назойливо, а так, вполглаза. В другие разы появлялось ощущение опасности, но, по правде говоря, быстро улетучивалось. Однажды он заметил, что какие-то парни, четверо, за ним пошли. Дело было в Торжке. Притворяясь рассеянным, он иной раз останавливался и бросал в сторону преследователей взглядик, другой. Ребята были страшноватые — жаждущие грабежа и явно жестокие. Свернув с людной улицы в городской парчишко с еще уцелевшими гипсовыми пионерами, он пустился бежать. Свора бросилась за ним, только этого и ждали. Топали, нагоняли, один уже крикнул: «Эй, дядя, воюмать, постой!» Он остановился, прижался к стволу дуба, будто капитулируя. Они набегали, строили волчьи хари. Тогда он выпустил в их сторону невидимую неразрываемую нить из арсенала Сука и Шока. Парни, мгновенно схваченные нитью в одну охапку, повалились в лужу. Он подошел, посмотрел, ничего не сказал, удалился. Запомнились вылезающие из орбит от изумления зенки. И поток мата, обращенного уже не к нему, а черт знает к кому, может быть, к нити.

В другой раз неподалеку от Йошкар-Олы он ехал на только что купленной «Ниве Шевроле», когда его догнал и поехал вровень с ним автомобиль ДПС. Менты смотрели на него и переговаривались самым зловещим образом. Рожи у них были полностью адекватны тем, схваченным нитью. На всякий случай он извлек бульбочку с клейкой эмульсией и приготовился к остановке. Патрульные вдруг прибавили скорость и исчезли за поворотом. Дальнейшее прошло без приключений.

Тамбов его очаровал: экое осеннее благолепие экая буколика! Неторопливое движение немного численных машин. Ну стоит на центральной пло щади могутный Вова-с-кепкой — богатейте, богатейте, товарищи! — однако мимо пролетают стайки студенточек с чистыми русскими личиками, отсвечивают под солнцем белые колонны желткового университетского ампира, радуют глаз двухэтажные отреставрированные присутственные здания XIX века; кажется, вот сейчас простучат копыта и проедет в пролетке подвыпивший барин, славянофил или западник, но все равно — в аглицком цилиндре набекрень.

В назначенный час он подошел к храму Святого Симеона Столпника, где его ждали на чай с расстегайчиками. Стол был сервирован в чистеньком флигельке, примыкающем к голубой стене в маленьком дворике. Кроме самовара и блюд с выпечкой, присутствовали здесь и скромная пара бутылей с гербами, «Белое столовое вино г-на Смирнова», и селедки с пышной зеленой приправой, и грибочки, и огурчики. Вокруг стола сидела дюжина представителей религиозной общественности во главе с настоятелем, который утром обратился к нему, как он сказал, «по чистому наитию». У самовара сидела и разливала чай молодая дама в скромнейшем, застегнутом под горло сером платье и в оренбургской шали другого оттенка серого. Скромность была, очевидно, невысказанным девизом этого общества. Пиджачки, галстучки и дамские жакеточки явно не имели никакого отношения к модному магазину «Стокманн», который он заметил на главной улице. Скорее уж на оптовом рынке были добыты эти совсем неплохие, хоть и чрезвычайно скромные одежды. Но лица их, лица! Он с наслаждением смотрел на лица, исполненные глубинной российской интеллигентности. Ни малейшей хитрости не сквозило у них в рисунках губ, и ни единого намека на наглость не мелькало в глазах. Они все, включая и настоятеля, и даму у самовара, волновались и трепетали: как бы не заподозрил у них господин Эталони Макар Назарович какую-нибудь, хоть малую, хитрость, какой-нибудь мимолетнейший намек на наглость, как бы не отклонился этот таинственный человек от проекта.

А проект был запланирован большой. Во-первых, нужно было завершить реставрацию храма, творения русского зодчества XVIII века. Во-вторых, предполагалось открыть при храме приходскую школу, в которой детям открывались бы основы православия и других конфессий христианства. В-третьих, хотелось бы учредить, опять же при храме, школу сестер милосердия, вот именно не медсестер, но одухотворенных милых сердец.

Макар Назарович извлек из своего весьма скромного рюкзака заранее подготовленный чек Альфа-Банка на миллион долларов и объяснил, что нужно сделать для обращения этой скромной, но весьма приятной на ощупь бумажки в живые деньги. Процедура несложная, господа: надо просто открыть счет в ближайшем к вам отделении того же самого Альфа-Банка. За столом воцарилась исключительная приподнятость. Какой неслыханный дар, господин Эталони! С этой суммой мы немедленно развернем наш проект во всех трех, милостивый государь, направлениях! Что касается Альфы, то она, конечно, в Тамбове присутствует, но мы к ней прежде не решались даже на пушечный выстрел, знаете ли, как-то очень неприятно получать от ворот поворот. Макар Назарович кивал в ответ на эти слова и замечал, что все присутствующие кивают в ответ на кивок, включая и даму у самовара, что получалось весьма мило у всех, особенно у нее. Надеюсь, что мой вклад, господа, побудит и ваших богатеев на щедрые пожертвования, а что касается меня, прошу сообщать о продвижении вперед, вот, извольте, мой электронный адрес, и я, конечно, не исключаю расширения формата ассигнований.

Формат ассигнований! Какая удивительная формула, господин Эталони! Это сам Господь, друзья, направил к нам этого человека! Все уже выпили чаю и по доброй чарке «Смирновской» пропустили, разрумянились все и разулыбались.

Может быть, Макар Назарович, вы откроетесь нам, откуда вы такой самаритянин, ведь слухами о ваших добрых деяниях полнится наша земля. Ну что я вам могу сказать особенного, господа? Я просто один из многих так называемых «новых русских», а моя позиция в бизнесе называется «портфельный инвестор». Все прямо ахнули. Портфельный инвестор! Какая удивительная позиция! Давайте, друзья, поднимем тост за нашего благодетеля Макара Назаровича Эталони, в чьем имени мы видим знак возрождения российской цивилизации!

Все пошли к нему чокаться и выпивали за него по полной, и даже «дама у самовара» пригубила и улыбнулась, после чего потупила очи; получилось сногсшибательно. Вдруг он поймал себя на том, что присматривается к этой даме. Такая вроде бы неяркая скромняжечка, а вот если вынуть пару шпилек из прически, расстегнуть на шее несколько пуговиц, сбросить шаль, и возникнет сущая неотразимость. Впрочем, здесь, небось, среди присутствующих сидит ее благоверный супруг, может быть, это не кто другой, как сам настоятель, так что лучше к ней не присматриваться.

Уже стемнело, когда он вышел из флигеля. Долго еще активисты Симеона Столпника прощались, как это водится в корневой России. Долго предлагались в провожатые. Дорогой Макар Назарович, ведь вы скоро станете героем Тамбова, толпы вас будут здесь встречать и провожать! Он тормозил обеими ладонями, то перпендикулярно груди, то от груди вниз, параллельно туловищу. Нет, нет, друзья, я решительно против пиара, прошу вас, сохраните мое инкогнито. Часы одиночества или в обществе кучки друзей, как вы, мне гораздо дороже восторженных толп. Наконец, эмоции утихли, и он зашагал в желанном одиночестве, без кучки друзей, в сторону отеля по чудесному бульвару с разлапистыми елями. Одиночество, впрочем, оказалось не совсем, не стопроцентно желанным. Еще во время бурного прощания он обнаружил, что самоварная дама среди кучки друзей отсутствует. Увы, так всегда бывает, все лезут с излияниями, а единственная персона, с которой хочется пообщаться, пропадает. Впрочем, не исключено, что оная персона еще объявится на этом романтическом провинциальном бульваре. Папа Эдик когда-то украдкой от мамы Эллы все напевал бог весть откуда взявшийся романс: «Помню городок провинциальный, / захолустный и слегка печальный, / площадь и базар, / городской бульвар... / средь мелькающих пар/ бывало вижу знакомый родной силуэт...»

И впрямь, впереди появился и стал приближаться силуэт той, которую, кажется, звали Аглая. Она шла, медленно приобретая объем, положив руки в карманы широкой юбки. «Я нарочно спряталась здесь и ждала, когда все отстанут! — засмеялась она. — Прогуляемся немного вместе, не возражаете?» Он взял ее под руку, и они медленно пошли вдвоем сторону отеля. Несколько минут шли молча, изред ка поглядывая друг на дружку. Наконец она спросила:

«Вы Стратов?»

Подумав, он коротко подтвердил:

«Да».

Она улыбнулась с нежностью.

«Ген Стратов, я почти сразу вас узнала. Как ни странно, сначала по голосу. Я слушала по радио ваше интервью, взятое в Биаррице. Только потом вспомнила ваши портреты из «Коммерсанта». Вы тогда еще царили в Москве».

В номере отеля он сразу начал ее раздевать и с каждым шагом обнаруживал все более и более привлекательные черты. Неистовое желание охватило его. Он положил Аглаю на постель и стал овладевать женщиной, стараясь не взорваться сразу, а растянуть подольше весь этот упоительный процесс. «Ген Стратов, Ген Стратов...» — бормотала она, и казалось, что само звучание его имени взвинчивает ее либидо до недоступных раньше высот.

Потом они лежали, обнявшись, и ждали, когда все начнется сызнова. И все возобновлялось раз за разом, не заставляя ждать долго. Она ни о чем его не спрашивала, стараясь, очевидно, не показаться шпионкой. Он тоже в основном молчал и только однажды высказался по существу:

«Мне так нравится ваше имя — Аглая! Это по Достоевскому, что ли?» Вот и все: один восклицательный и один вопросительный. Утомленный вопросительный очень легко выправляется в вечно пламенный восклицательный. Аглая! Аглая! Она отвечает бесконечным многоточием: Ген Стратов... ах... Ген Стратов...

Под утро заснули носами кверху, в полуметре друг от друга. Ни он, ни она не видели никаких снов и не почувствовали даже запаха дурмана, шафрана и миндаля, проникающего из вентиляции и быстро охватывающего всю кубатуру. Трудно сказать, что в конце концов почувствовала Аглая, но Ген как протагонист нашего сочинения помнил, что перешагнул какой-то порог.

За порогом лежала дорога в Лондон, и вот он в Лондоне. Идет сквозь толпы цветного народа где-то на Пикадилли. По стенам домов без перерыва плывут сцены ГТ, гипертрофированного телевидения: переработка крокодилов, портреты династии Габсбургов кисти Франциско Гойи, гибель кабанчика в пасти льва, арка железнодорожного тоннеля под Ла-Маншем; вот он внутри этого тоннеля, идет пешком, как когда-то шествовал по сердцевине России, слева погост, справа тайга; мелькнула комсомольская морда не успевшего постареть Макса Алмаза, по бесконечному потолку тянутся заплетенные в кабель нити редкоземельных элементов: церий, самарий, неодим, иттрий, европий, тербий, лантан, скандий, гадолиний, диспрозий, празеодим, гольмий, тулий, иттербий, лютеций, миш-металл, эрб... эрб... эрбий... он узнает их всех по их мерцаниям, и вот он сам в углу огромного экрана снова проплывает над Пикадилли Сёркус и снова уходит в тоннель с выходом на крупный план, и далее с выходом в тамарисковый парк, и далее с выходом туда, куда вечно стремился, на пустынный и первозданный брег Залива Басков.

Был ярко-серый день с равномерным накатом волн; прилив в середине своего развития. О скаль, билась в круговороте воды огромная темная туша то ли бураго, убиенного шквалом стрел, то ли погиб шего при разломе земной коры авра; отсутствовало всяческое летоисчисление. Ген Стратов, если мы еще можем назвать его так, сидел на вершине дюны и сосредоточенно созерцал возникновение и исчезновение волн. Пустыня вокруг убеждала его не терять этой постоянной сосредоточенности. Жди, насвистывал ему бешеный ветер, жди, как всегда.

Наконец вдалеке на бешеном сломе волн возникло темное пятнышко, вскоре превратившееся в стремительно скользящего и приближающегося сёрфера. Ген, уже проскочивший мимо своего века, не понимал, как эта фигурка скользит посреди стихии, он только знал, что скользит его сын.

Юноша, скорее мальчик, в пенной воде достиг пологого брега, спрыгнул с плоского предмета, на котором скользил, взял его под мышку и легким шагом стал подниматься к верхушке дюны. Он был совсем не так велик, как предполагал Ген. Впрочем, с чем он мог его сравнить, разве только с самим собой. По этой мерке он был великоват, но не более того. Добравшись до Гена, он сел рядом, а рядом с собой положил свою доску по имени Рокси.

«Однажды, Ген, когда я плыл над песчаным дном, хорошо освещенным солнцем, я увидел наши тени, свою и Рокси. Моя была в три раза длиннее и шире, чем ее, — сказал Никодимчик, смешновато показывая руками. — Это был апогей, как я предполагаю. Потом понемногу пошло на убыль».

«Сейчас мы оба не отбрасываем тени, — сказал Ген. — Как у Данте, помнишь?»

«Да-да», — с некоторой рассеянностью ответил Ник-и-Дим. Гену показалось, что сын с сожалением оглядывает океан.

«Скажи, мой мальчик, ты когда-то рассчитывал потерять в океане страх смерти. Так и случилось, м?»

«Да-да, — ответил сын все с той же рассеянностью, к которой, казалось, прибавилось ожидание. — Все это растворилось там, в воде, в резервуаре элементов. У тебя тоже так было, отец?»

«Я отчалил в растворе шафрана и миндаля, — ответил Ген. — И прошел сюда под мерцанием редких земель».

«И вот появилась моя мать», — с некоторой высокопарностью, как в какой-нибудь классической драме, провозгласил Никодимчик и сделал жес «извольте» в сторону все еще зримого океана. Отту да, из пены морской, возникла и вышла на брег де вушка с оголенной грудью и округлившимся живо том. Все еще в стиле «фабрики звезд» она помахал им рукой, то есть слева направо and back.

«Да ведь это, кажется, не мать, а любовь тво Дельфина», — предположил отец, но сын поправи его: «В этом вряд ли уловишь разницу. Так же труд но уловить разницу между мной и сыном в ее чрев если не считать его ненавидящего взгляда. Пойде к ней, отец».

Они спустились с дюны и меж просохших бр вен и коряг, смешанных до неразличимости с пр сохшими скелетами биосферы, прошли они к мате Дельфине, которая тут же без мук и без всяческ экссудатов, без плаценты и пуповины произве мальчика, а тот тут же протянул ей руку и пом встать, и взгляд его был лучезарен, если только сам не был лучезарным взглядом. «Теперь мы в вместе», — произнесла мать, и они отправились необозримость, все четверо, если есть тут нужда подсчете уходящих.

Кажется, за ними еще юлила доска Рокси, по не растаяла в общей доскотеке.

В саду, окружающем дом, где во все времена года что-нибудь да цвело — зимняя ли камелия три месяца пылала алым огнем, неизвестный ли мне по названию суховатый куст весной покрывался маленькими цветочками, создавая лиловый мираж, ирисы ли вдруг в какую-то ночь мощно поднимали свои ярко-синие замысловатые головки, гортензии ли на все лето заявляли о своем пышном присутствии, мальвы ли покрывали свой куст сиреневыми откровениями поздней весны, магнолия ли развешивала свои белые чаши с непременными в их глубине крупными каплями влаги, летние ли петунии в оранжевом раже седлали ворота, дерзко ли утверждался розовый олеандр, розы ли потаенно возникали вдоль подзаборной колючей путаницы, — в том саду в сумерках я сидел, уставившись на освещенную стеклянную дверь своего кабинета, где на столе под двумя лампами стоял мой открытый Book G4 и призывал к завершению работы.

Должен признаться, что не ожидал такого грустного финала. Все как-то грезился некий вызов, что-то вроде победы, встреча не призраков, а живых, волна какого-то отпетого героизма, смесь мягкой грусти с жесткой иронией; в этом роде. Увы, за пять границ до конца все повернулось иначе. Так уже не раз случалось в моей практике сочинительства романов. Не только характеры показывают свой нрав, противится и композиция. Роман разваливается и тем самым свершается. «Редкие земли» обретают ритм и поэтический слог.

> Вблизи селенья Иттерби
> Ученый шведский Карл
> В озерах камни теребил,
> Кораллов он не крал.

Там проявился хитрый Иттрий,
Сей тугоплавкий элемент.
Ракеты, что твои осётры,
Несут свои крутые бёдра
И возжигают страсть комет.

Чу, тайные шаги Лантана...
Крадется пестрый, как султан,
Могучий, как нога атланта,
Со стрижкой модного шатена,
Торит он тропку на Алтай.
Когда тебя назвали Церий,
Не знали, что преломишь свет,
И в химии, как в мире целом,
Возникнет ультрафиолет.

Ты видишь зерна? Хохочет ёрник,
И Цельсий прыгает, как в цирке,
А слышится дуэт на цитрах,
И в парке цитрусы трясут.

Тащитесь по дорогам торным,
Где путник шел в венке из терний
И мыслил по бокам тростник.
Там плебс вопил, как воют звери,
Как скрытые в хиджабах стервы...
Где тот пророк, в кого я верю?
Но перли сквозь трясины вепри...
Так и назрел бы гнусный чирий,
Когда б не Церий.

Клади в карман магнит — Самарий,
А также славный Неодим,
И, если их возьмем суммарно,
Они притянут к нам амуров,
Хватать их будут наобум.

Сквозь атмосферу жаждет Тербий
Усилить свой люминофор,
Как замечательность верлибра
Усиливает древний хор.

И всё проносится, как зебры,
И стонет, как под вихрем вербы,
А под мостом ревет отребье
И жрет хрящи и кости рыбьи,
А нищий убегает с торбой,
И на потребу всяким ордам
Отменные саперы-сербы
Толкают задницей мотор.

В тот день заладил адский ливень,
Но сквозь прозрачнейший рентген
Предстал пред нами Гадолиний,
Как будто прибыли в Рангун.

Пред нами восемь га долины,
Муссон и вихрь, потоп минут.
Там проплывают на гондоле
Туда, где стонет минуэт,

К дворцу имперскому Елены.
Мечтает всяк: альков для лени
Ему в палаццо отведут,
Где будет Гадолиний вздут.

Он ускользал от нас, Европий,
Пускался в хитрые финты.
Понадобились шурупы
Его к Таблице привинтить.

Теперь сидим и пьем сиропы
И поглощаем дежоне:
Химический бифштекс с укропом
И сплав с сибирским бланманже.

Да кто этот ваш пресловутый Диспрозий?
Спросил на бегу торопливый прозаик.
Какие вы все, журналисты, занозы,
Ответил агент, суетливый, как заяц.

Он редкостный, но также сходный
С любой землей, балтийский Скандий,
И высится он, словно Анды
Над плоскогорьем этим гадским,
Где правит Кадмий.

Хотите, назовите Гольмий
И сьешьте с солью.
Он вам придаст изящность пальмы,
И в теплый вечер в Стокгольме старом
Стен Гетц нас проведет по барам
Своим бемолем.

Если возьмете вы Празеодим,
Свяжете с Эрбием подшофе,
Тут же ударитесь в праздные оды,
Тулий завалится к ночи в кафе.

Тулий гуляка
С изящнейшей талией,
Эрбий возвышенный,
Весь в серебре.
Дверь открывают
Прометий-романтик
И Празеодим
С бесом в ребре.

Urbi et orbi, земель волонтеры,
Все вдохновенны, и кое-кто пьян,
Вот перед вами бойцы и фрондеры,
Три мушкетера
И Д'Артаньян.

Из редких редчайший Лютеций,
В толпе элементов и сплавов
Встречаешься ты, как литовец
В толпе мусульманских арабов.

Вот лето приходит, и с лекций
Студенты бегут, словно плутни,
И тучи вскипают, как клецки,
Под пенье божественной лютни.

Ты мчишься, как клубень летучий,
Не хочешь в глуши приютиться,
Летишь ты в просторах, Лютеций,
Моя одинокая птица.

Литературно-художественное издание

Василий Аксенов

РЕДКИЕ ЗЕМЛИ

Ответственный редактор *М. Яновская*
Художественный редактор *Е. Савченко*
Технический редактор *Н. Носова*
Компьютерная верстка *Г. Клочкова*
Корректор *Д. Горобец*

ООО «Издательство «Эксмо»
127299, Москва, ул. Клары Цеткин, д. 18/5. Тел. 411-68-86, 956-39-21.
Home page: **www.eksmo.ru** E-mail: **info@eksmo.ru**

Подписано в печать 19.02.2007. Формат 84х108 $^1/_{32}$. Гарнитура «Таймс».
Печать офсетная. Бумага тип. Усл. печ. л. 23,52.
Тираж 50 000 экз. Заказ № 5219.

Отпечатано с предоставленных диапозитивов
в ОАО "Тульская типография".
300600, г. Тула, пр. Ленина,109 .